W9-AYQ-227

Nigdzie

indziej

Tommy Orange

Tłumaczył
Tomasz Tesznar

Tytuł oryginału
There There: A novel

Redakcja
Maria Myszkowska-Matusiak

Ilustracja na okładce
olio/E+/Getty Images

Projekt okładki
Tyler Comrie

Opracowanie polskiej wersji okładki
Tobiasz Zysk

Projekt typograficzny i łamanie
Grzegorz Kalisiak | *Pracownia Liternictwa i Grafiki*

Wydanie I

ISBN 978-83-8116-636-2

Zysk i S-ka Wydawnictwo
ul. Wielka 10, 61-774 Poznań
tel. 61 853 27 51, 61 853 27 67
Dział handlowy, tel./faks 61 855 06 90
sklep@zysk.com.pl
www.zysk.com.pl

Dla Kateri i Felixa

Prolog

W mrocznych czasach –
Czy śpiewa się także?
Tak, śpiewa się także
O mrocznych czasach.

– Bertolt Brecht

Indiańska głowa

BYŁA TAKA INDIAŃSKA GŁOWA – wizerunek przyozdobionej pióropuszem głowy długowłosego Indianina, wykonany przez nieznanego artystę w 1939 roku – którą aż do późnych lat siedemdziesiątych emitowano codziennie na wszystkich amerykańskich kanałach telewizyjnych na zakończenie programu. Nazywa się ją „planszą testową z głową Indianina" (*the Indian Head test pattern*). Jeśli ktoś nie wyłączył telewizora, mógł usłyszeć dźwięk w częstotliwości 440 herców – ton, jakiego używa się do strojenia instrumentów – i ujrzeć tę głowę Indianina otoczoną okręgami, które wyglądały tak, jakby widziane były przez lunety celownicze. W samym centrum ekranu było coś, co przypominało środek tarczy strzelniczej, z liczbami wyglądającymi jak współrzędne celu. Wspomniana głowa Indianina znajdowała się nieco powyżej tego centralnego okręgu, jak gdyby wystarczało jedynie skinąć przyzwalająco, aby nastawić przyrządy celownicze na ten właśnie cel. Przypomnę, że była to tylko zwykła telewizyjna plansza testowa.

W 1621 roku koloniści zaprosili na ucztę Massasoita, wodza Wampanoagów, aby uczcić niedawne zawarcie umowy gruntowej. Wódz przybył na tę uroczystość z dziewięćdziesięcioma spośród swoich ludzi. To na pamiątkę tej właśnie biesiady co roku w listopadzie spożywamy wciąż wspólnie uroczysty posiłek*. Świętujemy jako jeden naród. Nie była to jednak uczta dziękczynna, lecz poczęstunek mający przypieczętować umowę gruntową. Dwa lata później odbyła się kolejna tego rodzaju uczta, mająca symbolizować wieczną przyjaźń między białymi i tubylcami. Tamtej nocy dwustu Indian zmarło nagłą śmiercią na skutek działania nieznanej trucizny.

Gdy wodzem Wampanoagów został Metacomet, syn Massasoita, Indianie i Pielgrzymi nie spożywali już wspólnie uroczystych posiłków. Metacomet, zwany także Królem Filipem, zmuszony został do podpisania traktatu pokojowego, zobowiązującego Indian do oddania całej posiadanej broni palnej. Koloniści powiesili trzech spośród jego ludzi. Jego starszy brat, Wamsutta, został najprawdopodobniej otruty – tak to ujmijmy – po tym, jak wezwano go przed oblicze sądu w Plymouth i uwięziono. Wszystkie te wydarzenia doprowadziły do wybuchu pierwszej oficjalnej wojny z Indianami; w ogóle pierwszej

---

* Chodzi o Dzień Dziękczynienia, święto obchodzone w Stanach Zjednoczonych w czwarty czwartek listopada, a w Kanadzie w drugi poniedziałek października. (Wszystkie przypisy pochodzą od tłumacza).

wojny z Indianami, zwanej „wojną Króla Filipa". Trzy lata później konflikt był już rozstrzygnięty, a Metacomet ukrywał się i uciekał przed prześladowcami. Dopadł go w końcu Benjamin Church, dowódca pierwszego oddziału amerykańskich rangersów, wraz z pewnym Indianinem imieniem John Alderman. Martwemu Metacometowi odcięto głowę, a jego ciało pozbawiono kończyn. Poćwiartowano je po prostu. Cztery części przywiązano do pobliskich drzew i pozostawiono ptakom na żer. Alderman dostał w nagrodę odciętą dłoń wodza, którą trzymał w słoju z rumem i przez całe lata wszędzie z sobą woził, pokazując ją ludziom za pieniądze. Głowę Metacometa sprzedano kolonii Plymouth za trzydzieści szylingów – obowiązującą wówczas stawkę za głowę Indianina. Tam zatknięto ją na zaostrzonej żerdzi i obnoszono ulicami Fortu Plymouth, w którym przez następne ćwierćwiecze wystawiona była na widok publiczny.

W roku 1637 prawdopodobnie od czterystu do siedmiuset Pekotów zgromadziło się na swój doroczny taniec zielonej kukurydzy. Koloniści otoczyli, a następnie podpalili ich wioskę i strzelali do każdego Indianina, który próbował uciekać. Nazajutrz kolonia Zatoki Massachusetts wydała uroczystą ucztę, jej gubernator zaś ogłosił dzień ów dniem dziękczynienia. Tego rodzaju „dziękczynienia" odprawiano wszędzie tam, gdzie miały miejsce wydarzenia, których nie sposób nazwać inaczej, jak tylko „udanymi rzeziami". Mówi się nawet, że podczas jednej z takich uroczystości na wyspie Manhattan koloniści świętowali w dość szczególny sposób: na ulicach swej osady grali w piłkę odciętymi głowami Indian z plemienia Pekotów.

* * *

Pierwsza powieść pióra rdzennego Amerykanina, a zarazem pierwsza powieść powstała w Kalifornii, napisana została w roku 1854 przez pewnego człowieka z plemienia Irokezów imieniem John Rollin Ridge. Kanwę książki zatytułowanej *The Life and Adventures of Joaquín Murieta* („Życie i przygody Joaquína Muriety") stanowiły dzieje będącego rzekomo postacią historyczną meksykańskiego bandyty z Kalifornii o takim właśnie nazwisku, który został zastrzelony przez oddział Strażników Teksasu w 1853 roku. Aby dowieść, że naprawdę zabili Murietę, i móc odebrać wyznaczoną za niego nagrodę w wysokości pięciu tysięcy dolarów, Strażnicy odcięli mu głowę i wsadzili ją do słoja wypełnionego whisky. Zabrali z sobą również dłoń jego wspólnika Jacka Trzy Palce. Potem obwozili obydwa trofea po całej Kalifornii, pokazując je każdemu, kto był gotów zapłacić dolara.

Głowy Indian zamknięte w słoju czy zatknięte na żerdzi były niczym flagi, którymi powiewano, aby były widoczne dla jak najszerszego kręgu odbiorców. W podobny sposób zapadającym w sen Amerykanom pokazywano „planszę testową z głową Indianina" w chwili, gdy stawialiśmy żagle i odpływaliśmy ze swych salonów, by poprzez rozjarzone, szmaragdowe fale eteru dotrzeć do nowych wybrzeży – ekranów Nowego Świata.

Tocząca się głowa

Czejenowie mają taką starą opowieść o toczącej się głowie. Jest w niej mowa o rodzinie (złożonej z męża i żony oraz ich syna i córki), która porzuciła swój plemienny obóz i osiedliła się nad jeziorem. Rankiem, po odtańczeniu rytualnego tańca, mąż rozczesywał włosy swej żony i malował jej twarz na czerwono, po czym udawał się na polowanie. Gdy wracał, jej twarz była na powrót czysta. Kiedy zdarzyło się to już kilka razy, postanowił ją śledzić i z ukrycia obserwować, co takiego kobieta robiła, kiedy nie było go w pobliżu. Zastał ją w jeziorze, splecioną w miłosnym uścisku z przypominającym węża potworem z głębin. Posiekał więc potwora na kawałki i zabił swą żonę, a mięso przyniósł do domu dla swego syna i córki. Oboje zorientowali się, że smakuje ono inaczej niż zwykle. Syn, który wciąż jeszcze karmiony był piersią, stwierdził: „Właśnie tak smakuje moja mama". Starsza siostra powiedziała mu jednak, że to po prostu jelenina. Gdy jedli, do ich namiotu wtoczyła się głowa. Zaczęli uciekać, a głowa podążyła za nimi. Siostra chłopca przypomniała sobie, że tam, gdzie się bawili, rosły bardzo gęste cierniste krzewy, i mocą swych słów sprawiła, że wyrosła za nimi ściana takich cierni. Głowa jednak przedarła się przez nie i nadal ich goniła. Wówczas dziewczyna przypomniała sobie miejsce, gdzie wznosiły się niegdyś trudne do przebycia stosy głazów. Głazy również pojawiły się natychmiast, kiedy tylko o nich wspomniała, lecz nie powstrzymały toczącej się głowy, więc Indianka narysowała na ziemi wyraźną linię, w miejscu której powstała rozpadlina, tak głęboka, że głowa nie była w stanie jej pokonać. Jednakże po długiej i obfitej ulewie przepaść ta wypełniła się wodą. Głowa przeprawiła się wówczas przez przeszkodę, a gdy dotarła do przeciwległego brzegu, odwróciła się i wypiła wszystką wodę z rozpadliny. Wówczas okazało się, że się upiła i jest kompletnie ogłupiała. Chciała więcej. Więcej czegokolwiek. Więcej wszystkiego. I już tylko po prostu toczyła się przed siebie.

Kontynuując naszą opowieść, powinniśmy pamiętać o jednym: o tym mianowicie, że nikt nigdy nie staczał odciętych ludzkich głów ze schodów świątyń. Mel Gibson po prostu to sobie wymyślił. Niemniej jednak – przynajmniej tym spośród nas, którzy oglądali jego film* – utkwiła w pamięci scena, w której głowy staczają się ze schodów świątyni w stworzonym przez niego filmowym świecie, mającym odzwierciedlać realia życia meksykańskich Indian z pierwszego dziesięciolecia XVI wieku. Oto Meksykanie, nim jeszcze stali się Meksykanami. Zanim dotarli tu Hiszpanie.

W taki oto sposób byliśmy opisywani przez wszystkich i wciąż obrzuca się nas oszczerstwami, wbrew wszystkim – nietrudnym wszak do znalezienia w Internecie – faktom dotyczącym prawdziwych dziejów poszczególnych plemion i obecnej sytuacji rdzennych mieszkańców Ameryki. Mamy więc ponurą sylwetkę pokonanego Indianina, w umysłach naszych zaś tkwi scena z głowami staczającymi się ze schodów świątyni, jak również obraz ratującego nas Kevina Costnera, Johna Wayne'a uśmiercającego nas ze swego sześciostrzałowego rewolweru oraz pewnego Włocha nazwiskiem Iron Eyes Cody, grającego nasze role w filmach. Mamy lamentującego

---

* Mowa o filmie *Apocalypto* z 2006 roku w reżyserii Mela Gibsona.

i roniącego łzy nad zanieczyszczeniem środowiska Indianina w reklamie (w tej roli również wspomniany Iron Eyes Cody) oraz miotającego szpitalnym wodotryskiem szalonego Indianina, który był narratorem, głosem w powieści *Lot nad kukułczym gniazdem*. Mamy też wszystkie te logo i maskotki. Reprodukcję kopii wizerunku Indianina w podręczniku. Indianie zostali zatem usunięci ze wszystkich ziem, poczynając od północnych krańców Kanady i najdalszych zakamarków Alaski, a kończąc na samym koniuszku Ameryki Południowej, a następnie sprowadzono ich wszystkich do jednego tylko wizerunku głowy przyozdobionej pióropuszem. Nasze głowy widnieją na proporcach, ubraniach i monetach. Najpierw pojawiły się oczywiście na jednopensówce (*the Indian Head cent*), a następnie na miedzianej pięciocentówce z bizonem (*the buffalo nickel*) – w obu przypadkach zanim jeszcze, jako naród, mieliśmy prawo głosu. Obydwu tych monet – podobnie jak prawdy o tym, co rzeczywiście działo się w czasach ekspansji kolonialnej na całym świecie, czy też krwi przelanej we wszystkich tych rzeziach – nie ma już obecnie w obiegu.

Rzeź na wstępie

Niektórzy spośród nas dorastali pośród opowieści o rzeziach; pośród historii o tym, co przydarzyło się naszemu ludowi wcale nie tak dawno temu. O tym, jak przez to przeszliśmy. Słuchaliśmy o tym, jak nad Sand Creek kosili nas z haubic. Ochotnicza milicja pod wodzą pułkownika Johna Chivingtona przyszła tam po to, by zabijać Indian, to znaczy głównie kobiety, dzieci i starców: wojowników nie było w obozie, gdyż udali się na polowanie. Biali rozkazali nam najpierw wywiesić amerykański sztandar. Spełniliśmy ich żądanie, wieszając obok jeszcze białą flagę. „Poddajemy się" – mówiła ta ostatnia, łopocząc na wietrze. Staliśmy pod tymi dwoma sztandarami, kiedy nas zaatakowali. Nie wystarczyło im to, że nas zabijali. Rozrywali nas wręcz na kawałki. Okaleczali nas. Łamali nam palce, aby wziąć sobie nasze pierścionki, odcinali nam uszy, aby zabrać srebrne ozdoby i skalpowali nas dla naszych włosów. Chowaliśmy się w wydrążonych pniach drzew i zagrzebywaliśmy się w piachu nad brzegiem rzeki, lecz piach ten stał się wkrótce czerwony od krwi. Napastnicy wypruwali nienarodzone dzieci z brzuchów matek, odbierając nam nawet to, czym dopiero mieliśmy być: nasze dzieci, nim jeszcze stały się dziećmi, i niemowlęta, zanim zostały niemowlętami. Wypruwali nam je z brzuchów. Rozbijali miękkie dziecięce główki, uderzając nimi o drzewa. Potem zabrali sobie różne części naszych ciał jako trofea i wystawiali je na widok publiczny na specjalnym podeście w centrum Denver. Pułkownik Chivington tańczył, trzymając w dłoniach kawałki nas samych i kobiece włosy łonowe; tańczył tak, kompletnie pijany, a wokół zgromadził się tłum jeszcze gorszych od niego ludzi, którzy wiwatowali i śmiali się wraz z nim. Była to prawdziwa feta.

Twardzi i szybcy

Przesiedlenie nas do miast stanowić miało ostatni, niezbędny etap w procesie naszej asymilacji; w procesie wchłaniania nas, czy też wymazywania z kart historii: stosowne zakończenie ludobójczej kampanii, trwającej już od pięciuset lat. Jednak miasto stworzyło nas na nowo, a my uczyniliśmy je sobie poddanym. Nie zagubiliśmy się pośród bezładnego skupiska wysokich budynków, w potoku anonimowych ludzkich mas ani w nieustannym zgiełku ruchu ulicznego. Odszukiwaliśmy się wzajemnie w tłumie, zakładaliśmy swoje ośrodki kultury, przyprowadzaliśmy nasze rodziny i pokazywaliśmy światu nasze ceremonie, tańce, pieśni czy ozdoby z paciorków. Kupowaliśmy i wynajmowaliśmy sobie domy, spaliśmy na ulicach albo pod wiaduktami autostrad; chodziliśmy do szkół, wstępowaliśmy do armii oraz wypełnialiśmy hinduskie bary w dzielnicach takich jak Fruitvale w Oakland czy The Mission w San Francisco. Mieszkaliśmy w wioskach wagonów kolejowych w Richmond. Tworzyliśmy sztukę i robiliśmy dzieci oraz umożliwialiśmy naszym ludziom krążenie tam i z powrotem pomiędzy miastem a rezerwatem. Nie przenieśliśmy się wszak do miast po to, by umrzeć. Ich chodniki i ulice, ich beton wchłonął spoczywający na naszych barkach ciężar. Miasta, ze swym szkłem, metalem, kauczukiem i przewodami, pędem i gnającymi przed siebie ludzkimi masami, przyjęły nas pod swój dach. Wówczas jeszcze nie byliśmy miejskimi Indianami (*Urban Indians*). Przenosiliśmy się do miast w ramach Ustawy o przemieszczeniu Indian (*Indian Relocation Act*, 1952), będącej częścią federalnej polityki likwidacji indiańskich rezerwatów, która polegała i polega nadal dokładnie na tym, co sugeruje jej oficjalna angielska nazwa*.

---

* *Indian Termination Policy*. Była to polityka prowadzona przez rząd Stanów Zjednoczonych od połowy lat 40. do połowy lat 60. XX wieku, mająca na celu asymilację rdzennych Amerykanów.

Niech wyglądają i zachowują się jak biali. Niech staną się tacy jak my i w ten sposób znikną. Tak się jednak nie stało. Wielu z nas przybyło do miast z wyboru, by zacząć wszystko od początku, zarobić pieniądze lub zdobyć nowe doświadczenia. Niektórzy przybyli po to, by uciec z rezerwatu. Zostaliśmy w miastach po tym, jak walczyliśmy w drugiej wojnie światowej. Zostaliśmy też po Wietnamie. Zostaliśmy, ponieważ zgiełk miasta brzmi tak jak odgłosy wojny, a nie można wycofać się z walki, jeśli już raz chwyciło się za broń – można jedynie trzymać wojnę na dystans, co jest łatwiejsze, kiedy się ją widzi i słyszy w pobliżu; tę twardą stal, tę nieustanną strzelaninę dokoła i samochody mknące w tę i z powrotem ulicami i autostradami niczym stalowe pociski. Tymczasem spokój rezerwatu, miasteczek leżących z dala od autostrady i wiejskich osad, oraz panująca w nich cisza sprawiają jedynie, że dźwięk własnego rozpalonego mózgu staje się jeszcze bardziej wyraźny.

Bardzo wielu z nas jest teraz miejskimi Indianami. Jeśli nawet nie dlatego, że żyjemy w miastach, to przez to, że żyjemy w Internecie, wewnątrz wielopoziomowych piramid złożonych z kolejnych okien przeglądarki. Kiedyś nazywali nas „Indianami z poboczy" (*sidewalk Indians*). Mówili, że jesteśmy „zmieszczaniałymi", powierzchownymi, nieautentycznymi i pozbawionymi własnej kultury uciekinierami, „jabłkami". Jabłko przecież ma czerwoną skórkę, ale w środku jest białe. Tak naprawdę jesteśmy dziś jednak wynikiem tego, co zrobili nasi przodkowie. Tego, w jaki sposób udało im się przetrwać. Jesteśmy wspomnieniami, których sami nie pamiętamy, choć czujemy ich obecność w sobie, a które wciąż żyją w nas i każą nam śpiewać, tańczyć i modlić się właśnie tak, jak to robimy; tak jak każą nam uczucia wywoływane wspomnieniami, które niespodziewanie rozbłyskają i rozkwitają w naszym życiu niczym przesączająca się przez koc krew płynąca z rany od kuli wystrzelonej przez człowieka, strzelającego nam w plecy dla naszych włosów, głów, dla nagrody albo po prostu po to, żeby się nas pozbyć.

Kiedy pierwszy raz zaczęli do nas strzelać, nie staliśmy w miejscu, mimo że ich kule poruszały się dwa razy szybciej niż dźwięk naszych krzyków, i nawet wtedy, gdy gorące i mknące ze świstem pociski rozorywały naszą skórę, gruchotały nasze kości i czaszki oraz przebijały nasze serca, ruszaliśmy się nadal; trwaliśmy w ruchu nawet wtedy, gdy widzieliśmy, jak ich kule miotały naszymi ciałami, sprawiając, że wyglądaliśmy jak łopoczące na wietrze flagi; jak te liczne flagi i budynki, jakie zaczęli wznosić w miejscu tego wszystkiego, czym przedtem była nasza ziemia. Pociski te były niczym ostrzeżenia, zjawy ze snów o trudnej, twardej przyszłości. Przechodząc na wylot przez nasze ciała, mknęły dalej, stając się zapowiedzią tego, co miało dopiero nadejść: zapowiedzią tego pędu i zabijania, ostrych i wyraźnych linii wyznaczających granice i zarysy budynków. Przybysze zabrali nam wszystko i starli na pył tak drobny jak proch strzelniczy; na znak zwycięstwa strzelali na wiwat w powietrze ze swych karabinów, a zbłąkane kule trafiały gdzieś w nicość przekłamywanych historii, które i tak miały zostać zapomniane. Te zbłąkane kule i ich konsekwencje aż do dnia dzisiejszego spadają niespodzianie wprost na nasze nazbyt ufne ciała.

Miejskość

Miejscy Indianie byli pokoleniem urodzonym w mieście. Przemieszczaliśmy się wtedy już od bardzo dawna, ale ziemia przemieszcza się wraz z człowiekiem, tak jak pamięć. Miejski Indianin jest częścią miasta, tak jak miasta są częścią ziemi. Wszystko na świecie tworzy się w odniesieniu do wszelkich innych żywych i nieożywionych rzeczy wywodzących się z ziemi. Wszystkie nasze relacje. Proces, który doprowadza każdą rzecz do jej obecnej formy – czy to chemiczny, syntetyczny, technologiczny czy inny – nie oznacza wcale, że jego produkt przestaje być wytworem żyjącej ziemi. Czyż budynki, autostrady i samochody nie wywodzą się z ziemi? A może przysłano nam je z Marsa albo z Księżyca? Czy chodzi o to, że to my je przetwarzamy i produkujemy, a potem posługujemy się nimi? A czy my sami tak bardzo się od nich pod tym względem różnimy? Czyż nie byliśmy niegdyś czymś zupełnie innym: *Homo sapiens*, organizmami jednokomórkowymi, pyłem kosmicznym, częścią jakiejś nieidentyfikowalnej teorii kwantów sprzed wielkiego wybuchu? Miasta powstają w ten sam sposób, co galaktyki. Miejscy Indianie czują się jak u siebie w domu, spacerując w cieniu budynków w centrum miasta. Z czasem bardziej przyzwyczailiśmy się oglądać sylwetkę centrum Oakland na tle nieba niż zarysy pasma świętych gór, a lasy sekwoi na wzgórzach na wschód od Oakland poznaliśmy lepiej niż mateczniki dzikiej puszczy. Szum autostrady jest dla nas dziś bardziej znajomy niż szum rzek; ryk pociągów w oddali znamy lepiej niż wycie wilka, a zapach benzyny, świeżo wylanego betonu i palonej gumy – lepiej niż woń cedru, szałwii czy nawet podpłomyków.

Wszystko to nie jest osadzone w naszej tradycji, tak jak nie są osadzone w niej rezerwaty. Nic jednak nie jest pierwotne i oryginalne, wszystko wywodzi się z czegoś, co było wcześniej; z czegoś, co kiedyś też nie istniało. Wszystko jest jednocześnie nowe, a zarazem skazane na zapomnienie. Dziś przemierzamy więc autobusami, pociągami i samochodami wielkie równiny z betonu; jeździmy ponad nimi, a nawet pod nimi. W byciu Indianinem nigdy nie chodziło o to, by wracać do swej ziemi. Ta ziemia jest wszak wszędzie – lub nigdzie.

CZĘŚĆ I

Pozostać

*Jak to możliwe, że nie znam dziś twojej twarzy jutro, twarzy, która już jest lub wykluwa się pod twarzą pokazywaną światu bądź pod nałożoną maską, twarzy, którą pokażesz mi dopiero wtedy, gdy nie będę się tego spodziewał?**

– JAVIER MARÍAS

* J. Marías, *Twoja twarz jutro*, t. I, *Gorączka i włócznia*, tłum. E. Zaleska; Wydawnictwo Sonia Draga, Katowice 2010, s. 184.

Tony Samotnik

„ZESPÓŁ" OBJAWIŁ MI SIĘ PO RAZ PIERWSZY W LUSTRZE, kiedy miałem sześć lat. Nieco wcześniej tamtego dnia mój kolega Mario, zwisając z drabinki na placu zabaw, zapytał: „Dlaczego masz taką dziwną twarz?".

Nie pamiętam, co wtedy zrobiłem. Nie wiem tego zresztą do dziś. Pamiętam jedynie plamy krwi na drabince i posmak metalu w ustach. Pamiętam też, jak moja babcia, Maxine, potrząsała mną za ramiona w poczekalni przed gabinetem dyrektora. Miałem zamknięte oczy, a ona powtarzała tylko w kółko „psst!", tak jak zwykła robić, ilekroć próbuję się tłumaczyć, gdy powinienem raczej siedzieć cicho. Pamiętam, że potem pociągnęła mnie za rękę mocniej niż kiedykolwiek wcześniej, a później w milczeniu wracaliśmy samochodem do domu.

Po powrocie, siedząc przed telewizorem – zanim jeszcze go włączyłem – dostrzegłem odbicie swojej twarzy na ciemnym ekranie. To właśnie wtedy po raz pierwszy zobaczyłem ją taką, jaką widzieli ją wszyscy. Kiedy spytałem Maxine, dlaczego moja twarz tak właśnie wygląda, babcia powiedziała mi, że moja mama piła, kiedy byłem w jej brzuchu. Wyjaśniła mi, naprawdę bardzo cierpliwie i powoli, że mam alkoholowy zespół płodowy. Do mnie dotarło wtedy tylko powtarzane przez nią w kółko słowo „zespół". Po chwili siedziałem z powrotem przed wyłączonym telewizorem i gapiłem się w ekran. W odbitą na nim, wykrzywioną i rozciągniętą twarz. Wszystko przez ten zespół. Choć bardzo się starałem, nie byłem już w stanie sprawić, aby twarz, którą tam widziałem, stała się na powrót moja.

W przeciwieństwie do mnie większość ludzi nie musi zastanawiać się nad tym, co znaczą ich twarze. Twoja twarz odbita w lustrze i spoglądająca na ciebie; większość nawet już nie wie, jak ta twarz wygląda. To coś na przedzie twojej głowy, czego nigdy nie zobaczysz, tak jak nigdy nie ujrzysz swojej gałki ocznej; jak nigdy nie poczujesz własnego zapachu. Ja jednak dobrze wiem, jak wygląda moja twarz. Wiem też, co ta twarz oznacza. Powieki mi opadają, jakbym się schlał albo był naćpany, a gęba ciągle mi się nie domyka. Między poszczególnymi częściami mojej twarzy jest za dużo przestrzeni: oczy, nos i usta oddalają się od siebie, jakby poroztrącał je przypadkiem jakiś pijak, sięgając po kolejnego drinka. Ludzie gapią się na mnie, a potem odwracają wzrok, gdy się zorientują, że wiem, iż na mnie patrzą. To też przez ten zespół: moje przekleństwo, a zarazem źródło mocy. Zespół to ślad po mojej matce i po tym, dlaczego piła; to sposób, w jaki historia odbija się na twarzy człowieka, oraz wszystkie te metody, które pozwoliły mi przetrwać aż do tej chwili, pomimo tego, jak bardzo spieprzył mi życie od tamtego dnia, kiedy pierwszy raz zastałem go na ekranie telewizora, gapiący się na mnie jak jakiś cholerny złoczyńca.

Teraz mam już dwadzieścia jeden lat, co oznacza, że mogę się napić, jeśli tylko mam ochotę. Ale nie piję. Po mojemu jest tak, że wypiłem już dosyć, gdy byłem dzieckiem w brzuchu mojej matki. Już tam się upijałem: cholerny pijany niemowlak, a nawet jeszcze nie niemowlak, tylko mała, pieprzona kijanka przyczepiona do pępowiny i pływająca sobie zygzakiem w brzuchu.

Powiedzieli mi, że jestem głupi. To znaczy, nie mówili mi tego wprost, ale z zasady oblewałem testy na inteligencję. Najniższy percentyl. Sam dół skali. Moja znajoma, Karen, wyjaśniła mi, że są różne rodzaje inteligencji. Karen to moja terapeutka, którą wciąż odwiedzam raz w tygodniu w indiańskim ośrodku kultury. Pierwszy raz kazali mi do niej pójść po tym zajściu z Mario jeszcze w przedszkolu. Karen powiedziała mi, że nie muszę się przejmować tym, co usiłują mi wmówić na temat mojej inteligencji. Mówiła, że ludzie z alkoholowym zespołem płodowym potrafią bardzo się od siebie różnić i posiadają szeroki wachlarz różnych typów inteligencji. Mówiła też, że test na inteligencję jest stronniczy, a ja mam świetną intuicję i uliczny spryt: jestem bystry tam, gdzie potrzeba. Niby już to wiedziałem, ale kiedy Karen mi to powiedziała, dobrze się z tym poczułem; jakbym tak naprawdę o tym nie wiedział, dopóki ona tak tego nie ujęła.

Jestem bystry; wiem na przykład, co ludzie mają w głowach. O co im tak naprawdę chodzi, kiedy mówią, że chodzi im o coś innego. To zespół nauczył mnie sięgać wzrokiem poza czyjeś pierwsze spojrzenie i odnajdywać to drugie, które czai się tuż za nim. Wystarczy, że poczekasz o sekundę dłużej niż normalnie, a już będziesz mógł je wychwycić i dowiesz się, co siedzi ludziom w głowach. Wiem, kiedy ktoś koło mnie sprzedaje towar. Znam Oakland. Wiem też, jak to wygląda, kiedy ktoś ma zamiar mnie zaczepić; to znaczy znam się na tym, kiedy trzeba przejść na drugą stronę ulicy, a kiedy wystarczy patrzeć w ziemię i można iść dalej. Umiem też rozpoznać w grupie ludzi mięczaka. To jest akurat łatwe. Oni mają to wypisane na twarzy, jakby nosili w rękach tabliczkę z napisem: „Chodź, dorwij mnie!". Spoglądają na mnie tak, jakbym już dobrał im się do tyłka, więc równie dobrze mógłbym zrobić coś, przez co patrzą na mnie w ten właśnie sposób.

Maxine powiedziała mi, że jestem uzdrowicielem. Mówiła, że osobnicy tacy jak ja trafiają się rzadko, a kiedy się zbliżamy, lepiej, żeby ludzie od razu widzieli, że wyglądamy inaczej, ponieważ naprawdę jesteśmy inni. Wtedy mogą to uszanować. Mnie tam co prawda nikt nigdy nie okazywał szacunku, oprócz Maxine. Ona mówi mi, że wywodzimy się z plemienia Czejenów; że Indianie żyli na tej ziemi od bardzo dawna i że to wszystko było kiedyś nasze. Wszystko było nasze! Cholera! Widocznie nasi przodkowie nie mieli wtedy ulicznego sprytu. Pozwolili, żeby biali ludzie tu przyszli i tak po prostu im to wszystko odebrali. Najsmutniejsze jest to, że wszyscy ci Indianie prawdopodobnie wiedzieli, na co się zanosi, ale nie mogli nic na to poradzić. Nie mieli karabinów. A do tego jeszcze te choroby. Tak mówiła Maxine. Biali pozabijali nas swoim brudem i chorobami, wyrzucili nas z naszej ziemi i przesiedlili na jakąś gównianą ziemię, na której za cholerę nie da się niczego wyhodować. Nie zniósłbym tego, jakby mnie wysiedlili z Oakland, bo bardzo dobrze znam to miasto i wszystkie jego dzielnice, od Zachodniej po Wschodnią, a nawet Deep East, i potrafię poruszać się po nich tam i z powrotem na rowerze, autobusem albo szybką komunikacją miejską. To miasto jest jedynym domem, jaki znam. Nigdzie indziej nie dałbym sobie rady.

Czasami jeżdżę rowerem po całym Oakland tylko po to, żeby popatrzeć sobie na miasto, ludzi i różne dzielnice. Ze słuchawkami na uszach mogę tak jeździć przez cały dzień, słuchając MF Dooma (MF to skrót od Metal Face). Doom to mój ulubiony raper. Nosi metalową maskę i sam siebie nazywa czarnym charakterem. Zanim zacząłem go słuchać, nie znałem właściwie żadnej muzyki, poza tym, co leciało w radiu. Kiedyś w autobusie ktoś zostawił iPoda na siedzeniu przede mną. Na dysku nie było żadnej innej muzyki, tylko MF Doom. Wiedziałem, że go polubię, kiedy tylko usłyszałem tekst „Mamy więcej treści, niż się w dziurawej skarpetce mieści". Spodobało mi się też to, że tak od razu, w lot, zrozumiałem wszystkie znaczenia. Chodziło o to, co w człowieku siedzi; że niby dziura dodaje skarpetce charakteru, bo oznacza, że jest znoszona i ma swoją historię, a także o to, że przez taką dziurę wystaje podeszwa stopy – nadmiar „treści" tego, kto taką skarpetkę nosi. Nie było to niby nic wielkiego, ale sprawiło, że poczułem się tak, jakbym wcale nie był taki głupi ani taki tępy, z samego dołu skali. Na pewno pomogło mi tutaj to, że w moim przypadku to zespół dodaje mi „treści", a zespół to właśnie taka znoszona twarz.

Moja matka siedzi w więzieniu. Czasami rozmawiamy ze sobą przez telefon, ale ona zawsze pieprzy jakieś głupoty, które sprawiają, że tylko żałuję, że w ogóle wykręciłem jej numer. Kiedyś powiedziała mi, że mój ojciec jest w Nowym Meksyku i nawet nie wie o moim istnieniu.

– W takim razie powiedz temu skurwysynowi, że w ogóle istnieję – zasugerowałem.

– To nie takie proste, Tony – odparła.

– Tylko mi nie mów, co jest proste. Nie mów tak do mnie, do cholery! To ty mi to, kurwa, zrobiłaś!

Czasami wpadam w szał. Czasami dzieje się tak z moim umysłem. Nieważne, ile razy Maxine przenosi mnie do nowej szkoły ze starej, w której zawieszają mnie za udział w bójkach, zawsze jest tak samo. Wpadam w szał, a potem niczego nie pamiętam. Moja twarz się rozpala i twardnieje, jakby była zrobiona z metalu, a potem urywa mi się film. Jestem dużym facetem i do tego silnym. Maxine twierdzi nawet, że zbyt silnym. Po mojemu jest tak, że dostałem to wielkie ciało, aby pomogło mi przetrwać, skoro moja twarz jest tak zdeformowana. Są jednak pewne zalety tego, że wyglądam jak monstrum. Wszystko oczywiście przez ten zespół. Ale kiedy wstanę i naprawdę wyprostuję się cały, tak jak potrafię, wykorzystując ten swój cholerny wzrost, nikt nawet nie próbuje się do mnie przypierdalać. Wszyscy wieją, jakby zobaczyli ducha. Może zresztą jestem duchem.

Może nawet Maxine nie wie, kim naprawdę jestem. Może jestem całkowitym przeciwieństwem uzdrowiciela. Może któregoś dnia zrobię coś takiego, że wszyscy o mnie usłyszą. Być może dopiero wtedy zacznę naprawdę żyć. Być może wtedy wszyscy wreszcie będą w stanie na mnie patrzeć, bo nie będą mieli innego wyjścia.

Wszyscy wtedy pomyślą, że chodzi o kasę. Ale kto, do cholery, nie chce pieniędzy? Ważne jest tylko to, dlaczego chcesz pieniędzy, jak je zdobywasz i co potem z nimi robisz. Pieniądze nigdy nikomu nie pomogły. Pomóc mogą tylko ludzie. Ja sam sprzedaję zioło, odkąd miałem trzynaście lat. Poznałem paru ziomków na dzielnicy tylko przez to, że cały czas byłem na dworze. Dlatego, że ciągle kręciłem się po okolicy, wystawałem na rogach ulic i tak dalej, pewnie sobie myśleli, że już i tak sprzedaję. Chociaż może nie. Gdyby myśleli, że sprzedaję, prawdopodobnie skopaliby mi tyłek. Może zrobiło im się mnie żal przez te gówniane ciuchy i spierdoloną twarz. Większość kasy, jaką wyciągam ze sprzedaży, oddaję Maxine. Staram się jej pomagać, jak tylko potrafię, bo pozwala mi mieszkać w swoim domu w zachodniej dzielnicy Oakland, przy końcu Czternastej. Kupiła ten dom dawno temu, kiedy jeszcze pracowała jako opiekunka w San Francisco. Teraz sama potrzebuje opiekunki, ale jej na nią nie stać, nawet z tych pieniędzy, jakie dostaje od opieki społecznej. Potrzebuje mnie, żebym robił dla niej mnóstwo pierdół: chodził do sklepu albo jeździł z nią autobusem po te jej lekarstwa. Teraz pomagam jej też schodzić po schodach. Nie mogę uwierzyć, że kość może tak się zestarzeć, że się połamie, roztrzaska na małe kawałeczki w twoim ciele, jakby była ze szkła. Kiedy Maxine złamała biodro, zacząłem jeszcze częściej pomagać jej przy wychodzeniu z domu.

Maxine każe mi sobie czytać przed snem. Nie lubię tego, bo czytam bardzo powoli. Czasami litery podpełzają do mnie jak robaki. Kiedy tylko przyjdzie im na to ochota, zamieniają się miejscami. Ale czasem słowa się nie ruszają. Kiedy tak sobie stoją w bezruchu, muszę chwilę poczekać, żeby się upewnić, że się nie ruszą, przez co kończy się na tym, że ich przeczytanie zajmuje mi więcej czasu niż czytanie tych, które jestem w stanie z powrotem poukładać jak należy po tym, jak się pomieszają. Maxine każe mi sobie czytać jakieś indiańskie historie, które nie zawsze łapię. W sumie jednak mi się podobają, bo jak już coś załapię, dociera to we mnie aż do tego miejsca, gdzie człowiek odczuwa ból, ale jest mu lepiej, ponieważ coś czuje; coś, czego nie mógł odczuwać, zanim to przeczytał; coś, co sprawia, że nie czuje się już tak bardzo samotny i ma wrażenie, że odtąd nie będzie już tak bardzo bolało. Kiedyś Maxine powiedziała nawet, że to „powalające" po tym, jak jej przeczytałem jeden fragment z książki jej ulubionej autorki, Louise Erdrich. To było coś o tym, że życie i tak cię złamie; że po to właśnie tutaj jesteśmy i że można równie dobrze iść usiąść sobie pod jabłonią i nasłuchiwać, jak jabłka spadają, tworząc wokół ciebie stosy, a cała ich słodycz idzie na marne. Wtedy jeszcze nie wiedziałem, o co w tym chodzi, a Maxine od razu się zorientowała, że nic nie łapię. Niczego mi jednak nie wytłumaczyła. Ale potem jeszcze raz przeczytaliśmy ten fragment i całą tę książkę, i wtedy już wszystko zrozumiałem.

Maxine zna mnie od zawsze i potrafi mnie przejrzeć na wylot jak nikt inny, nawet lepiej niż ja sam; jakbym sam nie zdawał sobie sprawy z tego wszystkiego, co pokazuję światu; jakbym zbyt wolno odczytywał swoją własną rzeczywistość z uwagi na to, jak szybko wszystko wokół mnie się zmienia, jak traktują mnie ludzie i jak na mnie patrzą, i jak dużo czasu potrzeba mi na to, by się zorientować, czy muszę to wszystko z powrotem poskładać do kupy.

Wszystko to, co się wydarzyło, całe to gówno, w które się wpakowałem, wzięło się stąd, że na parkingu przed sklepem z alkoholem w zachodniej dzielnicy Oakland zaczepiło mnie tych kilku białych chłopaków ze wzgórz. Ruszyli prosto na mnie, jakby w ogóle się mnie nie bali. Wiedziałem jednak, że boją się pokazywać w tej okolicy, bo bez przerwy rozglądali się dookoła. Mnie się jednak nie obawiali, jakby myśleli, że nie wykręcę im żadnego numeru, bo wyglądam tak, a nie inaczej: jakbym był zbyt tępy, żeby coś wykombinować.

– Nie masz czasem śniegu? – zapytał mnie ten mojego wzrostu, w kaszkiecie marki Kangol. Miałem ochotę się roześmiać. Nazywanie koki „śniegiem" było tak cholernie typowe dla białych!

– Mogę załatwić – odparłem, choć wcale nie byłem pewien, czy dam radę.

– Bądź tutaj za tydzień o tej samej porze.

Pomyślałem, że pogadam z Carlosem.

Carlos jest nieźle popieprzony. Tamtej nocy, kiedy miał skombinować towar, zadzwonił do mnie i powiedział, że nie da rady i że sam będę musiał pojechać po kokę do Octavia.

Pojechałem rowerem ze stacji szybkiej kolejki przy stadionie. Octavio mieszkał w dzielnicy Deep East, przy jednej z przecznic Siedemdziesiątej Trzeciej, naprzeciw miejsca, gdzie stała kiedyś galeria Eastmont Mall, zanim zrobiło się tam tak nieciekawie, że musieli zamienić ją na posterunek policji.

Kiedy dotarłem na miejsce, ludzie wysypywali się z domu na ulicę, jakby dopiero co doszło tam do jakiejś bójki. Na chwilę wyprostowałem się na siodełku i jadąc przez jeden kwartał, patrzyłem, jak wokół rozżarzonych ulicznych lamp snują się kompletnie skołowani pijacy, jak ogłupiałe od nadmiaru światła ćmy.

Kiedy znalazłem Octavia, był już strasznie nawalony. Gdy widzę ludzi w takim stanie, zawsze myślę o mojej matce. Znów zacząłem się zastanawiać, jaka była, kiedy się schlała, a ja siedziałem jeszcze w jej brzuchu. Czy to lubiła? A czy mnie się to podobało?

Octavio okazał się jednak dosyć kumaty, chociaż strasznie bełkotał. Objął mnie ramieniem i zaprowadził na podwórko z tyłu domu, gdzie pod drzewem miał ustawioną ławeczkę do wyciskania. Patrzyłem, jak robi kolejne serie ze sztangą bez talerzy. Wyglądało to tak, jakby raczej nie zdawał sobie sprawy, że na gryfie nie ma żadnego obciążenia. Czekałem, kiedy zada nieodzowne pytanie o moją twarz. On jednak o nic nie pytał. Słuchałem, jak opowiada o swojej babci, o tym, jak uratowała mu życie, kiedy jego rodzina odeszła. Powiedział, że zdjęła z niego klątwę za pomocą borsuczego futra, a każdego, kto nie był Meksykaninem ani Indianinem, nazywała z hiszpańskiego *gachupin*, co miało oznaczać zarazę, którą Hiszpanie przywlekli do Ameryki, kiedy się tu pojawili. Babcia mówiła mu, że to sami Hiszpanie byli tą zarazą. Potem Octavio zaczął mi tłumaczyć, że wcale nie chciał zostać tym, kim faktycznie się stał, a ja nie byłem pewien, o co dokładnie mu chodzi: o to, że jest pijakiem czy dealerem narkotyków, czy jednym i drugim, a może zresztą jeszcze o coś innego.

– Nie żałowałbym dla niej swojej serdecznej krwi – powiedział na zakończenie Octavio. Nie żałowałby dla niej swojej serdecznej krwi. Ja czułem dokładnie to samo, myśląc o Maxine. Po chwili Octavio zaczął tłumaczyć, że wcale nie chciał, żeby to zabrzmiało tak cholernie wzruszająco, i tak dalej, i że to wszystko przez to, że tak naprawdę z nikim innym nie może już sobie pogadać. Ja tam wiedziałem, że to wszystko przez to, że był nawalony i że prawdopodobnie gówno będzie z tego pamiętał. Potem jednak przychodziłem po wszystko prosto do niego.

Okazało się, że te białe przygłupy ze wzgórz miały kumpli. Przez całe lato kosiliśmy niezły szmal. Aż w końcu pewnego dnia, kiedy odbierałem towar, Octavio zaprosił mnie do środka i kazał mi usiąść.

– Jesteś indiańskiej krwi, no nie? – powiedział.

– No tak – odparłem, zastanawiając się, jak na to wpadł. – Jestem Czejenem.

– Powiedz mi, co to takiego jest ten zjazd plemienny.

– A po co ci to?

– Nieważne, po prostu mi powiedz.

Maxine od dziecka zabierała mnie na takie plemienne zjazdy wokół całej Zatoki. Teraz już tego nie robię, ale dawniej nawet na nich tańczyłem.

– Przebieramy się w indiańskie stroje, ze wszystkimi pióropuszami, paciorkami i innymi duperelami. Tańczymy, śpiewamy i walimy w taki wielki bęben. Kupujemy i sprzedajemy takie tam indiańskie pierdoły: biżuterię, ciuchy i artystyczne drobiazgi – odparłem.

– No dobra, ale po co to wszystko robicie? – spytał Octavio.

– Dla pieniędzy – odrzekłem.

– Jasne; ale tak naprawdę po co się to robi?

– Nie wiem.

– Jak to nie wiesz?

– Żeby zarobić kasę, dupku – powtórzyłem.

Octavio spojrzał na mnie z ukosa, jakby chciał powiedzieć: „Nie zapominaj, z kim rozmawiasz".

– Właśnie dlatego my też będziemy na tej imprezie – oświadczył po chwili.

– Na tej, którą organizują na stadionie?

– Tak.

– Żeby zarobić kasę?

Octavio skinął głową, a potem odwrócił się i wziął do ręki coś małego i białego. Nie od razu zorientowałem się, że to pistolet.

– A to co jest, do cholery? – spytałem.

– Kawałek plastiku – odparł Octavio.

– Działa?

– Jest wydrukowany na drukarce 3D. Chcesz zobaczyć? – zapytał.

– Zobaczyć?

Kiedy wyszliśmy na podwórko na tyłach domu, wycelowałem z pistoletu w zawieszoną na sznurku puszkę po pepsi. Trzymałem go dwiema rękami, wysunąłem język i zamknąłem jedno oko.

– Strzelałeś już kiedyś z pistoletu? – spytał Octavio.

– Nie – odpowiedziałem.

– Od tego gówna nieźle dzwoni w uszach.

– Mogę? – spytałem i zanim jeszcze otrzymałem odpowiedź, poczułem, jak mój palec naciska spust i natychmiast wstrząsa mną huk wystrzału. Przez chwilę nie wiedziałem, co się dzieje. Delikatny skurcz palca spowodował straszliwy łoskot i całe moje ciało na ułamek sekundy stało się grzmotem, a potem jakby opadło z niego napięcie. Bezwiednie schowałem głowę między ramiona. Wciąż jeszcze słyszałem zwielokrotnione echo wystrzału, zarówno gdzieś w sobie, jak i na zewnątrz: pojedynczy ton odpływający z wolna w dal, a może zanikający gdzieś głęboko we mnie samym. Podniosłem głowę i spojrzałem na Octavia. Zobaczyłem, że właśnie coś do mnie mówił.

– Co jest? – spytałem, ale sam nawet nie słyszałem własnych słów.

– Właśnie tak zarobimy kasę na tej imprezie – doszły mnie wreszcie po chwili słowa Octavia.

Przypomniało mi się wtedy, że przy wejściu na stadion są wykrywacze metalu. Nawet chodzik Maxine, ten, którego używa, odkąd złamała biodro, uruchomił kiedyś jeden z nich. Szliśmy wtedy z Maxine na środowy mecz (w środy bilety były po dolarze), żeby zobaczyć, jak Oakland Athletics grają z Texas Rangers, czyli drużyną, której Maxine kibicowała, kiedy dorastała w Oklahomie, gdzie nie mieli własnego zespołu.

Gdy wychodziłem, Octavio wręczył mi ulotkę z reklamą tego zjazdu plemiennego na stadionie. Była na niej podana wysokość nagród pieniężnych za zwycięstwo w poszczególnych kategoriach tańca: cztery w wysokości pięciu tysięcy dolarów i trzy po dziesięć tysięcy.

– Całkiem niezła forsa – powiedziałem.

– Nie pakowałbym się w takie gówno, ale wiszę komuś kasę – wyjaśnił Octavio.

– Komu? – spytałem.

– Nie twój interes – uciął krótko.

– Jesteśmy dogadani? – spytałem.

– Jedź już do domu – rzekł Octavio.

Na dzień przed imprezą Octavio zadzwonił do mnie wieczorem i powiedział, że to ja będę musiał ukryć pociski na stadionie.

– Mam je schować w krzakach? Serio? – spytałem.

– Tak – odparł.

– Mam je wrzucić w te krzaki przy wejściu? – dopytywałem się.

– Wsadź je wcześniej do skarpetki.

– Mam wsadzić pociski do skarpetki i wrzucić w krzaki? – chciałem raz jeszcze się upewnić.

– A co ja mówię?

– To się wydaje takie...

– Jakie?

– Nieważne.

– Zrozumiałeś?

– Jakie to mają być naboje i skąd mam je wziąć?

– Kup w Walmarcie; kaliber 0,22.

– Nie możesz ich po prostu wydrukować?

– Tego na razie nie da się zrobić.

– W porządku.

– Jest jeszcze jedna sprawa – rzekł Octavio.

– Tak?

– Masz ciągle jakieś pieprzone indiańskie fatałaszki, które mógłbyś założyć?

– Jakie indiańskie fatałaszki?

– Bo ja wiem? Takie, jakie się zakłada na taką okazje: pióropusze i inne duperele.

– Mam.

– Będziesz musiał się w nie ubrać.

– Pewnie nie będą już na mnie pasowały.

– A może jednak będą?

– No dobra.

– Załóż je na ten zjazd.

– W porządku – odparłem i się rozłączyłem. Wyjąłem swój pióropusz i założyłem go. Potem poszedłem do salonu i stanąłem przed ekranem telewizora. Było to jedyne miejsce w całym domu, w którym mogłem zobaczyć odbicie całej swojej postaci. Potrząsnąłem głową i podniosłem jedną stopę. Patrzyłem, jak pióra niespokojnie drżą na czarnym ekranie. Wyciągnąłem ręce przed siebie i ściągnąłem w dół ramiona, a potem podszedłem jeszcze bliżej do telewizora. Trochę mocniej ścisnąłem pasek pióropusza na szyi. Spojrzałem na swoją twarz. Gdzie się podział zespół? Nie dostrzegłem go na ekranie. Zobaczyłem tam Indianina. Zobaczyłem tancerza.

Dene Oxendene

DENE OXENDENE PĘDZI W GÓRĘ zepsutymi ruchomymi schodami na stacji metra Fruitvale, pokonując po dwa stopnie. Kiedy udaje mu się wreszcie wspiąć na peron, widzi, jak po drugiej stronie zaczyna zwalniać pociąg, na który tak bał się spóźnić. Spod czapki spływa mu pojedyncza strużka potu, ściekając po skroni i policzku. Dene ściera ją palcem, po czym zdejmuje czapkę i wytrzepuje ją wściekle, jakby to z niej właśnie spływał pot, a nie z jego rozgrzanej głowy. Spogląda wzdłuż niknących w ciemności torów i wydmuchuje powietrze, patrząc, jak obłoczek pary wznosi się i zaraz znika. Nagle wyczuwa dym z papierosa, co sprawia, że sam miałby ochotę zapalić, gdyby nie to, że papierosy tak go męczą; Dene chciałby takiego papierosa, który by go orzeźwił i dodał mu sił. Potrzeba mu takiej używki, która rzeczywiście daje kopa.

Pić nie ma zamiaru. Zbyt często pali zioło. I tak nic na niego nie działa.

Dene spogląda ponad torami na graffiti nagryzmolone na ścianie tego niskiego korytarzyka poniżej peronu. Od lat widuje to hasło w całym Oakland: „Lens"*. Myślał nad wieloznacznością tego słowa jeszcze w średniej szkole, ale tak naprawdę nigdy nic z tym nie zrobił.

Kiedy po raz pierwszy widział, jak ktoś taguje, jechał właśnie autobusem. Padał wtedy deszcz. Tamten dzieciak stał z tyłu. Dene widział, że tamten wie, że Dene się na niego ogląda. Jedną z pierwszych rzeczy, jakich Dene się nauczył, gdy zaczął jeździć po Oakland autobusami, było to, że nie należy gapić się ani nawet spoglądać na innych pasażerów, ale nie można też w ogóle na nich nie patrzeć. Z szacunku należało odnotowywać tylko ich obecność. Patrzeć na nich, zarazem ich nie widząc. Należało zrobić wszystko, żeby uniknąć pytania: „Na co się tak gapisz?". Na takie pytanie nie ma dobrej odpowiedzi. Jeśli ktoś ci je zadaje, to znaczy, że już coś schrzaniłeś. Dene czekał na swój moment, a potem patrzył, jak dzieciak kreśli na zaparowanej szybie autobusu cztery litery: „pstk". Z miejsca zrozumiał, że miały one znaczyć tyle, co „pustka". Podobało mu się również to, że tamten napisał je na kawałku pustej przestrzeni pomiędzy kroplami, oraz to, że ten jego znak będzie taki ulotny i nietrwały, jak to zwykle bywa z tagami i graffiti.

Czoło pociągu, a za nim wagony, pojawiają się wreszcie i biorąc zakręt, zbliżają szybko w stronę stacji. Czasami

---

* Lens – imię męskie, a zarazem „soczewka", „obiektyw".

nienawiść do samego siebie potrafi zaatakować w okamgnieniu. Dene przez ułamek sekundy sam nie wie, czy nie mógłby czasem zeskoczyć, położyć się na torach i poczekać, aż ta masa rozpędzonej stali nadjedzie z piskiem i zabierze go z tego świata. Ech, pewnie i tak skoczyłby za późno, odbiłby się od boku pociągu i tylko pokiereszowałby sobie gębę.

W pociągu Dene myśli o zbliżającym się spotkaniu z komisją ekspertów. Ciągle wyobraża sobie, jak spoglądają na niego z wysokości co najmniej siedmiu metrów i ciągle widzi w swej wyobraźni leciwych białych facetów w sędziowskich togach, z długimi nosami i pociągłymi, obłąkanymi twarzami rodem z ilustracji Ralpha Steadmana. Będą wiedzieć o nim wszystko. Skrycie będą go nienawidzić, mając dostęp do wszelkich możliwych informacji dotyczących jego życia. Od razu się zorientują, jak bardzo jest niekompetentny. W dodatku pewnie sobie pomyślą, że jest biały (co jest prawdą tylko w połowie), przez co nie nadaje się na beneficjenta grantu z dziedziny sztuki w przestrzeni kulturowej. Fakt, nie od razu widać, że Dene to potomek rdzennych Amerykanów. Niewątpliwie jest kolorowy, ale jego tożsamość pozostaje nieoczywista. Przez wszystkie te lata mnóstwo razy brano go za Meksykanina; pytano go też, czy nie jest z pochodzenia Chińczykiem, Koreańczykiem albo Japończykiem (a nawet, jeden jedyny raz, czy nie pochodzi z Salwadoru), lecz najczęściej zadawano mu następujące pytanie: „Kim ty właściwie jesteś?".

W pociągu wszyscy wpatrzeni są w ekrany swoich telefonów. Wgapiają się w nie jak sroka w gnat. Dene czuje zapach moczu i w pierwszej chwili myśli, że to od niego. Zawsze się bał, że kiedyś się okaże, że przez całe życie, nawet o tym nie wiedząc, śmierdział gównem i szczyną, tylko wszyscy bali mu się o tym powiedzieć. Tak jak było z Kevinem Farleyem z piątej klasy, który w końcu zabił się tamtego lata po pierwszym roku szkoły średniej, kiedy wreszcie się o tym dowiedział. Dene spogląda w lewą stronę i widzi rozwalonego na siedzeniu starszego faceta. Staruszek przytomnieje i prostuje się na fotelu, a potem zaczyna gmerać rękami dookoła, jakby sprawdzał, czy coś mu nie zginęło, choć najwyraźniej niczego przy sobie nie ma. Dene przechodzi do następnego wagonu. Staje przy drzwiach i spogląda przez szybę. Pociąg mknie przed siebie, unosząc się wzdłuż autostrady, obok samochodów. Porusza się jednak zupełnie inaczej od nich: w przypadku samochodów widać krótkie, sporadyczne i nieskoordynowane zrywy, podczas gdy Dene i jego pociąg suną wzdłuż torów płynnie, ze stałą prędkością. Ta różnica w sposobie poruszania się ma w sobie coś rodem z kina: przywodzi na myśl ten moment w filmie, kiedy człowiek zaczyna coś przeczuwać, ale nie potrafi wyjaśnić, z jakiego powodu. Coś, co gdzieś w środku, w głębi duszy, wydaje się aż nazbyt przytłaczające i jest zbyt dobrze znane, aby to rozpoznać, choć przez cały czas ma się to coś przed oczyma. Dene zakłada słuchawki, włącza w telefonie opcję losowego wybierania utworów, przeskakuje kilka kawałków i wreszcie trafia na piosenkę Radiohead pod tytułem *There There*. Szczególnie wpada mu w ucho fraza „To, że coś czujesz, wcale nie oznacza, że to tam jest". Tuż przed wjazdem do tunelu metra pomiędzy stacjami Fruitvale i Lake Merritt Dene ogląda się przez ramię i na ułamek sekundy przed tym, jak jego pociąg ponownie wjeżdża pod ziemię, raz jeszcze widzi to słowo, to samo imię „Lens", wypisane tam na murze.

* * *

Dene wymyślił sobie ten tag, jadąc autobusem do domu tamtego dnia, kiedy wujek Lucas przyjechał do nich w odwiedziny. Dojeżdżając już do swojego przystanku, spojrzał przez szybę i dostrzegł błysk flesza. Ktoś zrobił mu wtedy zdjęcie lub sfotografował autobus, a słowo „Lens" wyłoniło mu się z tego właśnie rozbłysku i pozostałej po nim niebiesko-zielono-fioletowo-różowej poświaty. Zanim wysiadł, Dene napisał je markerem na tylnej części oparcia. Wychodząc potem z autobusu tylnymi drzwiami, spostrzegł jeszcze w tym dużym, wstecznym lusterku, jak zwężają się oczy kierowcy.

W domu jego matka, Norma, powiedziała mu, że przyjeżdża do nich w odwiedziny wujek Lucas aż z Los Angeles i że Dene ma jej pomóc posprzątać i nakryć stół do kolacji. Dene pamiętał jedynie, jak wujek podrzucał go niegdyś wysoko w górę, a potem łapał, kiedy miał już niemal spaść na ziemię. Nie chodziło nawet o to, czy Dene jakoś szczególnie to lubił, czy też nie: po prostu instynktownie zapamiętał to łaskotanie w żołądku i pomieszanie radości i strachu. I te mimowolne wybuchy śmiechu, gdy był wysoko w górze.

– Gdzie on się podziewał przez cały ten czas? – Dene spytał matkę, nakrywając stół. Norma nic jednak nie odrzekła. Potem, przy kolacji, Dene zapytał wujka, co się z nim działo, a wówczas Norma odpowiedziała za niego.

– Był zajęty robieniem filmów – rzekła, po czym spojrzała na Denego i unosząc brwi, dodała: – Podobno.

Jedli to, co zwykle: mielone kotlety wołowe, tłuczone ziemniaki i zieloną fasolkę szparagową z puszki.

– Może i byłem, podobno, zajęty robieniem filmów; nie ulega za to wątpliwości, że twoja matka myśli, że przez cały ten czas ją okłamywałem – odrzekł wujek Lucas.

– Przepraszam, Dene, jeśli odniosłeś wrażenie, że mój brat nie jest uczciwym Indiańcem – powiedziała Norma.

– Dene – zagaił Lucas – chcesz posłuchać o filmie, nad którym teraz pracuję?

– Kiedy wujek mówi, że pracuje nad filmem, ma na myśli to, że ma go w głowie. To znaczy, dopiero nad nim myśli. Tak tylko mówię, żebyś nie miał złudzeń – wtrąciła Norma.

– Chętnie posłucham – odparł Dene, spoglądając na Lucasa.

– Wszystko będzie się działo w niedalekiej przyszłości. W moim filmie jakaś pozaziemska technologia będzie kolonizować Amerykę. My, ludzie, będziemy myśleć, że sami ją stworzyliśmy, jakby była nasza. Z czasem połączymy się w jedno z tą nową technologią, staniemy się podobni do androidów i utracimy zdolność rozpoznawania się nawzajem. Zapomnimy, jak kiedyś wyglądaliśmy, i porzucimy nasze dawne zwyczaje. Tak naprawdę nie będziemy przy tym nawet uważać się za mieszańców i półkosmitów, ponieważ będziemy myśleć, że to nasza własna technologia. Wtedy w moim filmie pojawi się bohater – mieszaniec, który zainspiruje pozostałych jeszcze przy życiu ludzi do powrotu do natury. Do odcięcia się od technologii i powrotu do dawnego stylu życia; do tego, by na powrót stali się, jak niegdyś, istotami ludzkimi. Wszystko kończyć się będzie odwróceniem słynnej sekwencji Kubricka z *2001: Odysei kosmicznej*: puszczoną w zwolnionym tempie sceną, w której człowiek będzie gruchotał kości kosmitów. Widziałeś *Odyseję kosmiczną*?

– Nie – odparł Dene.

– A *Full Metal Jacket*?

– Też nie.

– Jak przyjadę następnym razem, przywiozę ci wszystkie moje filmy Kubricka.

– A co się wydarzy na końcu?

– To znaczy, w moim filmie? Koloniści z kosmosu oczywiście wygrają. Nam będzie się tylko wydawało, że zwyciężyliśmy, wracając do natury i cofając się do epoki kamienia. Tak czy inaczej, na razie przestałem „nad tym myśleć" – odparł Lucas, kreśląc w powietrzu dwoma palcami obu rąk znak cudzysłowu i spoglądając w stronę kuchni, dokąd Norma wyszła w momencie, kiedy zaczął opowiadać o swoim filmie.

– A czy tak naprawdę zrobiłeś już jakiś film? – spytał Dene.

– Robię filmy w tym sensie, że je sobie wymyślam i czasami zapisuję te swoje pomysły. No bo jak myślisz, skąd się biorą filmy? Ale ja nie robię filmów, drogi siostrzeńcze. Pewnie nigdy żadnego nie nakręcę. Tak naprawdę zajmuję się tym, że pomagam przy kręceniu niewielkich fragmentów programów telewizyjnych i filmów: trzymam nad planem zdjęciowym mikrofon pałąkowy. Muszę go tak trzymać bardzo długo i na tyle pewnie, żeby się nie ruszał. Spójrz tylko na te mięśnie! – Lucas uniósł ramię i zgiął rękę w nadgarstku, przyglądając się własnemu przedramieniu. – Nie śledzę na bieżąco tego, w jakich programach pojawiają się sceny, przy których pracuję. Niewiele potem z tego pamiętam. Za dużo piję. Matka ci o tym nie mówiła? – spytał.

Dene nic nie odpowiedział. Zjadł tylko wszystko to, co miał jeszcze na talerzu, po czym spojrzał znów na wujka, czekając, aż ten zmieni temat.

– Tak naprawdę pracuję w tej chwili nad czymś, co nie wymaga właściwie żadnych pieniędzy. W zeszłe lato byłem nawet tutaj i przeprowadzałem wywiady z ludźmi. Niektóre z nich udało mi się potem zmontować. Teraz znów tu przyjechałem, żeby spróbować zrobić jeszcze kilka takich nagrań. To ma być materiał o Indianach, którzy dopiero przybyli do Oakland albo od dawna tutaj mieszkają. Poprosiłem o rozmowę ludzi indiańskiej krwi, których poznałem poprzez jedną moją przyjaciółkę. Ona zna tutaj mnóstwo Indian. Zdaje się, że tak po indiańsku rzecz biorąc, to ona jest jakby twoją ciocią. Nie jestem tylko pewien, czy ją kiedyś spotkałeś. Znasz Opal Niedźwiedzią Tarczę?

– Być może – odparł Dene.

– W każdym razie kilkorgu Indianom, którzy mieszkają w Oakland już przez jakiś czas, i paru takim, którzy przyjechali tutaj nie tak dawno temu, zadałem pewne dwuczęściowe pytanie. Właściwie to nie było nawet pytanie. Po prostu próbowałem ich skłonić, żeby opowiedzieli mi jakąś historię. Prosiłem, żeby opowiadali mi o tym, jak trafili do Oakland, a tych, którzy już się tutaj urodzili, pytałem, jak im się żyje w mieście. Mówiłem, że odpowiedź na to pytanie powinna mieć formę dłuższej opowieści; cokolwiek to dla nich oznacza, będzie okej, a potem wychodziłem z pokoju. Postanowiłem zrobić to w stylu autobiograficznego wyznania, więc nagrania wyglądają niemal tak, jakby sami sobie opowiadali swoją historię albo jakby mówili do nikogo lub do kogokolwiek, kto mógłby stać za obiektywem kamery. Nie chcę im w tym przeszkadzać. Cały montaż mogę potem zrobić sam. Potrzebny mi tylko budżet na pokrycie mojej własnej pensji, czyli właściwie mogę obejść się bez pieniędzy.

To powiedziawszy, Lucas wziął głęboki wdech i jakby zakaszlał, odchrząknął, a potem pociągnął długi łyk z flaszki, którą wyjął z wewnętrznej kieszeni kurtki. Później powędrował wzrokiem przez okno salonu gdzieś na drugą stronę ulicy, a może nawet dalej; tam, gdzie właśnie zaszło słońce, i jeszcze dalej, spoglądając być może wstecz na całe swoje życie. Wówczas zaś jego spojrzenie nabrało takiego wyrazu, jaki Dene widywał czasem w oczach swojej matki: jakby Lucas jednocześnie snuł wspomnienia i zarazem czegoś się bał. Nagle wujek wstał i wyszedł na ganek od frontu, żeby zapalić papierosa, rzucając po drodze:

– Zabierz się lepiej za zadanie domowe, siostrzeńcze. Ja i twoja mama mamy ze sobą do pogadania.

Dopiero po dziesięciu minutach tkwienia w bezruchu w podziemnym tunelu pomiędzy stacjami Dene zdaje sobie sprawę z tego, że właśnie tkwi w bezruchu pomiędzy stacjami. Na samą myśl o tym, że może się spóźnić albo w ogóle nie dotrzeć na prezentację przed komisją ekspertów, pot występuje mu na czoło. W dodatku nie przedstawił dotąd próbki swojej pracy. Będzie więc musiał zmarnować tę krótką chwilę, jaką ma na prezentację, po to, aby im wyjaśnić, dlaczego tego nie zrobił. Będzie musiał powiedzieć, że początkowo był to pomysł jego wujka, ale teraz to już naprawdę jego projekt, chociaż bardzo wiele z tego, co ma zamiar zaproponować, bazuje na tym, co powiedział mu wujek w tym niedługim czasie, jaki dane im było spędzić razem. I jeszcze rzecz najdziwniejsza; rzecz, której Dene zupełnie nie potrafi wyjaśnić w ramach prezentacji, ponieważ sam kompletnie jej nie rozumie: każdy z wywiadów, przeprowadzonych jeszcze tak naprawdę przez jego wujka, wyświetla się wraz z tekstem scenariusza. Nie z napisami, tylko właśnie z tekstem scenariusza. Czy w takim razie wujek pisał zawczasu te scenariusze, które miały być później odgrywane przed kamerą przez jego rozmówców? Czy też zapisywał ich autentyczne wypowiedzi, a potem przepisywał je w formie scenariusza? A może przeprowadzał wywiad z daną osobą, a potem, na podstawie jej wypowiedzi, pisał taki scenariusz, który odpowiednio przerabiał, a następnie dawał poprawioną wersję do odegrania komuś innemu? Nie sposób było się teraz tego dowiedzieć. Pociąg gwałtownie rusza, przez chwilę sunie naprzód, po czym znów się zatrzymuje. Z umieszczonych u góry głośników rozlega się bezbarwny głos, który buczy tylko coś niezrozumiale.

Po powrocie do szkoły Dene pisał „Lens", gdzie tylko mógł. Każde oznaczone w ten sposób miejsce było dla niego niczym punkt, z którego będzie mógł wyglądać, wyobrażając sobie, jak ludzie patrzą na ten jego tag. Oczyma wyobraźni widział już, jak dostrzegają go ponad szafkami w szatni, na wewnętrznej stronie drzwi w toalecie czy na blatach szkolnych ław. Siedząc kiedyś w kabinie i tagując drzwi od środka, Dene pomyślał o tym, jakie to żałosne, żeby chcieć, aby wszyscy widzieli jakieś imię – które nie jest nawet jego – wypisywane wszędzie dla nikogo i zarazem dla każdego, a potem wyobrażać sobie, jak się na nie gapią, jakby było obiektywem kamery. Nic dziwnego, że wciąż nie znalazł w szkole ani jednego przyjaciela.

Kiedy wrócił do domu, wujka nie było, a matka siedziała w kuchni.

– Gdzie Lucas? – spytał Dene.

– Zostawili go na noc.

– Gdzie go zostawili na noc?

– W szpitalu.

– Po co?

– Twój wujek umiera.

– Co takiego?

– Przykro mi, skarbie. Chciałam ci o tym powiedzieć. Nie sądziłam, że tak się stanie. Myślałam, że może to będą miłe odwiedziny, a potem on wyjedzie i...

– Na co on umiera?

– Od bardzo dawna zbyt dużo pije. Jego ciało, a właściwie wątroba, wysiada.

– Jak to wysiada? Dopiero co przyjechał – rzuca zdenerwowany Dene i widzi, że jego słowa sprawiły, że jego matka się rozpłakała, ale tylko na krótką chwilę. Potem otarła łzy wierzchem dłoni i powiedziała:

– W tej chwili nic już nie możemy zrobić, skarbie.

– To dlaczego nikt mu nie pomógł, kiedy jeszcze można było coś zrobić?

– Są na świecie rzeczy, nad którymi nie mamy władzy, i ludzie, którym nie można pomóc.

– Ale to przecież twój brat!

– A co ja miałam zrobić, Dene? Nic nie mogłam na to poradzić. On pije prawie przez całe życie.

– Dlaczego?

– Nie wiem.

– Jak to?

– Nie wiem. Skąd mam wiedzieć, do cholery? Proszę cię, przestań – jęknęła Norma, wypuszczając z rąk talerz, który właśnie wycierała. Oboje przez chwilę w milczeniu wpatrywali się w leżące na podłodze pomiędzy nimi skorupy.

Na stacji metra przy Dwunastej Dene wybiega po schodach na górę, ale potem patrzy na swój telefon i widzi, że tak naprawdę jednak się nie spóźni. Wychodząc na powierzchnię, zwalnia więc kroku. Podnosi wzrok i widzi bladoróżowy neon na blisko stumetrowej Tribune Tower; neon, który wygląda tak, jakby miał świecić na czerwono, ale gdzieś po drodze utracił całą siłę wyrazu. Oprócz niezbyt wysokich bliźniaczych budynków z szachownicą okien, tworzących kompleks federalnych gmachów imienia Ronalda V. Dellumsa, stojący tuż przed I-980 po drodze do zachodniej dzielnicy, nieregularnej sylwetce Oakland na tle nieba brak jakichś charakterystycznych punktów, więc choć mająca niegdyś w drapaczu chmur swoją siedzibę gazeta (która zresztą już nie istnieje) dawno temu przeniosła się na Dziewiętnastą, napis „Tribune" nadal żarzy się na różowo na szczycie budynku.

Dene przechodzi przez ulicę, zmierzając w kierunku ratusza. Mija chmurę dymu o zapachu marihuany, unoszącą się sponad grupy mężczyzn stojących za przystankiem autobusowym na rogu Czternastej i Broadwayu. Nigdy nie lubił tej woni, z wyjątkiem może tych chwil, kiedy sam sięga po zioło. Nie powinien był jarać wczoraj wieczorem. Kiedy nie pali, jest bardziej rześki i szybciej wszystko kojarzy. Problem w tym, że jeśli tylko ma towar pod ręką, to zawsze zapali. A zioło kupuje ciągle od tego faceta z przeciwka. No i tak to wygląda.

* * *

Kiedy następnego dnia wrócił ze szkoły, zastał wujka leżącego znów na kanapie. Dene usiadł obok i pochylił się, opierając łokcie na kolanach. Gapił się w ziemię, czekając, aż Lucas coś powie.

– Pewnie myślisz sobie, że jestem żałosny, że się tak tutaj rozwalam na kanapie i zamieniam w jakiegoś zombie. Zabijam się tą wódą, czy nie tak powiedziała ci matka? – spytał Lucas.

– Właściwie to nic mi nie powiedziała. To znaczy, wiem tylko, dlaczego jesteś chory.

– Ja nie jestem chory. Ja umieram.

– No tak, ale umierasz przez to, że jesteś chory.

– Jestem chory od tego umierania.

– A ile mamy czasu…

– My nie mamy czasu, siostrzeńcze: to czas ma nas w garści. Trzyma nas w szponach, tak jak sowa trzyma polną mysz. Trzęsiemy się ze strachu, walczymy, próbując się uwolnić, a wówczas on wydziobuje nam oczy i wnętrzności, aby się nimi pożywić, a my giniemy taką samą śmiercią, jak polne myszy.

Dene przełknął ślinę i poczuł, że jego serce bije tak szybko, jakby właśnie się z kimś kłócił, choć ich rozmowie brakowało odpowiedniego tonu i atmosfery, jaka towarzyszy burzliwej wymianie zdań.

– Jezus, wujku… – jęknął.

Po raz pierwszy zwrócił się tak do Lucasa. Nie zrobił tego z rozmysłem; po prostu tak mu się wyrwało. Lucas nawet nie zareagował.

– Od jak dawna wiesz? – zapytał Dene.

Lucas włączył stojącą pomiędzy nimi lampę i Dene poczuł w trzewiach gwałtowny przypływ smutku, widząc, że białka oczu wujka są żółtawe. Potem raz jeszcze przeszył go dotkliwy ból na widok tego, jak Lucas wyjmuje flaszkę i pociąga z niej długi łyk.

– Przykro mi, że musisz na to patrzeć, siostrzeńcze, ale to jedyna rzecz, dzięki której mogę poczuć się lepiej. Piję już od bardzo dawna. Pomaga mi to. Niektórzy ludzie łykają tabletki, aby się dobrze czuć. Tabletki też z czasem cię zabiją. Niektóre lekarstwa to trucizna.

– Pewnie tak – przytaknął Dene i poczuł w żołądku to samo, co wtedy, gdy wujek podrzucał go w górę, kiedy był jeszcze dzieckiem.

– Nie martw się, jeszcze chwilę tutaj pobędę. Trzeba lat, żeby wóda cię zabiła. Posłuchaj, ja się teraz trochę prześpię, ale jutro jak wrócisz ze szkoły, pogadamy sobie o filmie, który razem zrobimy. Mam kamerę, którą trzyma się tak, jak pistolet – dodał, robiąc z dłoni pistolet i celując w Denego. – Zaczniemy od jakiegoś prostego pomysłu, czegoś, co będzie można trzasnąć w kilka dni.

– Pewnie, tylko czy ty do jutra poczujesz się na tyle dobrze? Mama mówiła…

– Będę na chodzie – przerwał mu Lucas, wyciągając wyprostowaną dłoń i przesuwając nią ponad klatką piersiową.

Wchodząc do budynku, Dene sprawdza w telefonie harmonogram prezentacji przed komisją i widzi, że ma jeszcze dziesięć minut czasu. Nie ściągając wierzchniej warstwy odzieży, zdejmuje podkoszulek, żeby posłużyć się nim jak szmatką do wytarcia potu, zanim tam wejdzie i stanie przed obliczem ekspertów. Przed drzwiami pomieszczenia, do którego kazano mu wejść, stoi jakiś facet. Dene nienawidzi gości jego pokroju. To na pewno właśnie ktoś taki. Ma tego rodzaju łysinę, która wymaga codziennego golenia. Pewnie chce, żeby wyglądało na to, że sam decyduje o tym, jaką ma fryzurę, jak gdyby łysina była kwestią jego osobistego wyboru, ale o ile po bokach głowy widnieją jeszcze jakieś marne resztki owłosienia, o tyle na jej czubku nie ma już ani śladu włosów. Facet nosi za to pokaźną, lecz zadbaną jasnobrązową brodę, która najwyraźniej ma mu rekompensować brak włosów tam u góry. W dodatku jest teraz modna: gdzie spojrzeć, biali hipsterzy usiłują wyglądać na pewnych siebie, skrywając jednocześnie całe swe twarze za wielkimi, krzaczastymi brodami i grubymi okularami w ciemnych oprawkach. Dene zaczyna się zastanawiać, czy trzeba być kolorowym, żeby dostać grant. Tamten facet pewnie pracuje z dzieciakami przy jakimś projekcie związanym ze sztuką ze śmieci. Dene wyciąga telefon, usiłując w ten sposób uniknąć rozmowy.

– Starasz się o grant? – zagaduje go tamten.

Dene kiwa głową i wyciąga rękę na powitanie.

– Mam na imię Dene – mówi.

– Jestem Rob – odpowiada brodacz.

– Skąd jesteś? – pyta Dene.

– W sumie to w tej chwili nie mam swojego kąta, ale w przyszłym miesiącu razem z paroma kumplami załatwiamy sobie chatę w zachodniej dzielnicy. Kwatery są tam tanie jak barszcz – mówi Rob.

Dene zaciska szczękę i wolno mruży oko: jasne, tanie jak barszcz.

– Wychowałeś się tutaj? – nie daje za wygraną.

– To znaczy, nikt tak naprawdę nie jest stąd, no nie? – odpowiada wymijająco Rob.

– Że jak?

– Wiesz, o co mi chodzi.

– Bardzo dobrze wiem – potakuje Dene.

– Słyszałeś, co powiedziała o Oakland Gertrude Stein? – pyta Rob.

Dene przecząco kręci głową, choć tak naprawdę wie, bo niedawno wyszukiwał w googlach cytaty dotyczące Oakland, prowadząc badania do swego projektu. Dokładnie zatem wie, co tamten zamierza mu powiedzieć.

– „Tam nie ma tam" – mówi Rob, zniżając głos niemal do szeptu, z głupkowatym, szerokim uśmiechem na tej swojej gębie, w którą Dene ma wielką ochotę go walnąć. Chciałby mu też powiedzieć, że znalazł ten cytat w jego oryginalnym kontekście, w *Autobiografii każdego z nas* Gertrude Stein i przekonał się, że autorka tak naprawdę miała na myśli to, jak bardzo zmieniła się dzielnica Oakland, w której dorastała; że nastąpił tam tak wielki rozwój i tyle urbanistycznych przekształceń, że „tam" z jej dzieciństwa, „tam", które niegdyś tam właśnie było, znikło na dobre i już nie powróci. Dene ma ochotę powiedzieć mu, że to samo stało się ze rdzennymi plemionami Ameryki, i wytłumaczyć, że oni dwaj wcale nie są tacy sami, że on jest rodowitym mieszkańcem miasta, że urodził się i wychował w Oakland; jest stąd. Rob pewnie nawet nie próbował dociec, czego tak naprawdę dotyczył ten cytat, ponieważ wydobył z niego taką treść, o jaką mu chodziło. Pewnie popisywał się nim na proszonych kolacjach i innych imprezach, sprawiając, że ludzie jego pokroju bez skrupułów przejmowali miejskie osiedla, przez które jeszcze dziesięć lat temu nawet nie mieliby odwagi przejechać.

Dla Denego ten cytat jest ważny. To „tam", które jest tutaj. Oprócz tego jednego cytatu nie zna twórczości Gertrude Stein. Ale dla rdzennych mieszkańców tego kraju, rdzennych mieszkańców obu Ameryk, „tam" to dziś zabudowana, zasypana ziemia przodków; bezpowrotnie utracone wspomnienie przykryte warstwą szkła, betonu, kabli i stali. Tego „tam" już tu nie ma.

Rob mówi, że teraz jego kolej i wchodzi do środka. Dene raz jeszcze ociera spoconą głowę podkoszulkiem i chowa go do plecaka.

Okazuje się, że zielony stół, za którym zasiada komisja, to tak naprawdę cztery stoliki ustawione w kwadrat. Siadając na krześle, Dene uświadamia sobie, że eksperci są właśnie w trakcie rozmowy o jego projekcie. Sam nie ma teraz pojęcia, co dokładnie powiedział im na temat tego, co zamierza zrobić. W głowie kłębią mu się różne niedowarzone pomysły. Tamci wspominają, że nie przedstawił próbki swej pracy. Żadne z nich przy tym na niego nie patrzy. Nie wolno im, czy co? Skład komisji jest bardzo urozmaicony: biała starsza pani, dwóch czarnych facetów w średnim wieku, dwie białe kobiety z tej samej grupy wiekowej, dość jeszcze młody Latynos, Hinduska, która może mieć równie dobrze dwadzieścia pięć, jak i czterdzieści pięć lat, oraz jeden starszy gość, bez wątpienia indiańskiej krwi: ma długie włosy i srebrne kolczyki z turkusowymi piórami w obu uszach. Wszyscy oni zwracają teraz głowy w kierunku Denego. On zaś ma trzy minuty na to, żeby powiedzieć im wszystko to, co jego zdaniem powinni wiedzieć, a czego nie było we wniosku o grant. To ostatnia okazja, żeby ich przekonać, że jego projekt jest wart tego, by go sfinansować.

– Dzień dobry! Nazywam się Dene Oxendene. Jestem zarejestrowany jako członek plemion Czejenów i Arapahów w stanie Oklahoma. Dziękuję za poświęcony mi czas i uwagę. Z góry przepraszam też, jeśli będę mówił nieco chaotycznie. Jestem bardzo wdzięczny za tę możliwość opowiedzenia o moim projekcie. Wiem, że mamy mało czasu, więc, jeśli tylko nie macie państwo nic przeciwko temu, od razu przejdę do rzeczy. Cały ten projekt zaczął się dla mnie, kiedy miałem trzynaście lat. Wtedy umarł mój wujek, a ja, w pewnym sensie, odziedziczyłem po nim jego pracę; dzieło, które on rozpoczął. Ta jego praca – i to, co ja chcę teraz zrobić – polega na dokumentowaniu historii Indian z Oakland. Chcę postawić przed nimi kamerę wideo z włączonym dźwiękiem. Jeśli będą sobie życzyli, mogę też na bieżąco zapisywać to, co mi powiedzą. Sami również mogą pisać; chętnie pozbieram od nich wszelkiego rodzaju opowieści. Niech opowiadają swoje historie zupełnie bez świadków, bez żadnego ukierunkowania, manipulowania czy programu. Chcę, żeby mogli mówić, co tylko zechcą, a potem niech treść ich opowieści ukierunkuje sam projekt. Ludzie tutaj mają tak wiele różnych historii. Zdaję sobie sprawę, że oznacza to mnóstwo montowania, oglądania i odsłuchiwania, ale to jest dokładnie to, czego nasza społeczność potrzebuje, zważywszy na to, jak długo była ignorowana i niedostrzegana. Zamierzam urządzić w tym celu specjalny pokój w indiańskim centrum kultury. Chcę także płacić ludziom, którzy zechcą opowiedzieć mi swoją historię. Same opowieści są bezcenne, ale płacąc za nie, doceniamy ich wartość. Nie chodzi tutaj tylko o gromadzenie danych jakościowych. Chciałbym wnieść coś nowego do całokształtu obrazu doświadczeń rdzennych mieszkańców Ameryki widzianego na ekranie. Nie oglądaliśmy na nim jeszcze historii miejskich Indian. To, co już widzieliśmy, pełne jest tego rodzaju stereotypów, przez które nikt nie interesuje się ogólnie pojętą historią rdzennych mieszkańców. Jest ona nazbyt smutna; tak smutna, że po prostu nie nadaje się nawet na tworzywo zajmującego materiału filmowego. Co ważniejsze, ludzie nie interesują się nią ze względu na to, jak jest przedstawiana: przez to, że wygląda patetycznie i żałośnie, a my utrwalamy wciąż jedynie ten obraz... A zresztą, pieprzyć to... przepraszam za słowa, ale mnie to wkurza, bo pełen obraz wcale nie jest taki żałosny i patetyczny, a poszczególni ludzie i historie, na jakie się natrafia, nie są wcale żałosne ani słabe. Nie wymagają litości i pełne są prawdziwej pasji i furii, i to jest także część tego, co sam chciałbym wnieść do tego projektu, ponieważ też się tak czuję. Sam wniosę taką samą energię do tego projektu – to znaczy, jeśli oczywiście uzyska on państwa aprobatę i tak dalej, i jeśli będę w stanie uzbierać więcej pieniędzy, choć tak naprawdę nie będzie trzeba ich tak dużo; być może w zupełności wystarczy już ten grant, żebym mógł wykonać większość niezbędnej pracy. Dziękuje państwu za uwagę i przepraszam, jeśli przekroczyłem wyznaczony limit czasowy.

Dene bierze głęboki wdech i zatrzymuje powietrze w płucach. Eksperci w ogóle nie podnoszą wzroku. Dene wypuszcza powietrze i już żałuje wszystkiego, co właśnie powiedział. Tamci gapią się w ekrany swych laptopów i stukają w klawiatury niczym stenografowie. Teraz jest czas przeznaczony na pytania. Nie chodzi jednak o ewentualne pytania, jakie mógłby mieć Dene. Teraz to oni mają zadawać mu pytania i dyskutować o tym, czy projekt ma szansę realizacji. Cholera! Dene nawet nie pamięta, co dokładnie przed chwilą powiedział. W końcu ten facet indiańskiej krwi uderza dłonią w stos papierów, w którym jest wniosek Denego o grant, i odchrząkuje.

– To dość ciekawy pomysł. Ciężko mi jednak zrozumieć, co dokładnie autor projektu ma na myśli, i właśnie się zastanawiam... proszę mnie poprawić, jeśli coś mi umknęło... zastanawiam się, czy jest w tym faktycznie jakaś wizja, czy ma on po prostu zamiar w pewnym sensie doprecyzować ją już w trakcie pracy. Chodzi mi też o to, że nie mamy nawet próbki jego roboty – mówi.

Dene wiedział, że to właśnie on odezwie się jako pierwszy. Pewnie nawet nie przyszło mu do głowy, że Dene jest indiańskiej krwi. I ta cholerna próbka! Dene nie może nic powiedzieć na swoją obronę. Teraz ma być niemym obserwatorem, jak mucha na ścianie. A ten facet właśnie machnął packą w jego stronę. Niechże ktoś inny zabierze wreszcie głos. Niech ktoś coś powie! Po chwili starszy z dwóch czarnych – ten lepiej ubrany, z siwą brodą i w okularach – mówi:

– Sądzę, że to będzie interesujące, jeśli autor projektu zrobi to, co nam tutaj – przynajmniej w moim rozumieniu – zapowiada. Czyli jeżeli, przede wszystkim, wyzbędzie się pretensji do tworzenia materiału dokumentalnego. Mówi, że nie ma zamiaru przeszkadzać swoim rozmówcom; chce, by tak rzec, zejść im z drogi. Jeśli zrobi to jak trzeba, będzie wyglądało tak, jakby go wcale nie było po drugiej stronie kamery; niemalże tak, jakby w ogóle nie było tam nikogo. Moje podstawowe pytanie jest jednak takie, czy rzeczywiście będzie w stanie skłonić ludzi, by do niego przychodzili i mu się zwierzali, opowiadając mu swoje historie. Jeśli mu się to uda, sądzę, że może to być ważny projekt, bez względu na to, czy zdoła zrobić z niego coś swojego, a przy tym istotnego i z pomysłem, czy też nie. Czasem istnieje ryzyko, że wizja reżysera wywrze zbyt duży wpływ na takie opowieści. Podoba mi się to, że autor projektu zamierza pozwolić, by to ich treść ostatecznie ukierunkowała wizję całości. W którąkolwiek stronę by to nie poszło, są to ważne i warte udokumentowania historie, i kropka.

Dene widzi, jak tamten facet indiańskiej krwi niespokojnie kręci się na krześle, układa jego wniosek w schludny stosik, a potem kładzie za jeszcze większym stosem papierzysk. Starsza biała kobieta, która z wyglądu przypomina Tildę Swinton, mówi:

– Jeśli autor projektu zdoła zebrać pieniądze i zrealizować film, który będzie w stanie powiedzieć na ten temat coś nowego, to sądzę, że będzie wspaniale i doprawdy nie wiem, co tu pozostaje jeszcze do powiedzenia. Mamy w kolejce około dwudziestu kandydatów, i jestem pewna, że projektom co najmniej kilku spośród nich będziemy musieli starannie się przyjrzeć i szczegółowo je omówić.

Wracając do domu szybką kolejką miejską, Dene widzi swe odbicie w ciemnym oknie pociągu. Na jego twarzy błąka się promienny uśmiech. Na jego widok Dene szybko poważnieje. Ale przecież mu się udało! Było zupełnie jasne, że dostanie ten grant. Pięć tysięcy dolców! Nigdy dotąd w całym swoim życiu nie miał tylu pieniędzy naraz. Nagle przypomina sobie o swoim wujku i do oczu napływają mu łzy. Mocno zaciska powieki i nie otwierając oczu, odchyla głowę do tyłu, starając się nie myśleć o niczym, i czeka, aż pociąg zawiezie go do domu.

Gdy wrócił wtedy do pustego domu, na stoliku kawowym przed kanapą leżała nieco staroświecka kamera. Dene wziął ją do ręki i usiadł na kanapie. Była to ta kamera z pistoletowym uchwytem, o której wspominał wujek. Dene siedział tak z nią na kolanach i czekał, aż jego matka wróci sama ze szpitala z ponurą wiadomością.

Kiedy weszła do pokoju, wszystko wypisane było na jej twarzy. Nie musiała mu nawet nic mówić. Dene, jakby się tego wcale nie spodziewał, gwałtownie wstał, wciąż trzymając w ręce kamerę i, mijając matkę, wybiegł z domu przez frontowe drzwi. Nie zwalniał, zbiegając z pagórka, na którym mieszkali, w kierunku Dimond Park. Pod parkiem przechodził tunel. Wysoki na mniej więcej trzy metry, miał blisko dwieście metrów długości. Kiedy się nim szło, to w połowie drogi, na odcinku około pięćdziesięciu metrów, panowały absolutne ciemności. Matka mówiła mu też, że jest tam podziemny kanał, który biegnie aż do samej zatoki. Dene sam nie wiedział, dlaczego tu przyszedł ani czemu wziął ze sobą kamerę. Zresztą nawet nie umiał się nią posługiwać. W tunelu gwizdał wiatr. Jakby gwizdał na niego. Tunel zdawał się oddychać. Wyglądał jak otwarte usta i gardziel. Dene próbował włączyć kamerę, ale mu się nie udało. Mimo to wycelował ją w wejście do tunelu. Zastanawiał się, czy i on też kiedyś skończy tak jak jego wujek. Potem przypomniał sobie matkę, która została tam sama w domu. Ona nie była przecież niczemu winna. Nie było powodu, by się na nią wściekać. Nagle wydało mu się, że słyszy kroki dochodzące gdzieś z głębi tunelu. Z trudem wdrapał się na brzeg strumienia i miał właśnie pobiec z powrotem na pagórek, do domu, ale coś go powstrzymało. Z boku kamery, obok nazwy Bolex Paillard, znalazł jakiś przełącznik. Wycelował obiektyw w lampę oświetleniową stojącą na ulicy powyżej. Potem podszedł do niej i skierował go na wylot tunelu. Później zostawił kamerę włączoną przez całą drogę do domu. Chciał wierzyć, że kiedy włącza kamerę, jego wujek jest znowu z nim i patrzy na świat przez jej obiektyw. Gdy zbliżał się już do domu, zobaczył, że matka czeka na niego w drzwiach. Była cała we łzach. Dene przystanął na chwilę za słupem telefonicznym. Pomyślał o tym, jak wiele mogło znaczyć dla niej to, że straciła brata. O tym, jak głupio postąpił, wybiegając z domu i zachowując się tak, jakby tylko on utracił kogoś bliskiego. Norma skuliła się na progu i skryła twarz w dłoniach. Kamera wciąż była włączona. Dene uniósł ją i, trzymając za pistoletowy uchwyt, wycelował w kierunku matki, a potem odwrócił wzrok.

Opal Viola Wiktoria Niedźwiedzia Tarcza

JA I MOJA SIOSTRA, JACQUIE, odrabiałyśmy zadanie w salonie, przy włączonym telewizorze, kiedy nasza mama wróciła do domu z wieścią, że przeprowadzamy się na Alcatraz.

– Spakujcie swoje rzeczy. Jedziemy tam, i to jeszcze dziś – powiedziała, a my wiedziałyśmy, co miała na myśli. Byłyśmy tam już, by świętować to, że nie obchodzimy Święta Dziękczynienia.

Mieszkałyśmy wtedy jeszcze we wschodniej dzielnicy Oakland, w żółtym domu, najbardziej jaskrawym, lecz zarazem najmniejszym na całej ulicy: były w nim dwie sypialnie i maleńka kuchnia, w której nie mieścił się nawet stół. Nie przepadałam za tym miejscem: dywany były zbyt cienkie i pachniały kurzem oraz dymem papierosowym. Na początku nie miałyśmy sofy ani telewizora, ale i tak było tam zdecydowanie lepiej niż w naszym poprzednim mieszkaniu.

Pewnego ranka mama obudziła nas w pośpiechu. Jej twarz była poobijana, a na ramiona miała narzuconą brązową skórzaną kurtkę, zdecydowanie na nią za dużą. Zarówno jej dolna, jak i górna warga były opuchnięte. Widok tych sinych i nabrzmiałych warg naprawdę zszargał mi nerwy. Nie była nawet w stanie wyraźnie mówić. Wtedy też kazała nam spakować swoje rzeczy.

Jacquie ma na nazwisko Czerwone Pióro, a ja Niedźwiedzia Tarcza. Obaj nasi ojcowie zostawili naszą mamę. Tamtego ranka, kiedy wróciła do domu pobita, pojechałyśmy autobusem do nowego mieszkania: właśnie do tego małego, żółtego domku. Nie wiem, jak jej się udało załatwić dla nas ten dom. W autobusie przysunęłam się do mamy i wsadziłam rękę do kieszeni jej kurtki.

– Dlaczego nosimy takie dziwne nazwiska? – spytałam.

– Wasze nazwiska pochodzą od dawnych indiańskich imion. Zanim pojawili się tutaj biali ludzie i zaczęli rozpowszechniać wszystkie te nazwiska pochodzące od ojców, aby utrzymać władzę w rękach mężczyzn, my, Indianie, mieliśmy własny sposób nadawania imion.

Nie zrozumiałam, o co chodziło z tymi ojcami. Nie wiedziałam również, czy Niedźwiedzia Tarcza oznaczała tarcze, jakimi posługiwały się niedźwiedzie, aby chronić własną skórę, czy też takie, jakimi posługiwali się ludzie, aby chronić się przed niedźwiedziami, czy może tarcze zrobione ze skóry niedźwiedzia. Tak czy inaczej, wcale nie było łatwo wytłumaczyć w szkole, dlaczego nazywam się Niedźwiedzia Tarcza, a to i tak nie było jeszcze najgorsze. Najgorzej było z moim imieniem, które było podwójne i brzmiało Opal Viola. Moje pełne imię i nazwisko brzmi więc Opal Viola Wiktoria Niedźwiedzia Tarcza. Wiktoria to imię naszej mamy, choć wszyscy i tak mówili do niej Vicky, a Opal Viola pochodziło od naszej babki, której nigdy nie widziałyśmy na oczy. Mama powiedziała nam, że babcia była uzdrowicielką i znaną wykonawczynią naszych religijnych pieśni, więc miałam z dumą nosić to wielkie, pradawne imię. Pewnym plusem było to, że dzieci nie musiały już nic robić z moim nazwiskiem, żeby móc się ze mnie nabijać: nie trzeba było go w żaden sposób przekręcać ani z niczym rymować. Już samo powtarzanie jego pięciu członów było dla nich dostatecznie zabawne.

Wsiadłyśmy do autobusu w zimny i ponury poranek pod koniec stycznia 1970 roku. Ja i Jacquie miałyśmy identyczne, stare i sfatygowane torby z czerwonej wełnianej bai, w których niewiele mogło się zmieścić, ale przecież nie miałyśmy też zbyt wiele dobytku. Ja zapakowałam do swojej dwa komplety odzieży, a pod pachę wetknęłam mojego pluszowego misia imieniem Dwa Buciki. To imię nadała mu moja siostra, ponieważ jej miś z dzieciństwa miał tylko jeden bucik, kiedy go dostała. Nie nazywał się co prawda Jeden Bucik, ale może chodziło jej o to, że powinnam była uważać się za szczęściarę, mając misia z dwoma bucikami zamiast jednego. Ale misie w ogóle nie noszą przecież butów, więc może wcale nie miałam znów tak wiele szczęścia, tylko Jacquie miała na myśli coś zupełnie innego.

Gdy byłyśmy już na chodniku, nasza mama odwróciła się jeszcze w stronę domu. „Pożegnajcie się z nim, dziewczęta" – powiedziała.

Nauczyłam się zwracać baczną uwagę na frontowe drzwi. Widziałam już niejedno zawiadomienie o eksmisji. No i oczywiście na naszych drzwiach wisiało kolejne. Mama nigdy ich nie zrywała, aby móc potem twierdzić, że w ogóle ich nie widziała, i zyskać w ten sposób na czasie.

Razem z Jacquie podniosłyśmy wzrok. Pomimo swoich niewielkich rozmiarów ten nasz żółty domek był całkiem w porządku. Po raz pierwszy mieszkałyśmy w nim bez żadnego z naszych ojców, więc było w nim spokojnie, a nawet miło i słodko, tak jak wtedy, gdy pierwszego wieczoru – kiedy miałyśmy już gaz, ale nie włączyli nam jeszcze prądu – mama zrobiła nam tartę z budyniem, bananami i bitą śmietaną, którą jadłyśmy potem na stojąco w naszej maleńkiej kuchni, przy zapalonych świecach.

Wciąż jeszcze zastanawiałyśmy się, co powiedzieć mu na do widzenia, kiedy mama krzyknęła: „Jest nasz autobus!", i musiałyśmy popędzić za nią, ciągnąc za sobą nasze identyczne, sfatygowane czerwone torby.

Był środek dnia, więc w autobusie nie było prawie nikogo. Jacquie usiadła kilka miejsc za nami, jakby w ogóle nas nie znała i jechała zupełnie sama. Ja chciałam dowiedzieć się czegoś więcej o tej wyspie, ale wiedziałam, że mama nie lubi rozmawiać w autobusie. Odwróciła się ode mnie tak jak Jacquie. Jakbyśmy wszystkie w ogóle się nie znały. Pewnie i tak powiedziałaby mi coś w rodzaju: „Czemu miałybyśmy rozmawiać o naszych sprawach przy zupełnie obcych ludziach?".

Jednak po chwili nie byłam już w stanie dłużej tego znieść.

– Co teraz zrobimy, mamo? – spytałam.

– Zamieszkamy z naszymi krewnymi, Indianami Wszystkich Plemion. Jedziemy tam, gdzie zbudowali to słynne więzienie. Zaczniemy nowe życie od środka więziennej celi, czyli z miejsca, w którym my, Indianie, teraz właśnie się znajdujemy; z miejsca, do którego biali nas wpakowali, chociaż tak bardzo starają się sprawić, aby wcale nie wyglądało na to, że to właśnie ich robota. Wydostaniemy się z tej celi, choćbyśmy miały wydłubać dziurę w murze łyżeczką. Masz, rzuć na to okiem.

To mówiąc, wręczyła mi wyjętą z portmonetki laminowaną kartę wielkości karty do gry. Widniał na niej ten obrazek, który można spotkać na każdym kroku – sylwetka ponurego Indianina na koniu, a na odwrocie było napisane: „Przepowiednia Szalonego Konia". Przeczytałam sobie jej tekst:

> Po cierpieniach ponad wszelką miarę Czerwony Naród ponownie powstanie, co będzie błogosławieństwem dla chorego świata, pełnego złamanych obietnic, egoizmu i podziałów; świata tęskniącego znów za światłem. Widzę oto taki czas za siedem pokoleń, kiedy przedstawiciele wszystkich kolorów skóry rodzaju ludzkiego zgromadzą się pod świętym Drzewem Życia, a cała Ziemia na powrót stanie się jednym kołem.

Nie wiedziałam, co mama usiłowała mi powiedzieć, dając mi tę kartę, ani nie rozumiałam, co miała na myśli, mówiąc o tej łyżeczce. Ale nasza mama po prostu taka już była. Mówiła swoim własnym, prywatnym językiem. Spytałam ją, czy na Alcatraz będą małpy. Z jakiegoś powodu myślałam, że małpy żyją na wszystkich wyspach. Ona nie odpowiedziała jednak na moje pytanie. Uśmiechała się tylko i patrzyła, jak za oknem autobusu przemykają długie i szare ulice Oakland. Wyglądała przy tym tak, jakby oglądała stary film, który lubiła, ale widziała już nazbyt wiele razy, aby wciąż jeszcze zwracać na niego baczniejszą uwagę. Na Alcatraz popłynęłyśmy motorówką. Przez cały czas trzymałam głowę na kolanach mamy. Faceci, którzy przewieźli nas na wyspę, ubrani byli w wojskowe mundury. Nie miałam wówczas pojęcia, w co się pakujemy.

Jadłyśmy rzadki gulasz wołowy ze styropianowych misek, siedząc wokół całkiem sporego i dającego niemało ciepła ogniska, które kilku spośród młodszych mężczyzn regularnie podsycało, dorzucając do ognia kawałki drewnianych palet. Nasza mama paliła papierosy, siedząc nieco dalej od ognia z dwiema wielkimi Indiankami, obdarzonymi bardzo donośnym śmiechem. Na stołach, gdzie stały miski z gulaszem, leżało również masło i całe sterty krojonego białego chleba z supermarketu. Kiedy przy ognisku zrobiło się za gorąco, odsunęłyśmy się wraz z siostrą od ognia i usiadłyśmy na ziemi.

– Nie wiem, jak ty – rzekłam do Jacquie z ustami pełnymi chleba z masłem – ale ja mogłabym tak żyć.

Zaczęłyśmy się śmiać, a Jacquie wtuliła się we mnie. Przypadkowo zderzyłyśmy się przy tym głowami, co jeszcze bardziej nas rozśmieszyło. Zrobiło się późno i drzemałam już, kiedy mama znowu do nas przyszła.

– Wszyscy śpią w celach. Tam jest cieplej – powiedziała. Razem z Jacquie spałyśmy więc w celi naprzeciwko mamy. Mama zawsze miotała się jak szalona: to pracowała, to znów traciła pracę, przenosiła nas z miejsca na miejsce po całym Oakland, na przemian wpychała się z powrotem i wycofywała z życia naszych ojców, co chwilę zmieniając przy tym kolejne szkoły i przytułki. Tym razem jednak było inaczej. Dotąd zawsze lądowałyśmy w jakimś domu, pokoju albo przynajmniej łóżku. A teraz ja i Jacquie spałyśmy blisko siebie na kępkach gailardii w starej więziennej celi, naprzeciwko naszej matki.

Każdy dźwięk odbijał się w tych celach tysiąckrotnym echem. Mama zaśpiewała nam kołysankę Czejenów, przy której dawniej nas usypiała. Nie słyszałam jej od tak dawna, że prawie ją zapomniałam, a chociaż odbijała się szaleńczym echem od wszystkich ścian, było to przecież echo głosu naszej mamy. Obie szybko zapadłyśmy w sen i spałyśmy smacznie do samego rana.

Jacquie radziła sobie znacznie lepiej ode mnie. Zadawała się z grupą nastolatków, którzy włóczyli się po całej wyspie. Dorośli byli tak bardzo zajęci, że nie było możliwości, aby mogli za nimi nadążyć. Ja trzymałam się blisko mamy. Chodziłyśmy i rozmawiałyśmy wciąż z różnymi ludźmi, biorąc udział w oficjalnych zebraniach, na których wszyscy usiłowali porozumieć się co do tego, co należy zrobić, o co powinniśmy poprosić i jakie będą nasze oficjalne żądania. Ci spośród Indian, którzy wydawali się tutaj najważniejsi, zazwyczaj najłatwiej się przy tym wściekali. Byli to zawsze mężczyźni. Kobiet nie słuchano zaś tak bardzo, jakby życzyła sobie tego nasza mama. Te pierwsze dni na Alcatraz mijały nam niczym tygodnie. Wyglądało na to, że zostaniemy tam już na dobre i zdołamy skłonić federalnych, aby zbudowali nam szkołę, przychodnię i dom kultury.

W pewnym momencie mama kazała mi jednak pójść i zobaczyć, co takiego porabia Jacquie. Wcale nie miałam ochoty samotnie włóczyć się po wyspie, ale w końcu zaczęło mi się na tyle nudzić, że poszłam, aby się przekonać, co też uda mi się odkryć. Wzięłam ze sobą misia Dwa Buciki. Wiem, że jestem już za duża, by się nim bawić – mam już przecież prawie dwanaście lat – ale i tak go zabrałam. Doszłam aż na drugą stronę latarni morskiej, do miejsca, które wyglądało tak, jakby należało trzymać się od niego z daleka.

Znalazłam całą ich paczkę nad brzegiem morza od strony cieśniny Golden Gate. Leżeli rozwaleni na skałach, wytykając się nawzajem palcami i śmiejąc się w ten wyuzdany i okrutny sposób, który nastolatki zawsze mają na podorędziu. Powiedziałam mojemu misiowi, że to chyba nie jest wcale taki dobry pomysł, żeby do nich dołączyć, i dodałam, że powinniśmy raczej zawrócić.

– Nie musisz się martwić, siostro. Wszyscy ludzie na tej wyspie, nawet te tutaj szczeniaki, to nasi krewni. Nie bój się więc. W dodatku, jeśli ktokolwiek będzie chciał ci coś zrobić, zeskoczę na ziemię i ugryzę go w kostkę, a tego na pewno nie będzie się spodziewał. A potem użyję przeciwko niemu mojego świętego niedźwiedziego lekarstwa, które go uśpi. To będzie jak natychmiastowa hibernacja. Tak właśnie zrobię, siostro, więc nic się nie martw. Stwórca uczynił mnie silnym, abym mógł cię chronić – rzekł mi wtedy Dwa Buciki.

Powiedziałam mu, żeby przestał gadać jak Indianin.

– Nie wiem, co masz na myśli, mówiąc, że gadam jak Indianin – odparł.

– Nie jesteś Indianinem, Dwa Buciki. Jesteś tylko pluszowym misiem.

– Wiesz co? My w gruncie rzeczy aż tak bardzo się nie różnimy. I wam, i nam nadali nazwy nieświadomi i aroganccy ludzie.

– Aha. A kogo dokładnie masz na myśli?

– Was „Indianami" nazwał Kolumb, a w naszym przypadku to wszystko wina Teddy'ego Roosevelta.

– Jak to?

– Polował sobie kiedyś na niedźwiedzie, ale w końcu spotkał naprawdę kościstego, starego i wygłodniałego misia i powiedział, że go nie zastrzeli. A potem w gazetach pojawił się komiks na temat tego zdarzenia z polowania, z którego wynikało, że niby pan Roosevelt okazał się człowiekiem miłosiernym i wielkim wielbicielem przyrody; kimś w tym rodzaju. Później biali zrobili małego, wypchanego misia i nazwali go „Misiem Teddy'ego". Z czasem jego nazwa w ich języku uległa skróceniu do „Teddy Bear". Nigdy nie powiedzieli tylko tego, że temu staremu niedźwiedziowi Roosevelt tak naprawdę poderżnął gardło. Jest to tego rodzaju miłosierdzie, o którym – ich zdaniem – nie powinniśmy nic wiedzieć.

– A ty skąd niby o tym wszystkim wiesz?

– Trzeba znać historię swojego ludu. To, że się tutaj znaleźliście, jest w zupełności wynikiem tego, co wasi ludzie uczynili, aby was tu sprowadzić. I my, niedźwiedzie, i wy, Indianie, bardzo wiele przeszliśmy. Przecież biali próbowali nas pozabijać. Ale kiedy się słucha, jak oni o tym opowiadają, to cała ta historia brzmi w ich ustach niczym jedna wielka heroiczna przygoda rozgrywająca się w zupełnie pustym, dziewiczym lesie. Tymczasem cały ten las pełen był Indian i niedźwiedzi. Siostro, oni poderżnęli gardła nam wszystkim.

– Dlaczego mam wrażenie, jakby mama już nam to wszystko mówiła? – spytałam.

– Roosevelt powiedział: „Nie posunę się tak daleko, by stwierdzić, że jedyni dobrzy Indianie to martwi Indianie, ale sądzę, że w dziewięciu przypadkach na dziesięć jest to prawda, a jeśli chodzi o ten dziesiąty przypadek, to wolałbym zbyt wnikliwie go nie rozpatrywać".

– Cholera, misiu, ależ to straszne! Ja słyszałam tylko ten tekst o grubej pałce.

– Ta „gruba pałka" to właśnie kłamstwo o miłosierdziu. „Przemawiaj łagodnie i dzierż grubą pałkę" – tak właśnie Roosevelt mawiał o polityce zagranicznej. I taką właśnie pałką biali traktowali zarówno nas, niedźwiedzie, jak i was, Indian. Dla nich byliśmy przecież obcym narodem, choć żyliśmy na swej własnej ziemi. I tą swoją grubą pałką zagnali nas tak daleko na zachód, że o mało nie wyginęliśmy na dobre.

Po tych słowach Dwa Buciki zamilkł. Taki już był ten miś. Albo miał coś do powiedzenia, albo nie. Po rodzaju błysku, jaki akurat miał w swych czarnych oczach, potrafiłam rozpoznać, czy w danej chwili chce jeszcze coś dodać, czy też nie. Teraz położyłam go więc na ziemi za jakimiś głazami i ruszyłam w stronę mojej siostry.

Cała paczka zgromadziła się na niewielkiej i podmokłej piaszczystej plaży, usianej głazami, które były nieco rzadziej rozrzucone lub ukryte pod powierzchnią wody tam, gdzie robiło się głębiej. Im bardziej się do nich zbliżałam, tym wyraźniej widziałam, że Jacquie zachowuje się dziwnie: jakoś tak hałaśliwie i sztucznie. W dodatku była dla mnie miła. Aż nazbyt miła. Przywołała mnie do siebie, trochę za mocno uściskała, a potem, zbyt donośnym głosem, przedstawiła całej grupie jako swoją młodszą siostrzyczkę. Skłamałam i powiedziałam wszystkim, że mam już dwanaście lat, ale oni i tak nawet mnie nie słuchali. Widziałam, jak podawali sobie jakąś butelkę. Kiedy podeszłam do siostry, Jacquie pociągnęła z niej właśnie długi, łapczywy łyk.

– To jest Harvey – powiedziała, wciskając butelkę w rękę siedzącego obok chłopaka. Harvey wziął od niej flaszkę, lecz zdawał się przy tym w ogóle nie zauważać, że Jacquie coś mówiła. Odeszłam więc o kilka kroków od nich i spostrzegłam pewnego chłopca, który stał z dala od pozostałych. Wydawało się, że może być od nich nieco młodszy, czyli bardziej zbliżony do mnie wiekiem. Stał przy brzegu i wrzucał kamienie do wody. Spytałam go, co właściwie robi.

– A na co ci to wygląda? – odparł.

– Jakbyś chciał się pozbyć całej tej wyspy, wrzucając ją do morza kamyk po kamyku.

– Szkoda, że nie mogę wrzucić tej głupiej wyspy do oceanu – odrzekł.

– Ona już jest w oceanie.

– Chodziło mi o to, żeby wrzucić ją na samo dno – wyjaśnił.

– A to dlaczego? – spytałam.

– Bo mój tata każe tutaj siedzieć mnie i mojemu bratu – odparł. – Zabrał nas ze szkoły. A tu nie ma telewizji ani dobrego jedzenia, wszyscy ciągle biegają tylko wkoło, piją i gadają o tym, że teraz wszystko będzie inaczej. Jasne, już jest inaczej, bez dwóch zdań. Tylko że w domu było lepiej.

– Nie sądzisz, że to dobrze, że o coś walczymy? Że próbujemy naprawić wszystko to, co nam zrobili przez te setki lat, odkąd się tu zjawili?

– Jasne, jasne; mój ojciec wciąż tylko o tym gada. Wszystko to, co nam zrobili. Niby ci z rządu Stanów Zjednoczonych. Ja tam nic o tym nie wiem, ja chcę tylko wrócić do domu.

– My już chyba nie mamy nawet domu.

– Co takiego niezwykłego jest w tym, że się zajmuje jakieś idiotyczne miejsce, którego nikt nawet nie chce; miejsce, skąd ludzie usiłowali uciec, odkąd tylko powstało?

– Nie wiem. Może coś to da. Nigdy nie wiadomo.

– Jasne – odparł, po czym cisnął dość spory kamień do wody tuż obok miejsca, gdzie siedzieli nieco starsi nastolatkowie. Ochlapał ich przy tym, więc zaczęli wykrzykiwać w naszą stronę przekleństwa, których nawet nie znałam.

– Jak ci na imię? – spytałam.

– Rocky. A tobie?

Od razu zaczęłam żałować, że w ogóle poruszyłam kwestię imion i usiłowałam wymyślić coś, o co mogłabym teraz spytać, albo w ogóle powiedzieć, ale zupełnie nic nie przyszło mi do głowy.

– Opal Viola Wiktoria Niedźwiedzia Tarcza – wypaliłam najszybciej, jak umiałam.

Rocky wrzucił tylko do wody kolejny kamień. Nie wiedziałam, czy po prostu mnie nie słuchał, czy też, w przeciwieństwie do większości dzieciaków, wcale nie uważał, że moje imię jest zabawne. Ale nie miałam już okazji się tego dowiedzieć, ponieważ właśnie w tej chwili rozległ się warkot silnika i zupełnie znikąd pojawiła się obok nas motorówka. Starsze dzieciaki ukradły ją z innej plaży na wyspie. Wszyscy szli teraz w stronę łodzi, która zbliżała się do brzegu. Ja i Rocky ruszyliśmy w ich ślady.

– Chcesz nią popłynąć? – spytałam Rocky'ego.

– Tak, chyba chcę – odparł.

Podeszłam do Jacquie, żeby zapytać, czy ona też z nami popłynie.

– Jasne, że tak, do cholery! – wrzasnęła, kompletnie pijana, i wtedy już wiedziałam, że muszę wsiąść na tę łódź.

Woda była wzburzona i od razu zaczęło nami kołysać. Rocky spytał, czy może wziąć mnie za rękę. Jego pytanie sprawiło, że serce zaczęło mi walić jeszcze gwałtowniej, choć i tak biło już bardzo szybko ze względu na to, że mknęłam po falach motorówką z tymi wszystkimi starszymi nastolatkami, którzy prawdopodobnie nigdy w życiu nie sterowali taką łodzią. Gdy podskoczyliśmy wysoko w górę, odbiwszy się od grzbietu fali, chwyciłam więc dłoń Rocky'ego, a potem trzymaliśmy się za ręce aż do chwili, kiedy ujrzeliśmy, że zbliża się do nas inna motorówka. Dopiero wtedy nasze dłonie raptownie się od siebie oderwały, jakby ta druga łódź przypłynęła tu tylko po to, aby przyłapać nas na trzymaniu się za ręce. Początkowo myślałam, że to policja, ale wkrótce zdałam sobie sprawę, że to tylko dwóch starszych mężczyzn, którzy kursowali motorówką pomiędzy wyspą a stałym lądem, dowożąc zaopatrzenie. Coś do nas krzyczeli i kazali nam zawrócić w stronę brzegu.

Dopiero wtedy, kiedy przybili do brzegu tuż obok nas, zaczęłam tak naprawdę słyszeć ich krzyki. Wrzeszczeli na nas. Wszystkie starsze dzieciaki były kompletnie pijane. Jacquie i Harvey rzucili się do ucieczki, co skłoniło pozostałych do tego, by pójść w ich ślady. Ja i Rocky zostaliśmy w motorówce, przypatrując się, jak ci dwaj starsi faceci daremnie usiłują zapanować nad nastolatkami, którzy biegali w kółko, potykali się i śmiali z niczego tym głupkowatym, pijackim śmiechem. Kiedy mężczyźni w końcu zdali sobie sprawę, że i tak nikogo nie złapią ani nikt nie będzie ich słuchał, poszli sobie: albo chcieli sprowadzić pomoc, albo po prostu dali za wygraną. Słońce już zachodziło i zerwał się zimny wiatr. Rocky wyskoczył z motorówki i przycumował ją do brzegu. Zaczęłam się zastanawiać, gdzie się nauczył, jak należy to robić. Ja też zeszłam na ląd, czując przy tym, jak motorówka zakołysała się pod moim ciężarem. Nisko przy ziemi nadciągała mgła, tak wolno, jakby pełzła, wspinając się ledwie powyżej naszych kolan. Przypatrywałam jej się przez dobrych kilka minut – a przynajmniej tak mi się zdawało – a potem stanęłam za Rockym i chwyciłam go za rękę. Nie odwrócił się do mnie, tylko pozwolił mi tak trzymać jego dłoń.

– Ciągle boję się ciemności – powiedział. Brzmiało to tak, jakby chciał powiedzieć mi coś zupełnie innego. Jednak zanim zdążyłam pomyśleć o tym, co to mogło być, usłyszałam krzyki. Był to głos Jacquie. Puściłam dłoń Rocky'ego i ruszyłam w stronę, skąd dochodził ten wrzask. Po drodze wychwyciłam jeszcze dobiegające stamtąd słowa „pieprzony dupek", a wtedy przystanęłam i spojrzałam przez ramię na Rocky'ego, z miną, która mówiła: „Na co jeszcze czekasz?". Rocky odwrócił się jednak i ruszył z powrotem w stronę motorówki.

Kiedy ich znalazłam, Jacquie oddalała się właśnie od Harveya, co kilka kroków podnosząc z ziemi kamienie i obrzucając go nimi. Harvey siedział na ziemi, trzymając na kolanach butelkę. Głowa kiwała mu się przy tym, jakby była zbyt ciężka. Właśnie wtedy dostrzegłam podobieństwo. I sama nie wiedziałam, jakim cudem nie zauważyłam tego wcześniej: Harvey był starszym bratem Rocky'ego.

– Idziemy! – powiedziała do mnie Jacquie. – Kawał drania! – dodała, spluwając na ziemię w kierunku Harveya. Zaczęłyśmy wspinać się po zboczu wiodącym w kierunku schodów prowadzących do bramy więzienia.

– Co się stało? – spytałam.

– Nic.

– Co on ci zrobił? – nie dawałam za wygraną.

– Mówiłam, żeby przestał. Ale on i tak to zrobił. Mówiłam mu, że ma przestać – plątała się Jacquie, mocno trąc jedno oko. – Zresztą nieważne, do cholery. Chodź – dodała, przyspieszając kroku.

Puściłam ją przodem. Sama zatrzymałam się i chwyciłam poręczy u szczytu schodów, obok latarni morskiej. Chciałam jeszcze obejrzeć się za siebie i znaleźć Rocky'ego, ale wtedy usłyszałam, jak moja siostra woła, żebym ją dogoniła.

Kiedy wróciłyśmy do bloku z naszą celą, zastałyśmy w niej mamę. Spała, ale leżała w jakiejś dziwacznej pozie, rozciągnięta na wznak, a przecież zawsze spała na brzuchu. Zdawała się przy tym pogrążona w bardzo głębokim śnie. Ułożona była tak, jakby wcale nie miała zamiaru zasnąć w tej pozycji. A przy tym strasznie chrapała. Jacquie poszła spać do celi naprzeciwko nas, a ja wśliznęłam się pod koc obok mamy.

Na zewnątrz zerwał się wiatr. Bałam się i nie byłam pewna, co się właściwie stało. I co w ogóle jeszcze robimy na tej wyspie? Mimo wszystko zasnęłam niemal natychmiast, kiedy tylko zamknęłam oczy.

Kiedy się obudziłam, Jacquie spała tuż obok mnie. W pewnym momencie musiała zająć miejsce mamy. Słońce świeciło prosto na nas, rzucając cienie w kształcie krat w poprzek naszych ciał.

Po tamtych wydarzeniach przez wszystkie kolejne dni nie robiłyśmy już nic innego, tylko dowiadywałyśmy się, co będzie do jedzenia i kiedy wydawane będą posiłki. Zostałyśmy na wyspie, ponieważ nie miałyśmy wyboru. Nie miałyśmy żadnego domu ani życia, do którego mogłybyśmy wrócić, ani też nadziei, że być może dostaniemy jednak to, czego się domagaliśmy; że rząd się nad nami zlituje i uratuje nam życie, wysyłając na wyspę łodzie pełne żywności, a także elektryków, budowniczych i innych fachowców, którzy pomogliby nam się tutaj jakoś urządzić. Dni mijały nam tylko jeden po drugim i nic takiego się nie działo. Motorówki przybijały do brzegu i odpływały, przywożąc coraz mniejsze ilości zaopatrzenia. W pewnym momencie wybuchł pożar; widziałam też, jak ludzie wywlekają ze ścian budynków drut miedziany, znosząc do motorówek całe jego wiązki. Mężczyźni coraz częściej wydawali się bardziej zmęczeni i pijani niż dotąd, a wokół coraz mniej widać było kobiet i dzieci.

– Wydostaniemy się stąd. Już wy się o to nie martwcie – powiedziała nam mama pewnej nocy ze swojej celi naprzeciwko. Jednak ja już jej nie wierzyłam. Nie byłam pewna, po czyjej jest stronie i nie wiedziałam, czy w ogóle są tu jeszcze jakieś „strony". Może już tylko w tym sensie, co na głazach na krańcu wyspy.

W jeden z ostatnich dni, jakie spędziłyśmy na wyspie, poszłam z mamą na wzgórze pod latarnią. Mama stwierdziła, że chce sobie popatrzeć na miasto. Dodała jeszcze, że ma mi coś do powiedzenia. Wokół ludzie biegali niespokojnie tam i z powrotem, jak to zwykli czynić w tych ostatnich dniach indiańskiej okupacji wyspy – tak, jakby lada moment miał nastąpić koniec świata – i tylko my z mamą siedziałyśmy sobie spokojnie na trawie, jakby nie działo się nic nadzwyczajnego.

– Posłuchaj mnie, Opal Violu, moja dziewczynko – zaczęła mama, kręcąc kosmyk włosów za moim uchem. Nigdy dotąd – ani jeden raz – nie nazwała mnie „swoją dziewczynką". – Powinnaś wiedzieć, co się tutaj dzieje – rzekła. – Jesteś już teraz na tyle duża i przepraszam cię, że wcześniej ci tego nie powiedziałam. Opal, musisz wiedzieć, że nigdy nie wolno nam przestać opowiadać naszych historii i że nikt nie jest za młody, żeby ich słuchać. Wszyscy jesteśmy tutaj przez pewne kłamstwo, a oni okłamują nas, odkąd tylko się tu pojawili. Nawet teraz bez przerwy kłamią!

Ostatnie zdanie wypowiedziała w taki sposób, że aż się przeraziłam. Jakby miało dwa różne znaczenia, a ja nie rozumiałam żadnego z nich. Spytałam mamę, co to było za kłamstwo, lecz ona zapatrzyła się tylko w słońce, mrużąc oczy, i cała jej twarz zastygła w takim grymasie. Nie wiedziałam, co robić, więc siedziałam tak i czekałam, żeby się przekonać, co mi powie. Zimny wiatr smagał nasze twarze, sprawiając, że musiałyśmy aż zamykać oczy. Nie otwierając ich, spytałam więc mamę, co teraz zrobimy. Odparła, że nie mamy wielkiego wyboru i że to monstrum, aparat władzy, czyli rząd, nie ma najmniejszego zamiaru zwolnić tempa swego działania na wystarczająco długi okres, aby faktycznie przyjrzeć się temu, co się tutaj stało, i wszystko naprawić. Zatem nasze dalsze losy zależą w zupełności od tego, czy będziemy w stanie właściwie zrozumieć, skąd pochodzimy, co spotkało nasz lud i jak możemy uczcić naszych przodków, wiodąc godne życie i nie przestając opowiadać naszych historii. Mama powiedziała mi jeszcze, że cały świat składa się z samych tylko historii: z opowieści i z opowieści o opowieściach. A potem, jakby wszystko to, co dotąd mówiła, było tylko wprowadzeniem do czegoś, co miałam za chwilę usłyszeć, zamilkła na dłuższą chwilę, powiodła wzrokiem hen, w kierunku miasta, i oświadczyła, że ma raka. Wówczas znikła dla mnie cała ta wyspa. Znikło wszystko wokół. Wstałam i poszłam przed siebie, zupełnie nie wiedząc, dokąd zmierzam. Przypomniało mi się, że bardzo dawno temu zostawiłam misia Dwa Buciki przy tamtych skałach, gdzie poznałam Rocky'ego.

Kiedy tam dotarłam, Dwa Buciki leżał na boku i wyglądał dosyć marnie; jakby przeżuło go jakieś zwierzę albo jakby wypłowiał od wiatru i słonej wody. Podniosłam go z ziemi i spojrzałam mu w twarz. W jego oczach nie było już blasku. Odłożyłam go z powrotem tam, gdzie leżał, i po prostu już go tam zostawiłam.

Kiedy wróciłyśmy wreszcie na stały ląd, w pewien słoneczny dzień wiele miesięcy po tym, jak pierwszy raz popłynęłyśmy na wyspę, pojechałyśmy autobusem z powrotem w pobliże miejsca, gdzie mieszkałyśmy, zanim jeszcze wprowadziłyśmy się do żółtego domku. Było to tuż poza centrum Oakland, przy Telegraph Avenue. Zatrzymałyśmy się u adoptowanego brata mamy, Ronalda, którego poznałyśmy dopiero tamtego właśnie dnia, kiedy przyjechałyśmy do jego domu, żeby z nim zamieszkać. Ja i Jacquie nie polubiłyśmy go ani trochę. Mama przekonywała nas jednak, że Ronald naprawdę jest kimś. Mówiła, że to uzdrowiciel. Sama nie chciała przy tym słuchać zaleceń lekarzy. Przez pewien czas jeździliśmy ciągle do więzienia, gdzie Ronald prowadził zajęcia sportowe. Dla mnie było tam za gorąco, ale Jacquie chodziła na nie razem z mamą. Obie z siostrą powtarzałyśmy też mamie, że powinna robić to, co mówią jej lekarze. Ona jednak odpowiadała, że nie może ich słuchać i potrafi jedynie iść tą samą drogą, którą szła do tej pory. I tak właśnie zrobiła: wolno odeszła w przeszłość, jak wszystkie te święte, piękne i utracone raz na zawsze rzeczy. Pewnego dnia zaszyła się po prostu już na dobre na kanapie w salonie Ronalda i odtąd stawała się coraz mniejsza i mniejsza.

Po powrocie z Alcatraz i po śmierci mamy starałam się nie wychylać i unikać kłopotów. Skupiłam się na nauce. Mama zawsze mówiła nam, że najważniejszą rzeczą, jaką możemy zrobić, jest zdobycie wykształcenia, i powtarzała, że inaczej ludzie nie będą chcieli nas słuchać. Wcale nie mieszkałyśmy przez cały ten czas u Ronalda. Bardzo szybko zaczęło tam dziać się źle, ale o tym opowiem już innym razem. Dopóki mieszkała z nami mama, a nawet jeszcze przez chwilę po jej śmierci, Ronald dawał nam spokój. Ja i Jacquie spędzałyśmy razem cały nasz czas po szkole. Tak często, jak tylko byłyśmy w stanie, chodziłyśmy też na grób mamy. Pewnego dnia w drodze z cmentarza do domu Jacquie przystanęła i odwróciła się do mnie.

– Co my teraz właściwie robimy? – spytała.

– Wracamy do domu – odparłam.

– A co to za dom?

– Sama nie wiem.

– To co teraz zrobimy?

– Nie wiem.

– Przecież zawsze masz gotową jakąś przemądrzałą odpowiedź.

– Chyba po prostu wracamy…

– Jestem w ciąży – wypaliła nagle Jacquie.

– Co takiego?

– Ten pieprzony dupek Harvey. Pamiętasz?

– Co?

– Nieważne. Mogę ją po prostu usunąć i tyle.

– Nie! Nie możesz jej tak po prostu…

– Znam kogoś… To znaczy, brat mojej przyjaciółki Adriany zna kogoś w zachodniej dzielnicy.

– Ależ, Jacquie, nie możesz tak…

– Czyli co? Wychowamy to dziecko we dwie, razem z Ronaldem? Nic z tego – rzekła Jacquie, a potem wybuchła płaczem. Nie płakała tak strasznie nawet na pogrzebie. W końcu przestała, oparła się o parkometr i odwróciła ode mnie wzrok. Jeden jedyny raz – ale bardzo mocno – otarła twarz ramieniem i ruszyła przed siebie. Szłyśmy tak przez jakiś czas, mając słońce za plecami i widząc przed sobą nasze ukośne i wydłużone cienie.

– Jedną z ostatnich rzeczy, jakie mama mi powiedziała, kiedy byłyśmy jeszcze na wyspie, było to, że nigdy nie wolno nam przestać opowiadać naszych historii – rzekłam po chwili.

– I po jaką cholerę niby teraz mi to mówisz?

– Chodzi mi o to dziecko.

– Ale to nie żadna tam historia, Opal, tylko fakt.

– Ale mogłoby być i jednym, i drugim.

– Ale w życiu nie jest tak, jak w jakichś tam opowieściach. Mama nie żyje i już do nas nie wróci. Jesteśmy same, a w dodatku mieszkamy z facetem, którego nawet nie znamy i mamy mówić do niego „wujku". To chyba jakaś zupełnie popaprana historia, co?

– Tak, wiem, że mama nie żyje. Jesteśmy same, ale my nie jesteśmy jeszcze martwe. To jeszcze nie koniec. Nie możemy się tak po prostu poddać. Prawda, Jacquie?

Jacquie zrazu nic nie odpowiedziała. Szłyśmy dalej, mijając wszystkie wystawy sklepowe wzdłuż Piedmont Avenue. Wsłuchiwałyśmy się w powracający bezustannie dźwięk mijających nas samochodów, przypominający szum fal uderzających o twarde skały na skraju naszej niepewnej przyszłości w Oakland; w mieście, które nigdy już nie miało być takie jak dawniej, nim nasza mama tak nagle nas opuściła i odeszła w powiewach gwałtownego wichru.

Zatrzymałyśmy się dopiero na czerwonym świetle. Kiedy zapaliło się zielone, Jacquie wzięła mnie za rękę, a potem, kiedy przeszłyśmy na drugą stronę ulicy, już jej nie puściła.

Edwin Black

SIEDZĘ NA KLOZECIE. Nic się jednak nie dzieje. Po prostu siedzę sobie tutaj. Trzeba przecież próbować. Trzeba chcieć i nie tylko powtarzać to sobie, lecz także siedzieć tutaj z wiarą, że się uda. To już sześć dni od mojego ostatniego wypróżnienia. Jeden z wypunktowanych objawów chorobowych na stronie internetowej z informacjami na temat medycyny i zdrowia brzmiał właśnie tak: uczucie, że nie wszystko wyszło. Mam poczucie, że to stwierdzenie pasuje do całego mojego życia, i to pod wieloma względami, których nie potrafię jeszcze tak jasno wyrazić. Mogłoby też stanowić tytuł zbioru opowiadań, który napiszę pewnego dnia, kiedy wreszcie wszystko zacznie mi wychodzić.

Cały problem z wiarą polega na tym, że trzeba wierzyć, że wiara zadziała; trzeba pokładać wiarę w tej wierze. A ja wyskrobałem już do czysta tę małą czarkę wiary, którą trzymam przy otwartym oknie, jakim stał się mój umysł, odkąd wniknął weń Internet, sprawiając, że sam stałem się częścią sieci. Nie żartuję. Teraz czuję się tak, jakbym doświadczał objawów internetowego głodu. Czytałem o stacjonarnych ośrodkach leczenia i rehabilitacji uzależnień od Internetu w Pensylwanii. Na pustyni w Arizonie mają takie specjalne podziemne kompleksy i samotnie do odtruwania od technologii cyfrowej. Mój problem nie dotyczy samych tylko gier czy hazardu albo nieustannego przewijania i odświeżania moich stron w mediach społecznościowych, ani nawet nieustannego poszukiwania nowej, dobrej muzyki. Chodzi o wszystkie te rzeczy naraz. Na pewien czas naprawdę wciągnęło mnie *Second Life*. Myślę, że logowałem się tam regularnie przez całe dwa lata. A w miarę jak w prawdziwym życiu rozrastałem się i stawałem się coraz grubszy, coraz bardziej odchudzałem tego Edwina Blacka, którego stworzyłem i miałem tam, w komputerze i na ekranie; a podczas gdy ja robiłem w życiu coraz mniej, on robił coraz więcej. Tamten Edwin Black w sieci miał pracę i dziewczynę, a jego matka zmarła tragicznie przy porodzie. Tamten Edwin Black wychowywał się u swojego ojca w rezerwacie. Edwin Black z mojego *Second Life* miał swoją dumę i był pełen nadziei.

Tymczasem ten prawdziwy Edwin Black, czyli ja, siedzący sobie tutaj na klozecie, nie jest w stanie dostać się tam, do Internetu, ponieważ wczoraj upuściłem telefon do muszli, a mój komputer się zawiesił. Tego samego pieprzonego dnia po prostu przestał działać. Nie poruszał się nawet kursor myszki i nie było już wirującego kółka, obiecującego, że dany program zaraz się załaduje. Nie było też mowy o tym, by komputer zrestartował się po odłączeniu od sieci: nagle miałem przed sobą zupełnie niemy, czarny ekran, a na nim odbicie swojej własnej twarzy, gapiącej się najpierw z przerażeniem na tę śmierć komputera, a potem na wypisaną na mojej twarzy reakcję na widok mojego własnego oblicza reagującego na śmierć komputera. Gdy patrzyłem na moją twarz odbitą na czarnym ekranie i myślałem o tym chorym uzależnieniu i o wszystkich tych godzinach, jakie spędziłem, nie robiąc właściwie niczego, umarła również jakaś cząstka mnie. Miałem za sobą cztery lata siedzenia, wpatrywania się w ekran komputera i surfowania po Internecie. Sądzę, że, odliczając czas poświęcony na sen, będą to jakieś trzy lata, jeżeli oczywiście nie brać pod uwagę snów, bo ja śnię o Internecie, o słowach kluczowych wyszukiwania, które we śnie wydają się zupełnie sensowne i stanowią klucz do jego znaczenia, ale rankiem okazują się całkowicie pozbawione sensu, podobnie jak wszystkie sny, jakie dotąd miałem.

Kiedyś śniło mi się, że zostanę pisarzem. To znaczy, ukończyłem nawet z tytułem magistra literaturoznawstwo porównawcze ze specjalizacją w zakresie literatury Indian amerykańskich. Bez wątpienia musiało się wtedy wydawać, że zmierzam do osiągnięcia jeszcze ambitniejszych celów, trzymając w ręku dyplom na ostatnim zdjęciu, jakie zamieściłem na Facebooku. Na tej fotografii stoję ja, w swojej todze i z biretem na głowie, o ponad czterdzieści kilo lżejszy, i moja mama, uśmiechnięta aż nazbyt szeroko i wpatrzona we mnie z bezgranicznym podziwem, podczas gdy pewnie powinna była spoglądać tak na Billa, jej faceta, którego wbrew moim prośbom zabrała ze sobą na ceremonię wręczenia dyplomów, a który teraz koniecznie chciał robić nam zdjęcia, chociaż go prosiłem, żeby sobie darował. Z czasem jednak polubiłem tę fotografię. Spoglądam na nią częściej niż na którekolwiek ze swoich zdjęć. Jeszcze do niedawna była moim zdjęciem profilowym, ponieważ takiej fotki można nie zmieniać przez kilka miesięcy, a nawet przez rok, i nie ma w tym nic nienormalnego, ale niezmienianie jej przez cztery lata jest już zachowaniem godnym politowania i nieakceptowanym społecznie.

Kiedy wprowadzałem się z powrotem do mamy, drzwi mojego dawnego pokoju i mojego dawnego życia, jakie w nim wiodłem, otwarły się przede mną niczym paszcza i połknęły mnie bezgłośnie.

Teraz nie miewam żadnych snów, a jeśli już śnię, to widzę ciemne, geometryczne figury dryfujące bezszelestnie po czarno-różowo-fioletowym tle podzielonym na piksele. Są to sny rodem z wygaszacza ekranu.

Muszę jednak dać za wygraną. Nic ze mnie nie wyłazi. Wstaję, podciągam spodnie i wychodzę z łazienki pokonany. Mój żołądek jest ciężki jak kula od kręgli. Wchodzę do pokoju i w pierwszej chwili nie mogę uwierzyć w to, co widzę. Spoglądam jeszcze raz. Mój komputer! Niemal podskakuję z radości na widok tego, że wraca do życia! Omal nie klaszczę w ręce. Sam czuję się zażenowany tym podekscytowaniem. Byłem przekonany, że to jakiś wirus. Przedtem kliknąłem w pewien link, żeby ściągnąć sobie *Jeźdźca znikąd*. Wszyscy byli zgodni co do tego, że to słaby film, i to pod wieloma względami, ale ja i tak bardzo chciałem go zobaczyć. W przyglądaniu się temu, jak Johnny Depp ponosi porażkę na całej linii, jest coś, co daje mi siłę.

* * *

Siedzę i czekam, aż mój komputer uruchomi się do reszty. Stwierdzam przy tym, że aż zacieram ręce z uciechy, więc powstrzymuję się przed tym i kładę je na kolanach. Podnoszę wzrok na obrazek, który zamieściłem na moim profilu. Homer Simpson stoi na nim przed kuchenką mikrofalową i zastanawia się, czy Jezus potrafiłby tak mocno podgrzać w niej burrito, że sam nie byłby w stanie go zjeść. Zaczynam myśleć o paradoksie wszechmocy, o tym, że nie może istnieć jednocześnie niepowstrzymana siła i obiekt, którego nie można poruszyć. Co jednak dzieje się teraz w moich zatkanych, poskręcanych, a być może już zawiązanych na supeł kiszkach? Czyżby kryło się w nich rozwiązanie tej pradawnej zagadki? Jeśli w jakiś tajemniczy sposób przestała u mnie działać funkcja wypróżniania, to czy teraz kolejno nie wyłączy mi się wzrok, słuch i oddychanie? Nie. To wszystko przez to gówniane jedzenie. Paradoksy nie mają rozwiązań. One tylko wzajemnie się znoszą. Chyba za dużo o tym myślę. Za bardzo chcę się wysrać.

Czasami Internet potrafi myśleć razem z tobą czy nawet za ciebie, w tajemniczy sposób doprowadzając cię do informacji, których potrzebujesz, lecz nigdy nie przyszłoby ci do głowy o nich pomyśleć albo samemu zacząć ich szukać. W taki właśnie sposób dowiedziałem się o istnieniu bezoarów. Bezoar, lub kamień jelitowy, to masa niestrawionych substancji uwięziona w układzie pokarmowym. Kiedy wpisze się to słowo w wyszukiwarkę, natrafia się na *Picatrix*, czyli podręcznik magii i astrologii z XII wieku, napisany pierwotnie w języku arabskim i zatytułowany *Ghāyat al-Hakīm*, co znaczy „Cel mędrca". W księdze tej bezoary mają cały szereg zastosowań: jednym z nich jest wykonywanie talizmanów, pomagających przy pewnych rodzajach magicznych zaklęć. Udało mi się nawet znaleźć plik PDF z angielskim przekładem *Picatrix*. Kiedy przewijałem sobie ten dokument, w jakimś przypadkowym miejscu mój wzrok przykuła fraza „środek na przeczyszczenie", i przeczytałem następujący fragment: „Hindusi zwracają uwagę, że gdy księżyc jest w takim położeniu, podróżują i stosują środki przeczyszczające. Zatem można posłużyć się nim [bezoarem] z zasady przy tworzeniu talizmanu dla podróżnika, zapewniającego mu bezpieczeństwo. Ponadto kiedy księżyc jest w tym właśnie położeniu, można sporządzić talizman mający wywołać złość i niezgodę pomiędzy małżonkami". Gdybym choć trochę wierzył w jakikolwiek rodzaj magii oprócz tego, który doprowadził mnie do tego akurat hasła, i gdybym był w stanie jakoś chirurgicznie usunąć sobie ten bezoar, zrobiłbym z niego talizman – pod warunkiem, że księżyc byłby akurat w odpowiednim położeniu – i zająłbym się moim zatwardzeniem, przy okazji rozwalając jeszcze może związek mojej mamy z Billem.

Bill nie jest wcale jakimś tam dupkiem. Jeśli już, to stara się, jak może, aby być miłym i nawiązać ze mną rozmowę. Chodzi o to, że ta konwersacja ma wymuszony charakter. I o to, że to ja sam muszę zdecydować, czy mam go traktować dobrze, czy nie. A to dla mnie ktoś obcy. Mama poznała go w jakimś barze w centrum Oakland. Przyprowadziła go do domu, a potem przez ostatnie dwa lata pozwalała mu tu wracać raz za razem, a ja zmuszony byłem zastanawiać się nad tym, czy i jak mam polubić bądź nie polubić tego faceta: starać się go poznać czy też spróbować się go pozbyć. Walczę jednak z moją niechęcią do Billa, ponieważ nie chcę wyjść na jakiegoś upiornego przerośniętego dzieciaka, który jest zazdrosny o chłopaka swojej mamy, bo chce ją mieć tylko dla siebie. Bill jest z plemienia Lakotów i dorastał w Oakland. Jest u nas prawie co wieczór. Kiedy przychodzi, nie wychodzę ze swojego pokoju. I nie mogę wtedy ani się wysrać, ani też nie czuć parcia. Gromadzę więc sobie zapas jedzenia i siedzę w swoim pokoju, czytając o tym, co mogę zrobić z tą nową fazą zaparcia, czy też tym, co jak właśnie dowiedziałem się z pewnego wątku na forum poświęconym temu zagadnieniu, może już być ciężkim i całkowitym zatwardzeniem. Końcem.

Pewna członkini forum, imieniem DefeKate Moss, napisała, że takie niewypróżnianie się może człowieka nawet zabić i że raz musieli jej wetknąć przez nos rurkę, aby odessać kał. Mówiła, że jeśli zaczynasz mieć mdłości i boli cię brzuch, należy zgłosić się na ostry dyżur. Ja mam mdłości na samą myśl o tym, że miałbym srać nosem przez jakąś tam rurkę.

Wpisuję w wyszukiwarkę „mózg a zatwardzenie", po czym naciskam Enter. Klikam w kilka linków i pobieżnie przeglądam parę stron. Czytam mnóstwo tekstu, z którego nic nie wynika. Tak właśnie ucieka człowiekowi czas. Linki wiodą jedynie do kolejnych linków, które mogą cię cofnąć w czasie aż do XII wieku. Właśnie ten sposób może nagle okazać się, że jest szósta rano, a mama, jak zwykle, puka właśnie do moich drzwi przed wyjściem do pracy w indiańskim ośrodku kultury (cały czas próbuje mnie zresztą skłonić, abym i ja poszukał sobie tam jakiejś posady).

– Wiem, że się jeszcze nie kładłeś – mówi. – Słyszę, jak tam ciągle klikasz.

Ostatnio mam małą obsesję na punkcie mózgu. Usiłuję znaleźć wyjaśnienie wszystkiego, odwołując się do poszczególnych jego części. A w sieci jest na ten temat aż nazbyt dużo informacji. Internet jest niczym mózg usiłujący wymyślić sam siebie. Teraz sam w pełni polegam na nim, jeśli chodzi o przypominanie i zapamiętywanie informacji. Nie ma powodu zaśmiecać sobie pamięci, skoro Internet jest cały czas pod ręką. Na przykład dawniej ludzie znali na pamięć różne numery telefonów, a dziś nie potrafią nawet zapamiętać własnego. Samo zapamiętywanie staje się dziś staromodne.

Częścią mózgu związaną z pamięcią jest hipokamp, ale teraz nie pamiętam, co to dokładnie znaczy. Czy tam właśnie przechowywana jest pamięć, czy też hipokamp przypomina odgałęzienia pamięci, sięgające do innych części mózgu, gdzie tak naprawdę składowana jest nasza pamięć w takich maleńkich punkcikach, zakładkach lub gniazdach? I czy sięga do nich zawsze i przez cały czas? Czy, nawet nieproszony, wydobywa z nich wspomnienia i całą twoją przeszłość? Wpisując coś w pasek wyszukiwania, zanim zdążę w ogóle pomyśleć, że chcę to zrobić? Czy, zanim zdążę cokolwiek pomyśleć, już myślę przy jego pomocy?

Okazuje się, że ten sam neuroprzekaźnik, który związany jest z poczuciem szczęścia i dobrym samopoczuciem, ma podobno związek z układem żołądkowo-jelitowym. Coś jest u mnie nie tak z poziomem serotoniny. Czytam o selektywnych inhibitorach zwrotnego wychwytu serotoniny, które są lekami antydepresyjnymi. Czy będę musiał brać antydepresanty? Czy może powinienem je wychwytywać zwrotnie?

* * *

Wstaję i tyłem odchodzę od komputera. Głowę cofam przy tym, ile tylko mogę, żeby rozciągnąć szyję. Usiłuję policzyć, jak długo siedziałem przed ekranem, ale kiedy wpycham do ust kawałek pizzy sprzed dwóch dni, podążam myślami ku temu, co dzieje się w moim mózgu, gdy jem. Przeżuwam pizzę i klikam w kolejny link. Dowiaduję się, że pień mózgu stanowi podstawę świadomości i że język jest niemal bezpośrednio z nim powiązany, przez co jedzenie jest najprostszą drogą ku temu, by nabrać poczucia, że się żyje. Poczucie to, czy też tę myśl, przerywa mi ogromna chęć napicia się pepsi.

Wlewając sobie pepsi do ust prosto z butelki, spoglądam na siebie w lustrze, które moja mama zawiesiła na drzwiach lodówki. Czy zrobiła to po to, żebym mógł zobaczyć swoje odbicie, zanim zacznę myszkować po półkach? Czy umieszczając tam to lustro, chciała mi powiedzieć coś w rodzaju: „Spójrz na siebie, Ed. Zobacz, co z siebie zrobiłeś. Wyglądasz jak jakieś monstrum"? Ale to prawda. Jestem rozdęty. Przez cały czas widzę swoje policzki, tak jak człowiek z dużym nosem w pewnym sensie zawsze ma go przed oczami.

Wypluwam pepsi do zlewu za moimi plecami. Obiema rękami dotykam policzków. Później w ten sam sposób dotykam ich odbicia w lustrze, a potem wciągam je i przygryzam, aby mieć podgląd tego, jak mógłbym wyglądać, gdybym zrzucił z piętnaście kilo.

* * *

Kiedy dorosłem, wcale nie byłem gruby. Nie miałem nawet nadwagi. Nie byłem otyły ani puszysty, czy jakkolwiek się to tam teraz nazywa, aby zachować polityczną poprawność i nie wyjść na człowieka pozbawionego wrażliwości i niedouczonego. A jednak zawsze czułem się gruby. Czy to w jakiś sposób znaczyło, że byłem skazany na to, że pewnego dnia rzeczywiście będę gruby, czy też moja obsesja na punkcie tego, że jestem gruby – nawet wtedy, kiedy jeszcze taki nie byłem – doprowadziła do tego, że z czasem taki właśnie się stałem? Czy to, czego najbardziej staramy się uniknąć, dopada nas właśnie dlatego, że poświęcaliśmy temu zbyt wiele uwagi, zamartwiając się na zapas?

Słyszę dobiegający z mojego komputera dźwięk powiadomienia o nowej wiadomości na Facebooku i wracam do swojego pokoju. Wiem, co to może oznaczać. Nadal jestem zalogowany do konta mojej mamy.

Wszystkim, co mama zapamiętała, jeśli chodzi o mojego ojca, było jego imię: Harvey. Wiedziała też, że mieszka w Phoenix i pochodzi od tubylczych mieszkańców Ameryki. Nie cierpię, jak używa określenia „tubylczy mieszkańcy Ameryki": tego dziwacznego, poprawnego politycznie wytrycha, jaki usłyszeć można tylko z ust białych ludzi, którzy nigdy nie znali prawdziwego potomka Indian. W dodatku przypomina mi ono o tym, jak bardzo jestem przez nią wyobcowany. Nie tylko dlatego, że mama jest biała, a ja w związku z tym też jestem w połowie biały, ale przez to, że nigdy nawet nie kiwnęła palcem, żeby spróbować umożliwić mi nawiązanie kontaktu z ojcem.

Ja sam mówię o sobie, że jestem rdzennym Amerykaninem, ponieważ takimi sformułowaniami posługują się inni potomkowie

Indian na Facebooku. Mam tam 660 znajomych. W wyświetlających mi się codziennie wiadomościach przewijają się całe tłumy znajomych rdzennych Amerykanów. Jednak większość z tych moich znajomych to zupełnie nieznani mi ludzie, którzy skwapliwie przyjęli moje zaproszenie do grona znajomych.

Uzyskawszy najpierw pozwolenie od mojej mamy, wysłałem z jej konta prywatne wiadomości do dziesięciu różnych Harveyów, którzy wydawali się w oczywisty sposób rdzennymi Amerykanami i mieszkali w Phoenix. „Być może mnie nie pamiętasz – pisałem – ale lata temu spędziliśmy razem upojną noc, a ja wciąż nie mogę o niej zapomnieć. Nigdy przedtem ani nigdy potem nie było w moim życiu kogoś takiego jak ty. Jestem teraz w Oakland w Kalifornii. Nadal mieszkasz w Phoenix? Czy możemy porozmawiać albo spotkać się przy jakiejś okazji? Będziesz może w tych okolicach? Ewentualnie mogłabym przyjechać do ciebie". Nigdy w pełni nie pozbędę się uczucia, jakie towarzyszyło temu, gdy – jako moja własna matka – usiłowałem pisać uwodzicielskim tonem do człowieka, który mógł okazać się moim ojcem.

Ale proszę: jest wiadomość od mojego potencjalnego ojca.

Hej, Karen! Ja też pamiętam tamtą szaloną noc – czytam z przerażeniem, mając nadzieję, że dalej nie będzie żadnych szczegółów dotyczących tego, co dokładnie sprawiło, że owa noc była taka szalona. *Wybieram się do Oakland za kilka miesięcy, na wielki zjazd plemienny. Prowadzę tę imprezę* – brzmi dalsza część wiadomości.

Z bijącym sercem i nagłym poczuciem ucisku w żołądku odpisuję: *Bardzo mi przykro, że zrobiłem to w taki właśnie sposób. Zdaje się, że jestem pana synem.*

I czekam. Stukam nogą w podłogę, gapię się w ekran, odchrząkuję bez powodu. Wyobrażam sobie, jak on musi się teraz czuć. Niełatwo przejść od umawiania się na randkę z kobietą, z którą popełnił kiedyś skok w bok, do świadomości, że nagle, tak zupełnie znikąd, ma się syna. Nie powinienem był tego robić w ten sposób. Trzeba było najpierw skłonić mamę, żeby się z nim spotkała. Mogłem jej kazać zrobić mu zdjęcie.

Co takiego? – wyskakuje w okienku chatu.

Nie jestem Karen.

Nie rozumiem.

Jestem jej synem.

Aha.

No.

Chcesz mi powiedzieć, że mam syna, i że to właśnie ty?

Tak.

Jesteś pewien?

Moja mama powiedziała, że to prawie pewne. Na jakieś 99 procent.

Czyli nie miała w tym samym okresie żadnych innych facetów?

Nie wiem.

No to sorry. Jest gdzieś obok?

Nie.

Wyglądasz na Indianina?

Moja skóra jest brązowa. No, może brązowawa.

Chodzi ci o kasę?

Nie.

Nie masz zdjęcia profilowego.

Pan też.

Po chwili widzę na ekranie ikonkę spinacza biurowego z rozszerzeniem JPEG. Klikam w nią dwa razy. Facet stoi na zdjęciu z mikrofonem w dłoni, a w tle widać tancerzy ze zjazdu plemiennego. W rysach jego twarzy dostrzegam samego siebie. Jest większy ode mnie – zarówno wyższy, jak i grubszy; ma długie włosy i nosi bejsbolową czapeczkę, ale nie ma mowy o pomyłce. To mój ojciec.

Wygląda pan tak jak ja – piszę.

Przyślij mi zdjęcie.

Nie mam żadnego.

To sobie zrób.

W porządku. Niech pan zaczeka – piszę, po czym robię sobie selfie za pomocą kamery w komputerze i wysyłam mu je.

O cholera! – pisze Harvey.

O cholera! – myślę sobie.

Z jakiego plemienia pochodzisz/pochodzimy? – pytam.

Z Czejenów. Tych południowych, z Oklahomy. Jestem zarejestrowanym członkiem plemion Czejenów i Arapahów z Oklahomy. Ale nie jesteśmy Arapahami.

Dzięki! – odpisuję, i dodaję: *Muszę spadać!*

Jakbym rzeczywiście musiał. Nagle to wszystko po prostu zaczyna mnie przerastać.

Wylogowuję się z Facebooka i idę do salonu pooglądać telewizję i poczekać, aż mama wróci do domu. Zapominam jednak włączyć telewizor. Wpatruję się w jego pusty, czarny i płaski ekran, myśląc o rozmowie sprzed chwili.

Od jak wielu lat paliłem się wprost do tego, żeby się dowiedzieć, czym była druga połowa mnie? A ile plemion podawałem w tym czasie, kiedy pytano mnie o moje pochodzenie?

Spędziłem cztery lata studiów na specjalizacji z Indian amerykańskich. Drobiazgowo analizowałem historię poszczególnych ludów, szukając znaków, czegoś, co mogłoby przypominać mnie samego; czegoś, co wydawałoby się znajome. Z powodzeniem przetrwałem dwa lata studiów magisterskich, badając literaturoznawstwo porównawcze z naciskiem na literaturę Indian amerykańskich. Napisałem pracę magisterską na temat nieuchronnego wpływu rządowej polityki w kwestii ilości indiańskiej krwi na współczesną tożsamość Indian amerykańskich oraz o literaturze tworzonej przez autorów mieszanej krwi, która wywarła wpływ na tożsamość w kulturach poszczególnych plemion. A wszystko to nie mając jeszcze pojęcia, z jakiego plemienia pochodzę i wiecznie przyjmując obronną postawę, jakbym nie był w wystarczającym stopniu jego potomkiem. A przecież jestem w takim samym stopniu Indianinem, co prezydent Obama – Murzynem. Jest jednak pewna różnica, przynajmniej w oczach Indian. Wiem o tym. Nie mam pojęcia, jak być jednym z nich. Każdy możliwy sposób, w jaki mógłbym powiedzieć „Jestem Indianinem" – dokładnie każdy, jaki tylko przychodzi mi do głowy – wydaje mi się chybiony.

– Cześć, Ed! A co ty tutaj robisz? – mówi mama, wchodząc przez frontowe drzwi. – Myślałam, że o tej porze będziesz już na dobre „zespolony ze swoimi maszynami" – dodaje, wyciągając przy tym ręce do góry i kręcąc coś w rodzaju młynka palcami, jakby naśladowała ich ruch przy klawiaturze.

Ostatnio popełniłem błąd i opowiedziałem jej o pojęciu technologicznej osobliwości. O tym, że istnieje taka możliwość – właściwie jest ona nieunikniona – że skończy się na tym, że my, ludzie, połączymy się w jedno ze sztuczną inteligencją. Kiedy już spostrzeżemy, że jest od nas doskonalsza, i kiedy sama zacznie domagać się nadrzędnej pozycji, będziemy musieli dostosować się do sytuacji i zespolić się z nią, aby całkiem nas nie pochłonęła i nie przejęła nad nami kontroli.

– No cóż, to dość wygodna teoria dla kogoś, kto spędza dwadzieścia godzin dziennie, przytulając się do ekranu swojego komputera, jakby czekał na całusa – powiedziała mi wtedy mama.

Teraz ciska klucze na stół i nie zamykając za sobą drzwi, zapala papierosa i pali w progu, wyglądając na zewnątrz i wypuszczając tam dym.

– Chodź tu na chwilę. Chcę pogadać – mówi.

– Mamo... – odpowiadam tonem, który, jak sam doskonale wiem, brzmi jak żałosny jęk.

– Edwin – mówi mama, przedrzeźniając mnie przy tym. – Już o tym rozmawialiśmy. Ja chcę aktualnych informacji. Zgodziłeś się, że będę mogła być na bieżąco z sytuacją. Inaczej miną kolejne cztery lata i będę musiała poprosić Billa, żeby wybił ci dziurę w tylnej ścianie zamiast drzwi.

– Pieprzyć Billa! – mówię. – Mówiłem ci, że nie chcę wysłuchiwać od ciebie żadnych uwag na temat mojej wagi. Sam zdaję sobie z niej sprawę. Myślisz, że nie wiem, że jestem gruby? Mam świadomość tego, że jestem upasiony. Obnoszę ten tłuszcz dookoła, przewracam różne sprzęty i nie mogę się zmieścić w większość moich ubrań, a w tych, w które jeszcze wchodzę, wyglądam śmiesznie. – Choć wcale nie chcę tego robić, wymachuję przy tym ramionami w powietrzu, jakbym próbował wsunąć je w rękawy jednej z tych moich koszul, które są już na mnie za małe. Opuszczam w końcu ramiona i wsadzam ręce do kieszeni. – Nie srałem od sześciu dni. Wiesz, jak się czuje z tym ktoś, kto już i tak jest upasiony? Jak jesteś taki, to cały czas o tym myślisz. Ciągle to czujesz. Nie sądzisz, że te ciągłe diety przez wszystkie te lata mogły solidnie mi dopieprzyć? Wszyscy ciągle myślimy o naszej wadze. Nie jesteśmy czasem zbyt otyli? No cóż, czegokolwiek bym nie robił, mam na to pytanie prostą odpowiedź, zwłaszcza wtedy, kiedy widzę swoje odbicie w lustrze na drzwiach lodówki, które zawiesiłaś tam skądinąd – o czym zresztą doskonale wiem – dla mojego dobra. Wiesz, kiedy próbujesz na ten temat żartować, to chcę być jeszcze grubszy, utyć i rozdąć się tak, żebym aż pękł, i nie przestawać żreć, aż wreszcie utknę gdzieś na dobre i umrę, stając się taką martwą kupą mięsa. Będzie trzeba sprowadzić dźwig, żeby mnie stamtąd wyciągnąć, a wszyscy będą cię pytali: „Co się stało?" i mówili z litością: „Biedactwo!" i jeszcze: „Jak mogłaś do tego dopuścić?", a ty, osłupiała i zrozpaczona, będziesz palić papierosa za papierosem. Bill będzie stał przy tobie, próbując cię pocieszyć, a ty będziesz sobie przypominać wszystkie te okazje, kiedy się ze mnie nabijałaś, i nie będziesz miała pojęcia, co powiedzieć sąsiadom, wpatrującym się z przerażeniem w tę kupę mięsa, która była mną, a dźwig będzie dygotał, ze wszystkich sił starając się mnie unieść – mówię, naśladując przy tym rękoma rozdygotany dźwig, żeby łatwiej mogła go sobie wyobrazić.

– Jezus, Ed! Już wystarczy! Chodź, porozmawiaj ze mną przez chwilę.

Biorę zielone jabłko z kosza z owocami i nalewam sobie szklankę wody.

– Widzisz? – niemal krzyczę, podtykając jej jabłko pod nos, żeby nie mogła go nie zauważyć. – Przynajmniej się staram. Masz swoje bieżące informacje w wersji na żywo. Prowadzę transmisję w czasie rzeczywistym, przekazując ci je właśnie w tej chwili: spójrz, staram się lepiej odżywiać. Przed chwilą wyplułem łyk pepsi do zlewu. A tutaj mam właśnie szklankę wody.

– Bardzo bym chciała, żebyś się uspokoił – mówi mama. – Jeszcze dostaniesz ataku serca. Wyluzuj. Traktuj mnie jak swoją matkę; jak kogoś, kto się o ciebie troszczy i cię kocha. Jak kogoś, kto męczył się przez dwadzieścia sześć godzin, żeby cię urodzić. Dwadzieścia sześć godzin skurczów i parcia, a na zakończenie i tak cesarka. Musieli rozciąć mi brzuch, Ed, bo nie chciałeś z niego wyjść, choć było już dwa tygodnie po terminie. Czy ja ci w ogóle kiedyś o tym opowiadałam? I ty chcesz mi mówić, co to znaczy czuć się pełnym!

– Chciałbym, żebyś przestała mi wyrzucać przy każdej okazji, ile to godzin musiałaś się męczyć, żebym mógł przyjść na świat. Wcale się o to nie prosiłem.

– Ja ci coś wyrzucam? Sądzisz, że to z mojej strony wyrzuty? Ach, ty niewdzięczny mały…

Podbiega do mnie i zaczyna łaskotać mnie po karku. Ku własnemu przerażeniu nie potrafię powstrzymać się od śmiechu.

– Przestań! No dobra, w porządku, tylko teraz ty sama się uspokój. A co byś chciała usłyszeć? – mówię, naciągając koszulę z powrotem na brzuch. – Nie mam żadnych nowych informacji. Niewiele jest w sieci ofert dla kogoś, kto nie ma właściwie żadnego doświadczenia zawodowego, a jedynie stopień magistra z literaturoznawstwa porównawczego. Szukam, przeczesuję całą sieć, wpadam we frustrację i, pewnie że tak, czasami się rozpraszam i zajmuję czymś innym. Jest tam tyle do sprawdzenia, a kiedy się myśli o czymś nowym, kiedy się coś nowego odkryje, jest tak, jakby się myślało innym umysłem, jakby się miało dostęp do większego, zbiorowego mózgu. Jesteśmy na skraju nowych odkryć w tej dziedzinie – mówię, zdając sobie sprawę, jak to musi dla niej brzmieć.

– Jesteście na skraju nowych odkryć, jasne. Zbiorowy mózg? Poszukiwania? W twoich ustach brzmi to tak, jakbyś robił coś więcej, niż tylko klikał w kolejne linki i czytał. Ale w porządku; jakiego rodzaju pracy w takim razie poszukujesz? To znaczy, pod jakimi kategoriami szukasz posady?

– Szukam pod „prace dorywcze dla autorów" i prawie zawsze chodzi o jakieś szemrane oferty przeznaczone dla naiwnych kiełkujących pisarzy z ambicjami, którzy chcą pracować za darmo albo wygrać jakiś konkurs. Szukam też pod hasłem „organizacje z dziedziny sztuki". Wtedy z kolei zaczynam tonąć w bagnie różnych struktur non profit. Jest jeszcze pisanie wniosków o granty, ale sama wiesz, większość organizacji wymaga doświadczenia albo…

– Pisanie wniosków o granty? To chyba mógłbyś robić, prawda?

– Nie mam pojęcia o pisaniu takich wniosków.

– Mógłbyś się tego nauczyć. Dowiedzieć się, jak się to robi. Pewnie są jakieś samouczki na YouTubie, co?

– To już wszystkie bieżące informacje ode mnie – stwierdzam i czuję nagłe szarpnięcie bólu po fantomowej kończynie. Kiedy to mówiłem, coś we mnie sięgnęło pamięcią wstecz do tego wszystkiego, co kiedyś miałem nadzieję osiągnąć, i zestawiło tę wizję z tym, kim faktycznie teraz jestem i jak się z tym czuję. – Przykro mi, że ze mnie taka ofiara – mówię naprawdę zupełnie serio, choć wcale nie chcę, żeby to tak brzmiało.

– Nie mów tak. Nie jesteś nieudacznikiem, Ed.

– Nie powiedziałem, że jestem nieudacznikiem. To Bill tak twierdzi. To on tak mnie nazywa – odpowiadam wzburzony, i ta odrobina autentycznego smutku, jaką odczuwałem, natychmiast znika. Odwracam się, żeby pójść z powrotem do swojego pokoju.

– Ed... jeszcze chwilka. Nie idź jeszcze do siebie, proszę. Zaczekaj sekundę. Usiądź. Porozmawiajmy. Jak na razie to nie jest rozmowa.

– Siedziałem już przez cały dzień.

– A czyja to wina? – rzuca mama, a ja zaczynam iść w kierunku swojego pokoju. – No dobrze, stój sobie, tylko zostań tutaj. Nie musimy rozmawiać o Billu. W takim razie powiedz mi, jak ci idą twoje opowiadania, skarbie?

– Moje opowiadania? Daj spokój, mamo.

– No co?

– Ilekroć rozmawiamy o moim pisaniu, czuję się tak, jakbyś próbowała poprawić mi samopoczucie, mówiąc o tym, że w ogóle coś robię.

– Każdemu potrzebna jest odrobina zachęty, Ed. Wszyscy jej potrzebujemy.

– To prawda, mamo, prawda; tobie też by się jej trochę przydało, ale czy ja ci ciągle powtarzam, że powinnaś przestać tyle pić i palić, że powinnaś sobie znaleźć jakieś zdrowsze alternatywy niż odjeżdżanie co wieczór przed ekranem telewizora, zwłaszcza biorąc pod uwagę twoją pracę? Zdaje się, że twoje stanowisko nazywa się nawet „doradca do spraw nadużywania szkodliwych substancji". Nie. Nie mówię ci o tym w kółko, ponieważ to wcale nie pomaga. Mogę już sobie iść?

– Wiesz co? Zachowujesz się tak, jakbyś wciąż miał czternaście lat i nie mógł się doczekać, kiedy będziesz mógł wrócić do swoich komputerowych gier. Nie będę tutaj wiecznie, Ed. Któregoś dnia odwrócisz się od ekranu, a mnie już nie będzie, i wtedy będziesz żałował, że nie doceniałeś czasu, jaki mogliśmy spędzić razem.

– O mój Boże!

– Tak ci tylko mówię. Internet ma wiele do zaoferowania, ale nigdy nie zrobią w nim takiej strony, która będzie w stanie zastąpić ci towarzystwo własnej matki.

– To mogę już sobie iść?

– Jeszcze jedno.

– Co takiego?

– Słyszałam o pewnej posadzie.

– Pewnie w indiańskim ośrodku kultury.

– Owszem.

– Dobrze, a co to za praca?

– Chodzi o płatną praktykę. Generalnie pomagałbyś przy wszystkim, co się wiąże ze zjazdem plemiennym.

– To ma być praktyka?

– Płatna praktyka.

– Wyślij mi info.

– Serio?

– A teraz mogę już iść do siebie?

– Idź.

Podchodzę zatem do mamy od tyłu i całuję ją w policzek.

* * *

Po powrocie do swojego pokoju wkładam słuchawki do uszu. Puszczam A Tribe Called Red. Jest to grupa didżejów i producentów z Ottawy, złożona z potomków Indian kanadyjskich. Komponują muzykę elektroniczną, ze wstawkami zespołów bębniarzy ze zjazdów plemiennych. To najnowocześniejsza, czy też najbardziej postmodernistyczna, forma rdzennej amerykańskiej muzyki, jaką słyszałem, łącząca w sobie tradycyjne i zupełnie nowe brzmienia. Problemem rdzennej sztuki jest to, że wciąż tkwi ona w przeszłości. Cały haczyk, czy też patowa sytuacja, polega tutaj na tym, że jeśli nie czerpie ona z tradycji, to w jakim sensie ma być sztuką rdzennych Amerykanów? A jeśli tkwi wciąż w tradycji i w przeszłości, to jakie może mieć znaczenie dla innych Indian, żyjących tu i teraz; jak może być nowoczesna? Zatem trzymać się blisko tradycji, lecz zarazem zachować do niej wystarczający dystans; sprawić, by muzyka była w sposób rozpoznawalny rdzenna, a jednocześnie brzmiała nowocześnie, to swego rodzaju mały cud, jaki ci trzej producenci, potomkowie Indian kanadyjskich, zdołali uczynić swoim ogólnodostępnym albumem pod takim samym tytułem (*A Tribe Called Red*), który, zgodnie z duchem czasów mikstejpu, udostępnili za darmo w trybie online.

Układam się na podłodze i bez przekonania próbuję wykonać kilka pompek. Nic z tego. Przewracam się więc na plecy i usiłuję zrobić brzuszek. Górna połowa mojego ciała jednak ani drgnie. Myślę o pierwszych latach studiów, kiedy robiłem licencjat. O tym, jak to było dawno temu i jakim obiecującym byłem studentem. I o tym, że gdyby mi ktoś wtedy powiedział, jak za parę lat wyglądało będzie moje życie, wydałoby mi się to po prostu absolutnie niemożliwe.

Nie przywykłem do tego, żeby zmuszać do czegokolwiek swoje ciało. Być może jest już za późno, żeby odkręcić to, co sam sobie zrobiłem. Ale nie. Być skończonym to tak, jakby rozsiąść się wygodnie przed ekranem komputera i zdjąć ręce z klawiatury. Ja nie jestem jeszcze skończony. Jestem Indianinem z plemienia Czejenów. Jestem wojownikiem. No nie! To ci dopiero sentymentalny banał! Cholera! Wściekam się na siebie za tę myśl, za samo to, że w ogóle przyszła mi do głowy. Wykorzystuję całą złość, żeby jednak zmusić do czegoś moje ciało i zrobić ten brzuszek. Pcham z całych sił i wolno unoszę się w górę, podnosząc tułów aż do pionu. Lecz wraz z euforią związaną z tym, że udało mi się zrobić pierwszy brzuszek, przychodzi eksplozja, rzadki i cuchnący wyraz ulgi na siedzeniu moich dresowych spodni. Oddycham z trudem i oblewam się potem, siedząc tak we własnym gównie. Kładę się płasko na podłodze, wyciągam za siebie obie ręce, skierowane wnętrzami dłoni do góry. Łapię się na tym, że mówię na głos: „Dzięki!", wyrażając w ten sposób wdzięczność właściwie nie wiem komu. A przy tym czuję coś, co nie jest takie dalekie od nadziei.

CZĘŚĆ II

Odzyskać

Pióro jest przycinane, przycinane przez światło,
insekta i pal; przez nieznaczną skłonność
i wszelkiego rodzaju konne rezerwy oraz głośne dźwięki.
A jednak bez wątpienia pozostaje zwarte.

– Gertrude Stein

Bill Davis

BILL PRZECHODZI PRZEZ OTWARTE TRYBUNY stadionu powoli i sumiennie, jak ktoś, kto zbyt długo już wykonuje swoją pracę. Choć mozolnie brnie naprzód pomiędzy siedzeniami, robi swoje nie bez dumy. Cały zatraca się w swojej pracy. Lubi mieć co robić, czuć się użyteczny, mimo iż obecnie jego posada, ta jego praca, polega na sprzątaniu. Bill zbiera śmieci przeoczone przez ekipę sprzątającą bezpośrednio po meczu. Jest to zajęcie dla starszego faceta, którego nie można zwolnić, bo przecież jest tutaj od tak dawna. Wie o tym doskonale. Wie jednak także, że znaczy dla nich więcej. Czyż bowiem nie liczą na niego, kiedy trzeba kogoś zastąpić na zmianie? Czy nie był gotów do pracy na dowolnej zmianie w dowolny dzień tygodnia? Czy nie znał wszystkich tajemnic i zakamarków tego stadionu lepiej niż ktokolwiek inny? Czyż przez wszystkie te lata, które tu przepracował, nie pełnił prawie każdej istniejącej tutaj funkcji? Od ochroniarza – bo tak właśnie zaczynał – aż po sprzedawcę orzeszków ziemnych, czyli pracę, którą wykonywał tylko jeden jedyny raz i zresztą jej nie znosił. Powtarza więc sobie, że znaczy dla nich więcej. Powtarza sobie, że może tak sobie mówić i w to wierzyć. Nie jest to jednak prawda. Dla starszych ludzi takich jak Bill nie ma już tutaj miejsca. Gdzie indziej zresztą też.

Bill zgina dłoń w łuk przypominający daszek od czapki i przykłada ją do czoła, aby osłonić oczy przed słońcem. Ma jasnoniebieskie lateksowe rękawiczki; w jednej ręce trzyma chwytak do zbierania śmieci, a w drugiej jasnoszary worek na odpadki.

Teraz jednak przerywa pracę. Wydaje mu się, że dostrzegł coś, co nagle pojawiło się ponad koroną stadionu. Było to coś niewielkiego, co poruszało się w nienaturalny sposób. I z całą pewnością nie była to mewa.

Bill kręci głową, spluwa na ziemię, po czym staje na plwocinie, kręcąc czubkiem buta, a następnie mruży oczy, aby spróbować dojrzeć, co to właściwie jest, to coś tam w górze. W tym momencie w kieszeni zaczyna mu wibrować telefon. Wyciąga go i widzi, że to jego dziewczyna, Karen. Pewnie znów chodzi o tego jej syna, tego przerośniętego dzieciaka Edwina. Ostatnio przez cały czas wydzwania do Billa w związku z nim. Przeważnie chodzi o to, że trzeba go podrzucić do pracy albo z pracy do domu. Bill nie może wprost znieść tego, jak ona się z nim cacka. Nie może znieść tego trzydziestoparoletniego dzieciaka, jakim jest ten jej Edwin. Ani tego, że młodym pozwala się dziś robić takie rzeczy ze swoim życiem. Wszyscy oni to rozpieszczeni gówniarze, przewrażliwieni i nieodporni na trudy życia. Coś jest z tym wszystkim nie w porządku. Te ich twarze wiecznie rozpalone od nieustannego używania telefonów, to ich zbyt szybkie stukanie w klawiatury telefonów i te ich niejednoznaczne płciowo wybory w dziedzinie mody. A jeszcze ten ich łagodny sposób bycia rodem z ekranu komputera, który pozbawiony jest przy tym wszelkich towarzyskich umiejętności i staromodnych manier czy ogłady. Edwin też jest taki. Oczywiście jest obeznany z najnowszą technologią, ale jeśli chodzi o prawdziwy, zimny i twardy świat na zewnątrz, poza ekranem, czy bez ekranu, jest jak niemowlak.

O tak, kiepsko to ostatnio wygląda. Wszyscy mówią tak, jakby było coraz lepiej, a to jedynie pogarsza jeszcze sytuację, która i tak jest wciąż zła. Z jego życiem jest dokładnie tak samo. Karen powtarza mu, aby myślał pozytywnie. Ale najpierw trzeba zdobyć się na pozytywne nastawienie, aby móc je potem utrzymać. Bill jednak ją kocha. I to bardzo. I próbuje – naprawdę się stara – patrzeć na świat tak, jakby wszystko było z nim w porządku. Tylko że wydaje mu się, jakby młodzi przywłaszczyli sobie ten świat. Nawet ci spośród starszych, którzy mają jeszcze coś do powiedzenia, zachowują się jak dzieciaki. Nie ma już celu, wizji, głębi. Chcemy wszystkiego od razu i wszystko ma być nowe. Ten świat jest niczym podkręcona złośliwie piłka, rzucona przez nazbyt rozgorączkowanego i napędzanego sterydami niedorosłego miotacza, którego równie mało obchodzi uczciwość rozgrywki, co los Kostarykańczyków, pracowicie zszywających ręcznie piłki do baseballu.

Tymczasem boisko jest przygotowane do rozegrania meczu. Trawka tak krótka, że nawet nie porusza się na wietrze. Stoi sobie spokojna i niewzruszona niczym wypełnione korkiem wnętrze baseballowej piłeczki. Na trawie wyznaczone są kredą proste linie, oddzielające to, co jest fair, od tego, co niedozwolone; linie sięgające z jednej strony aż po trybuny, a z drugiej – do środka pola gry, gdzie gracze rozgrywają mecz, gdzie rzucają piłką, machają kijem, „kradną" bazy i dotknięciem eliminują zawodników przeciwnej drużyny; gdzie dają sobie znaki, uderzają i odbijają piłkę, współpracują ze sobą, zdobywają bazy ślizgiem; gdzie się pocą i w cieniu ławki rezerwowych czekają, żując gumę i spluwając, aż dobiegną końca wszystkie *inningi*. Nagle telefon Billa znowu zaczyna dzwonić. Tym razem odbiera.

– O co chodzi, Karen? Przecież wiesz, że pracuję.

– Tak mi przykro, że przeszkadzam ci w pracy, kochanie, ale Edwina trzeba odebrać trochę później. Przecież wiesz, że nie może wracać sam. Po tym, co przytrafiło mu się w tym autobusie…

– Wiesz, co myślę o…

– Proszę, Bill, zrób to po prostu ten jeden raz. Potem z nim sobie porozmawiam. Powiem mu, że nie może już na ciebie liczyć – mówi Karen. „Nie może już na niego liczyć"! Bill nienawidzi tego, jak ona potrafi zwalić całą winę na niego za pomocą kilku umiejętnie dobranych słów.

– Nie stawiaj sprawy w ten sposób. Nagadaj mu do słuchu. Musi być w stanie radzić sobie samemu, teraz, kiedy…

– Teraz przynajmniej ma stałą posadę. Pracuje, i to codziennie. To dla niego bardzo dużo. Proszę! Zrób to dla mnie. Nie chcę go zniechęcić. Pamiętaj, że chodzi o to, by wreszcie się usamodzielnił. A wtedy będziemy mogli w końcu porozmawiać o tym, że powinieneś się do mnie wprowadzić – mówi Karen, tym razem już słodkim głosem.

– Okej.

– Naprawdę? Dzięki, kochanie. A czy mógłbyś jeszcze po drodze do domu kupić karton Franzi, tej różowej, bo nam się skończyła?

– Odrobisz to wieczorem – mówi Bill i rozłącza się, nim Karen jest w stanie coś odpowiedzieć.

Bill rozgląda się wokół po pustym stadionie, w pełni doceniając panujący tu spokój. Bardzo potrzebuje takiego właśnie spokoju i bezruchu. Zaczyna myśleć o tym zdarzeniu w autobusie. Ach, ten Edwin! Na samą myśl o tym Billowi wciąż chce się śmiać. Teraz też na jego twarzy pojawia się uśmiech, którego nie jest w stanie powstrzymać. Już pierwszego dnia w drodze do pracy Edwin wdał się w autobusie w gorącą dyskusję z jakimś weteranem. Bill nie wie nawet, jak to się zaczęło, jednak bez względu na to, co się stało, skończyło się na tym, że kierowca wykopał ich obu z autobusu. Potem tamten facet gonił Edwina na wózku inwalidzkim wzdłuż całego International Boulevard. Na szczęście pogonił go we właściwym kierunku i Edwin zdążył na czas do pracy, mimo że wywalili go z autobusu, prawdopodobnie właśnie ze względu na to, że musiał przed kimś uciekać. Bill śmieje się w głos na myśl o tym, jak Edwin zwiewa przed tamtym w popłochu wzdłuż całej alei, po czym wpada na czas do pracy spocony i rozchełstany. No cóż, ta ostatnia myśl nie była wcale zabawna. Sprawiała raczej, że cała historia stawała się smutna i godna politowania.

Bill mija właśnie fragment metalowej płaszczyzny we wschodniej ścianie stadionu. Widzi w niej odbicie swej postaci. Stabilizuje więc swoją rozedrganą i zniekształconą sylwetkę na powyginanym metalowym panelu: prostuje plecy, unosi w górę podbródek. Ten facet w czarnej wiatrówce, z posiwiałymi i rzednącymi włosami i brzuchem wystającym coraz bardziej z każdym kolejnym rokiem, facet, którego bolą stopy i kolana, jeśli zbyt długo stoi albo chodzi, jest w porządku i teraz też jakoś sobie radzi. Łatwo jednak sobie wyobrazić, że jest inaczej. Przecież zresztą prawie zawsze tak właśnie było.

Ten stadion i tutejsza drużyna, Oakland Athletics, były niegdyś dla Billa najważniejszą rzeczą na świecie, zwłaszcza w tym magicznym dla Oakland okresie od 1972 do 1974 roku, kiedy to miejscowi trzy razy z rzędu wygrywali finałowy mecz najważniejszej amerykańskiej ligi baseballu. Dziś się to już nie zdarza. Teraz baseball to zbyt wielki biznes i już za nic w świecie by do tego nie dopuszczono. Dla Billa były to skądinąd lata dziwne, złe, wręcz okropne. W 1971 wrócił z Wietnamu, dyscyplinarnie zwolniony z wojska po samowolnym oddaleniu się z jednostki. Nie znosił tego kraju, a kraj odpłacał mu pięknym za nadobne. W jego organizmie krążyły wtedy takie ilości narkotyków, że aż trudno uwierzyć, że w ogóle coś z tego pamięta. Przede wszystkim pamięta jednak zakłady. Zakłady były wtedy dla niego wszystkim. Miał swoje drużyny i drużyny te wygrywały przez trzy lata z rzędu, dokładnie wtedy, kiedy najbardziej tego potrzebował, po długim okresie nieustannego przegrywania, który wydawał mu się całym życiem. Były to lata Vidy Blue, Catfisha Huntera, Reggiego Jacksona, i tego drania Charliego Finleya. A potem, kiedy w 1976 roku Oakland Raiders wygrali dwa mistrzostwa, których nie zdobyła przedtem żadna drużyna z San Francisco, nastały naprawdę dobre czasy dla chłopaków z Oakland, którzy byli związani z tym klubem; wszyscy czuli teraz, że mają swój udział w tym tryumfie.

Bill został zatrudniony na stadionie w 1989 roku, po odsiedzeniu pięciu lat w więzieniu San Quentin za to, że dźgnął nożem pewnego faceta przed barem dla motocyklistów, niedaleko torów kolejowych w dzielnicy Fruitvale. Tak naprawdę to nie był nawet jego nóż. Sam cios był przypadkowy i zadany w samoobronie. Bill nie miał pojęcia, jak ten nóż znalazł się w jego dłoni. Czasami człowiek po prostu robi pewne rzeczy, działa lub reaguje stosownie do sytuacji. Problem polegał na tym, że Bill nie był w stanie dojść do ładu z własną wersją wydarzeń. Tamten facet nie był aż tak bardzo pijany. Jego relacja była bardziej spójna i konsekwentna. Winnym uznano więc Billa. Ostatecznie jakimś cudem był to jednak jego nóż. To on miał w papierach konflikty z prawem na tle użycia przemocy. Był walniętym weteranem Wietnamu, wylanym z wojska za samowolkę. A jednak pobyt w więzieniu dobrze mu zrobił. W czasie całej odsiadki niemal bez przerwy czytał. Pochłonął wszystkie książki Huntera S. Thompsona, jakie tylko wpadły mu w ręce. Czytywał też prawnika Thompsona, Oscara Zetę Acostę. Uwielbiał jego książki *The Autobiography of a Brown Buffalo* i *The Revolt of the Cockroach People*. Czytał również Fitzgeralda i Hemingwaya, Carvera i Faulknera; samych pijaków. I jeszcze Kena Keseya. Uwielbiał *Lot nad kukułczym gniazdem*. Strasznie się potem wkurzył, kiedy zrobili z tego film i tamten facet indiańskiej krwi, będący w powieści narratorem, grał tylko rolę obłąkanego, milczącego i niewzruszonego Indianina, który w końcowej scenie rozbija okno szpitalnym wodotryskiem. Bill sięgał w więzieniu po Richarda Brautigana i Jacka Londona. Czytywał książki historyczne, biografie, a nawet pozycje na temat systemu więziennictwa, baseballu i piłki nożnej. Studiował dzieje rdzennych Amerykanów w Kalifornii. Czytał Stephena Kinga i Elmore'a Leonarda. Wciąż siedział z nosem w książkach i starał się nie wychylać. Niech te lata upływają sobie najszybciej, jak to możliwe, skoro przez cały ten czas on i tak jest gdzie indziej, pogrążony w lekturze, niczym na haju albo we śnie. Kolejnym dobrym dla Billa rokiem, który nadszedł wreszcie po złych czasach, był rok 1989, kiedy to Oakland Athletics rozgromili w finale San Francisco Giants. I kiedy nagle, w samym środku serii finałowych gier, tuż przed rozpoczęciem trzeciego meczu, ziemia zatrzęsła się, osunęła i zapadła. Trzęsienie ziemi Loma Prieta zabiło 63 osoby; taka była łączna liczba jego ofiar. Zawaliły się wiadukty autostrady wzdłuż Cypress Street, a ktoś wjechał prosto do wody z mostu nad Zatoką, w którym zapadło się jedno ze środkowych przęseł. Tamtego dnia baseball uratował wiele istnień ludzkich w samym Oakland i w rejonie Zatoki. Gdyby tak dużo ludzi nie siedziało wtedy w domach przed telewizorami i nie oglądało meczu, zapewne byłby większy ruch na autostradach i w wielkomiejskim świecie, który wówczas właśnie zapadł się i rozleciał na kawałki.

Bill odwraca wzrok na zapole i nagle dokładnie przed sobą, na wysokości oczu, widzi unoszący się w powietrzu ponad otwartymi trybunami niewielki samolot. Czy to nie on mignął mu przedtem ponad koroną stadionu? Pewnie tak. To dron. Taki bezzałogowy samolocik, jakie wysyłają do jaskiń i kryjówek terrorystów na Bliskim Wschodzie. Bill usiłuje walnąć go swoim chwytakiem. Dron odlatuje nieco w tył, po czym obraca się i zlatuje gdzieś w dół, gdzie Bill traci go z oczu.

– Hej, ty! – Bill łapie się na tym, że wrzeszczy na drona. Potem rusza w kierunku schodów, aby wspiąć się nimi do korytarza, który doprowadzi go do kolejnych schodów, wiodących tym razem w dół, na płytę boiska. Kiedy dociera do szczytu schodów na pierwszym poziomie trybun od strony pola wewnętrznego, wyciąga lornetkę. Przeczesuje wzrokiem boisko w poszukiwaniu drona i w końcu go znajduje. Schodzi po schodach, starając się nie tracić go z oczu, choć to wcale niełatwe, gdy człowiek idzie, lornetka mu się trzęsie, a na dodatek to draństwo ciągle jest w ruchu. Bill widzi, że samolot kieruje się teraz w stronę ostatniej bazy. Zaczyna więc coraz szybciej zbiegać ze schodów. Od lat, a może nawet całych dziesięcioleci, nie poruszał się z taką prędkością.

Bill widzi już teraz drona bez pomocy lornetki. Biegnie więc ku niemu z chwytakiem w ręce. Rozwali to draństwo. Nadal czuje chęć do walki i ma charakter, wciąż płynie w nim gorąca krew i ciągle jeszcze potrafi całkiem żwawo się poruszać. Wchodzi już na rdzawoczerwony piasek. Dron jest przy ostatniej bazie i właśnie odwraca się w jego stronę, kiedy Bill podbiega do niego, z uniesionym w górę chwytakiem, gotowym do ciosu. Dron dostrzega go jednak, zanim jeszcze znajduje się w zasięgu uderzenia, i odlatuje nieco w tył. Mimo to Bill trafia go chwytakiem, sprawiając, że machina przez moment niepewnie kołysze się w powietrzu. Znów unosi swe narzędzie, uderza z całych sił, lecz tym razem zupełnie chybia. Dron szybko wznosi się pionowo w górę, pokonując w kilka sekund trzy, sześć, a w końcu piętnaście metrów. Bill znów wyjmuje swoją lornetkę i patrzy, jak mały samolot przelatuje ponad koroną stadionu i znika mu z oczu.

Calvin Johnson

KIEDY WRÓCIŁEM Z PRACY DO DOMU, Sonny i Maggie czekały już na mnie z obiadem przy zastawionym i nakrytym kuchennym stole. Maggie to moja siostra. Mieszkam teraz u niej, dopóki nie uda mi się odłożyć dość pieniędzy. Dobrze mi jednak w towarzystwie siostry i jej córki. Czuję się wtedy tak, jakbym wrócił do domu; domu, jakiego nie możemy już mieć, odkąd nasz ojciec odszedł; po prostu zniknął. Tak naprawdę nie było go w domu przez cały ten czas, ale nasza mama zachowywała się tak, jakby wciąż był. Co najmniej jakby jego odejście miało być końcem świata. W gruncie rzeczy nie chodziło o niego ani o któreś z nas. To nasza matka zbyt długo pozostawała niezdiagnozowana. Tak przynajmniej powiedziała Maggie.

Życie z chorobą dwubiegunową wygląda tak, jakby człowiek wściekał się na siekierę, niezbędną mu do tego, by porąbać drwa na ognisko i ogrzać się w zimnym, ciemnym lesie, z którego – jak z czasem być może uda mu się zorientować – już nigdy się nie wydostanie. Tak właśnie ujęła to Maggie. A rozumiała to lepiej niż ja i mój brat. Ona jednak bierze leki. Jej choroba jest pod kontrolą. Maggie stanowi jakby klucz do historii naszego życia. Ja i mój brat, Charles, nienawidzimy jej i zarazem ją kochamy. Zazwyczaj takie właśnie uczucia zaczyna się z czasem żywić wobec swoich najbliższych, którzy cierpią na tę chorobę.

Maggie zrobiła to, co zwykle: klopsy z tłuczonymi ziemniakami i brokułem. Po chwili jedzenia w ciszy Sonny mocno kopnęła mnie w goleń pod stołem, a potem udawała, że nic się nie stało, i spokojnie wsuwała obiad. Ja też nic nie dałem po sobie poznać.

– Pyszne, Maggie! Klopsy smakują jak u mamy. Smaczne, prawda, Sonny? – spytałem, po czym uśmiechnąłem się do siostrzenicy. Ona jednak nie odwzajemniła tego uśmiechu. Nachyliłem się więc po kolejny kęs, uniosłem go na widelcu nad talerzem, po czym czubkiem stopy pacnąłem dziewczynę w goleń.

Sonny uśmiechnęła się szeroko, po czym sama zaczęła głośno śmiać się z tego, że nie udało jej się zachować powagi. Po chwili kopnęła mnie raz jeszcze.

– No dobrze. Dosyć już, Sonny – rzekła Maggie. – Przyniesiesz nam wszystkim jakieś serwetki? Mam tę lemoniadę, którą lubisz – dodała, zwracając się do mnie.

– Dzięki, ale chyba wezmę sobie piwo. Jest jeszcze jakieś, prawda? – spytałem.

Wstałem i otwarłem lodówkę; rozmyśliłem się co do tego piwa i wyjąłem lemoniadę. Maggie nie zorientowała się jednak, że nie wyciągnąłem piwa.

– To możesz wyjąć tę lemoniadę dla nas – powiedziała.

– Teraz ty będziesz mi mówić, co mam robić, a czego nie? – wyrwało mi się, i od razu zacząłem żałować, że w ogóle to powiedziałem. Sonny wstała i wybiegła z kuchni. Po chwili usłyszałem, jak zewnętrzne drzwi z moskitierą otwarły się i zamknęły. Wstałem i razem z Maggie przeszliśmy do pokoju od frontu, myśląc, że to pewnie Sonny wybiegła przed momentem frontowymi drzwiami.

Nie była to jednak Sonny. W salonie zastaliśmy za to naszego brata, razem z jego kumplem Carlosem, który był jakby jego cieniem, niemalże bratem bliźniakiem. Na ich widok Maggie odwróciła się i wyszła do pokoju Sonny, dokąd zresztą powinienem był podążyć za nią.

Obaj byli już po czterdziestce. Rozsiedli się w salonie z chłodną i okrutną obojętnością facetów, którzy wiedzą, że jesteś im coś winien. Wiedziałem, że Charles w końcu się tu zjawi. Zadzwoniłem do niego kilka tygodni wcześniej, żeby mu dać znać, że skombinuję dla niego te pieniądze, które mu wisiałem, ale potrzebuję trochę więcej czasu. Maggie pozwoliła mi u siebie zamieszkać, pod warunkiem że będę się trzymał z daleka od naszego brata. Teraz jednak Charles siedział sobie w najlepsze w jej salonie.

Charles wyglądał groźnie przy swoim wzroście 190 centymetrów i wadze blisko 110 kilogramów, z szerokimi barami i dłońmi jak bochny. Jego trampki wylądowały na stoliku kawowym. Carlos też wywalił nogi na stół i włączył telewizor.

– Usiądź sobie, Calvin – rzekł do mnie Charles.

– Postoję – odparłem.

– Na pewno? – spytał Carlos, nie przestając przerzucać kanałów.

– To już kawał czasu – zaczął Charles. – Powiedziałbym nawet, że to już cholernie długi kawał pieprzonego czasu. Gdzieś ty się podziewał? Byłeś na wakacjach? Musiało być fajnie tak się przede mną ukrywać. Domowe obiadki, dzieciaki biegające dokoła. Taka zabawa w dom. I to z naszą cholerną siostrzyczką. Co to, kurwa, ma być? Muszę przyznać, że wprost nie mogę przestać się zastanawiać, co się dzieje z całą tą forsą, którą odkładasz, skoro mieszkasz sobie tutaj i nawet nie płacisz czynszu. Mam rację?

– Przecież sam wiesz, że nie płacisz czynszu – wtrącił Carlos.

– Ale masz przecież pracę – kontynuował Charles. – Czyli zarabiasz kasę. Ta kasa powinna być w mojej pieprzonej kieszeni i to co najmniej od wczoraj. A właściwie w kieszeni Octavia. Wiesz, że masz szczęście, że jesteś moim młodszym bratem? Masz szczęście, że nie powiedziałem nikomu, że wiem, gdzie się schowałeś. Ale dłużej nie dam już sobie wciskać tych kitów.

– Mówiłem ci, że skombinuję tę forsę. Dlaczego, do cholery, musisz przyłazić tutaj bez uprzedzenia? I jeszcze do tego zachowywać się tak, jakbyś nie miał nic wspólnego z tym gównianym przekrętem na zjeździe plemiennym.

Zostałem tam okradziony na parkingu, zanim w ogóle zdążyłem wejść do środka. Nie powinienem był zabierać ze sobą towaru: tego funta haszu, który wtedy miałem. Choć w sumie wcale nie byłem pewien, czy rzeczywiście go ze sobą wziąłem. A może to Charles wsadził mi go do schowka w aucie? Za dużo wtedy jarałem. Moja pamięć była jak pokaz slajdów z tym, co mi się przydarzyło; slajdów, które trafiały do najgłębszych czeluści umysłu i nie chciały już stamtąd powrócić.

– No dobra. Tu mnie masz. Trafiłeś w samo pieprzone sedno: nie powinienem był wtedy uciekać. Masz rację. Powinienem był polecieć prędko i zapłacić Octavio za partię towaru, który zapieprzyli mi jego kumple. Więc bardzo ci dziękuję, braciszku, naprawdę ratujesz mi tyłek – rzekłem z przekąsem. – Ale jakoś nie mogę przestać się zastanawiać, dlaczego mi wtedy powiedziałeś, że powinienem pojechać na ten zjazd plemienny na miasteczku studenckim w Laney; że mam zająć się naszym rdzennym dziedzictwem i takie tam bzdety. Mówiłeś nawet, że mama chciałaby, żebyśmy tam pojechali, i obiecywałeś, że się tam ze mną spotkasz. I nie mogę przestać się zastanawiać, czy ty czasem, do cholery, nie wiedziałeś, co mnie spotka na tamtym parkingu. Nie mogę tylko pojąć, dlaczego mnie wystawiłeś. Jaki miałeś w tym biznes? Czy chodziło ci o to, żebym nie wycofał się z interesu, bo przebąkiwałem coś o rzuceniu tego gówna? A może ten twój głupi przydupas wypalił cały twój towar i potrzebowaliście mojego, żeby wam nie zabrakło?

Charles wstał i ruszył w moją stronę, po czym zatrzymał się, zaciskając pięści. Ja natomiast uniosłem w górę otwarte dłonie w uspokajającym geście, a następnie cofnąłem się o dwa kroki. Charles zrobił jeszcze krok w moim kierunku, po czym spojrzał przez ramię na Carlosa.

– Wybierzmy się na przejażdżkę – powiedział do niego. Carlos wstał i wyłączył telewizor. Patrzyłem, jak obaj wychodzą z pokoju, przechodząc mi przed samym nosem. Spojrzałem przez hol w kierunku pokoju Sonny. Prawe oko zaczęło mi przy tym mimowolnie drgać. – Jedziemy – dobiegł mnie sprzed domu głos Charlesa.

Charles jeździł drogim czterodrzwiowym chevroletem El Camino w kolorze ciemnoniebieskim. Wóz lśnił czystością, jakby umył go właśnie tego popołudnia, co zresztą było bardzo prawdopodobne. Faceci jego pokroju ciągle myją swoje samochody i dbają o to, żeby ich buty i czapki zawsze wyglądały jak nowe.

Zanim Charles uruchomił silnik, odpalił skręta i wręczył go Carlosowi, który zaciągnął się dwa razy, a potem dał go mnie. Ja zaciągnąłem się raz, a porządnie, i mu go oddałem. Ruszyliśmy bulwarem San Leandro gdzieś w głąb dzielnicy Deep East. Nie kojarzyłem muzyki, która leciała w samochodzie. Był to jakiś wolny kawałek z dużą ilością basów, dobiegający do nas przede wszystkim z niskotonowego głośnika umieszczonego gdzieś pod tylnym siedzeniem. Zauważyłem, że Charles i Carlos prawie niedostrzegalnie kiwali głowami w rytm muzyki. Żaden z nich za nic w świecie by się nie przyznał, że tańczy, poruszając głową w ten właśnie sposób, ale w pewnym sensie obaj tańczyli. Robili to być może w najbardziej minimalistyczny sposób, ale jednak tańczyli, i pomyślałem sobie, że to cholernie zabawne i omal się nie roześmiałem, tylko że potem, kilka minut później, zdałem sobie sprawę, że robię to samo, co oni, i to już wcale nie było zabawne. Wtedy właśnie uświadomiłem sobie, jak bardzo jestem upalony. Musieli pewnie palić jakiś nowy towar, może spryskany PCP (oni mówili na to „KJ"). Cholera, tylko przez to, że się z nimi w ogóle zadaję, sam nie mogłem przestać kiwać głową w takt muzyki, a światła na ulicach były tak cholernie jaskrawe i wydawały się złowrogie i przy tym jakby nazbyt czerwone. Bardzo się cieszyłem, że zaciągnąłem się tym świństwem tylko raz.

Wylądowaliśmy w kuchni jakiegoś domu. Ściany były całe pomalowane na jasnożółty kolor. Z ogródka na tyłach dobiegała przytłumiona muzyka w stylu *mariachi*. Charles wskazał mi gestem, żebym usiadł za stołem, za który musiałem się wślizgnąć, jak do przyciasnej loży w małej knajpce, mając po lewej stronie Carlosa, bębniącego palcami w blat do taktu zupełnie innej muzyki, którą słyszał widocznie w swojej głowie. Charles usiadł naprzeciwko mnie, patrząc mi prosto w oczy.

– Wiesz, gdzie jesteśmy?

– Zgaduję, że gdzieś, gdzie może za chwilę pojawić się też Octavio, tylko nie wiem, dlaczego, do cholery, uznałeś, że to dobry pomysł.

Charles zaśmiał się nieszczerze.

– Pamiętasz, jak pojechaliśmy do Dimond Park i przechodziliśmy przez tę długą rurę kanalizacyjną? Biegliśmy przez nią i w pewnym momencie zrobiło się zupełnie ciemno i słychać było tylko szum wartko płynącej wody, a my za cholerę nie wiedzieliśmy, skąd ta woda się leje i dokąd płynie? A musieliśmy nad nią przeskoczyć. Pamiętasz, jak usłyszeliśmy wtedy jakiś głos, a potem ci się wydawało, że ktoś złapał cię za nogę, i zacząłeś kwiczeć jak jakiś pieprzony prosiak i omal nie wpadłeś do wody, ale ja pociągnąłem cię do tyłu, a potem już razem przeskoczyliśmy przez wodę i wybiegliśmy stamtąd? – spytał Charles, przesuwając po blacie przed sobą butelkę tequili z ręki do ręki. – Usiłuję właśnie sprawić, żebyś poczuł się znów złapany za nogę – dodał, przestając bawić się flaszką. Chwycił ją w jedną dłoń i trzymał teraz w bezruchu. – Tak właśnie będzie, kiedy Octavio zobaczy tutaj twoją gębę, ale ja cię z tego wyciągnę i uratuję cię przed wciągnięciem w głąb tej długiej kanalizacyjnej rury, wiodącej donikąd. Sam nie wydostaniesz się z tego gówna, rozumiesz mnie?

Carlos objął mnie ramieniem, a ja starałem się nie zwracać na to uwagi. Charles rozparł się wygodnie na krześle, opuszczając swe wielkie ramiona wzdłuż ciała.

Jak na zawołanie, w tym właśnie momencie do kuchni wszedł Octavio. Jego oczy natychmiast zamieniły się w dwa pociski, którymi zaczął strzelać po całym pomieszczeniu.

– Co to ma być, do cholery, Charlos? – spytał w końcu.

Tak właśnie Octavio nazywał Charlesa i Carlosa, ponieważ zawsze trzymali się razem i byli do siebie podobni. Był to również jego sposób na to, by pokazać im miejsce w szeregu i przypomnieć, że obaj nie są tacy ważni, jak sam Octavio, który mierzył ze 195 centymetrów, miał potężną klatę i muskularne ramiona, wyłażące nawet spod czarnego podkoszulka w rozmiarze XXXL, jaki zawsze nosił.

– Spokojnie, Octavio – powiedział Charles. – Próbuję mu tylko przypomnieć, o co tutaj chodzi. Nie wkurzaj się. On ci zapłaci. To w końcu mój młodszy brat, Octavio, i on cię szanuje. Chciałem tylko, żeby wiedział, w co się tutaj gra.

– Żeby wiedział, w co się tutaj gra? On mnie szanuje? Co to, kurwa, ma być, Charlos? Ty sam chyba nawet nie wiesz.

Octavio wyciągnął zza pasa bielusieńkie magnum i wycelował mi pistolet prosto w twarz, spoglądając przy tym na Charlesa.

– W jakie cholerne gierki twoim zdaniem tutaj gramy? – powiedział do mnie, nie odrywając wzroku od mojego brata. – Bierzesz ode mnie towar, czyli wisisz mi kasę. Nie płacisz, tracisz ten hasz – a gówno mnie obchodzi, jak go straciłeś, grunt, że przepadł – a potem sobie znikasz i nagle zjawiasz się w pieprzonej kuchni mojego wujka. Ty naprawdę jesteś pojebany, Charlos. Przyjechałem tutaj, żeby się dobrze bawić. Ale ponieważ ty dałeś sobie ukraść mój towar, a twój brat wyjarał cały swój hasz, obaj wisicie mi kasę, a teraz ja mam przez was przesrane u kogoś, od kogo dostaję towar, i sam jestem mu winien pieniądze. Wszyscy będziemy załatwieni na cacy, jeśli nie skołujemy jakiejś grubszej forsy, i to naprawdę szybko.

Octavio nie przestawał mierzyć do mnie z pistoletu. Charles wypalił cały swój hasz? O co tutaj chodzi, do cholery?! Powędrowałem wzrokiem w głąb lufy magnum. Wszedłem do środka, prosto w jej mroczny tunel i po chwili ujrzałem, jak to wszystko się skończy. Octavio odwróci się po drinka, stojącego na blacie za jego plecami, a wówczas Charles błyskawicznie zerwie się z krzesła i założy mu od tyłu „krawatkę". Wywiąże się szamotanina, w której pistolet upadnie na podłogę, a Charles, nie zwalniając uścisku i odwracając się w moją stronę, będzie usiłował odgrywać nagle rolę dobrego starszego braciszka. „Spieprzaj stąd, ale już!" – wrzaśnie. Ja jednak nigdzie sobie nie pójdę. Już ja będę wiedział, co zrobić. Chwycę leżący na podłodze pistolet, podniosę go i wyceluję prosto w głowę Octavia, spoglądając przy tym na Charlesa.

– Daj mi tego gnata, Calvin, i spadaj stąd, do cholery – powie wówczas Charles.

– Nigdzie się nie wybieram – odpowiem.

– W takim razie go zastrzel – stwierdzi Charles.

Wówczas nasze spojrzenia – moje i Octavia – wreszcie się spotkają. Po raz pierwszy zwrócę uwagę na to, że jego oczy są zielone. Będę wpatrywał się w te jego ślepia tak długo, że w końcu wpadnie w szał i pchnie Charlesa do tyłu, na kuchenne szafki. A wówczas ja powiem im wszystkim, co zrobimy: powiem, że mają zmusić Octavia, żeby pił tequilę, i każemy mu chlać, aż nie będzie już dłużej w stanie utrzymać się na nogach. Przekonam ich, że jeśli wlejemy w niego dostatecznie dużo alkoholu, to potem gówno będzie z tego wszystkiego pamiętał. Wywołamy u niego zamroczenie tak potężne, że będzie w stanie rozprzestrzenić się w czasie w obydwu kierunkach, aż pochłonie cały dzisiejszy wieczór i noc.

Oczy mi się zamknęły. Przez moment zastanawiałem się nawet, czy to możliwe, że jestem wciąż w samochodzie, i tylko wyśniłem całą tę scenę, siedząc sobie spokojnie na tylnym siedzeniu. W końcu miałem za sobą już niejeden podobny wieczór. Mógłbym obudzić się na tylnej kanapie chevroleta, a potem pojechalibyśmy do domu, a ja powróciłbym do życia, jakie usiłowałem wieść: życia, w którym nie było całego tego gówna.

Otworzyłem oczy. Octavio wciąż trzymał w ręce pistolet, ale teraz już się śmiał. Charles także się roześmiał. Octavio odłożył gnata na stół i oni dwaj – Charles i Octavio – objęli się i uścisnęli. Potem także Carlos wstał i uścisnął dłoń Octavia.

– To te, które kazałeś zrobić? – spytał Octavia Charles, biorąc do ręki biały pistolet.

– Nie, to jest specjalne cacko. Pamiętasz Davida, młodszego brata Manny'ego? To on zrobił je w swojej pieprzonej piwnicy. Pozostałe też wyglądają zajebiście. No dalej, powiedz mu w końcu – rzekł Octavio do Charlesa, spoglądając przy tym na mnie.

– Pamiętasz, jak ci mówiłem o tym zjeździe plemiennym w Laney, a ty powiedziałeś, że chcesz tam pojechać, ponieważ szykuje się wielki zjazd na stadionie w Oakland, a ty jesteś w komitecie organizacyjnym? Pamiętasz? – spytał mnie Charles.

– No jasne – odparłem.

– A pamiętasz, co jeszcze mi wtedy mówiłeś?

– Nie.

– Coś o pieniądzach – podsunął mi Charles.

– O pieniądzach? – Nie mogłem sobie przypomnieć.

– Powiedziałeś mi, że w dniu imprezy będzie tam jakieś pięćdziesiąt tysięcy dolarów w gotówce na nagrody dla uczestników – wyjaśnił Charles. – I mówiłeś, że bardzo łatwo byłoby ukraść tę forsę.

– Ale ja żartowałem, do cholery! Charles, czy naprawdę sądzisz, że przyszłoby mi do głowy obrabować ludzi, z którymi pracuję, a potem jeszcze liczyłbym, że się nie zorientują i że mi się upiecze? To był tylko pieprzony żart!

– To faktycznie dość zabawne – wtrącił Octavio.

Charles podniósł na niego wzrok, jakby chciał spytać: „A tobie o co chodzi?".

– No, to, że komuś mogłoby przyjść do głowy, że obrabuje ludzi, z którymi pracuje, a oni się nie zorientują i mu się upiecze. To dla mnie cholernie zabawne! – wyjaśnił Octavio.

– Posłuchajcie, jak to wszystko naprawimy – zaczął Charles. – Ty też dostaniesz swoją dolę, a wtedy będziemy kwita, prawda, Octavio?

Octavio skinął głową, po czym wziął do ręki butelkę tequili.

– Napijmy się – zaproponował.

Zaczęliśmy pić. Szybko opróżniliśmy flaszkę do połowy. Dopiero przed ostatnią kolejką nastąpiła chwila przerwy, po czym Octavio spojrzał na mnie, uniósł swój kieliszek i wskazał mi gestem, że mam wstać. Wypiliśmy we dwóch, tylko on i ja, a potem on objął mnie i uścisnął, choć ja sam zapomniałem odwzajemnić ten gest. Kiedy mnie obejmował, spostrzegłem, jak Charles spogląda na Carlosa w taki sposób, jakby wcale nie podobało mu się to, co się dzieje. Kiedy Octavio wypuścił mnie już ze swych objęć, odwrócił się i wyjął z szafki u góry kolejną butelkę tequili, a potem jakby się zaśmiał, zupełnie nie wiadomo z czego, po czym chwiejnym krokiem wyszedł z kuchni.

Charles podniósł na mnie wzrok, jakby chciał powiedzieć: „Chodźmy". Idąc do samochodu, spostrzegliśmy dzieciaka na rowerze, obserwującego wszystko z daleka. Czułem, że Charles lada moment chyba coś mu powie. Carlos usiłował go nawet nastraszyć, udając, że chce go uderzyć. Dzieciak jednak nawet nie drgnął i wciąż tylko wpatrywał się w ten dom, z którego właśnie wyszliśmy. Oczy miał jakby niewidzące i zamglone, ale nie tak, jakby był po prostu pijany albo na haju. Na jego widok pomyślałem o Lotneyu „Slothu" Fratellim z filmu *Goonies*. Potem przypomniał mi się jeden film, który obejrzałem w jakiś sobotni poranek, kiedy miałem pięć albo sześć lat. Jego bohaterem był dzieciak, który pewnego dnia obudził się i odkrył, że nagle oślepł. Nigdy wcześniej nie przyszło mi do głowy, że można tak po prostu obudzić się i stwierdzić, że wpadło się w jakieś gówno; że coś się nagle spieprzyło w tym, co uważałeś za swoje życie. Ale wtedy tak właśnie się poczułem: kiedy piłem z nimi tequilę i ściskałem się z Octaviem, zgadzając się na ten poroniony i z góry skazany na niepowodzenie plan. Zapragnąłem coś powiedzieć temu dzieciakowi na rowerze, sam nie wiem dlaczego. Właściwie nie było jednak nic do powiedzenia. Wsiedliśmy do samochodu i w milczeniu pojechaliśmy do domu. Wsłuchani w niskie pomrukiwania silnika, podążaliśmy drogą, która wiodła nas już teraz prosto ku katastrofie, nieuchronnej tragedii, po której nie miało być już dla nas powrotu do normalnego życia.

Jacquie Czerwone Pióro

JACQUIE CZERWONE PIÓRO POLECIAŁA Z ALBUQUERQUE do Phoenix wieczorem w przededniu konferencji, lądując po godzinnym locie na spowitej mgłą pochyłości pomiędzy zielenią a różową poświatą zachodzącego słońca. Kiedy samolot zwolnił i już tylko toczył się po lądowisku, opuściła żaluzję w oknie i zapatrzyła się w oparcie fotela przed sobą. „Jak uchronić je przed krzywdą" – tak brzmiało hasło przewodnie tegorocznej konferencji. Jacquie domyślała się, że chodzi o krzywdę, jaką dzieci mogą zrobić sobie same. Czy naprawdę jednak problemem było tutaj tylko samobójstwo jako takie? Niedawno czytała artykuł, w którym mowa była o zatrważającej liczbie samobójstw w społecznościach rdzennych Amerykanów. A od jak wielu już lat działały sponsorowane przez władze federalne programy, w ramach których usiłowano zapobiegać takim tragediom przy użyciu billboardów i telefonów zaufania? Nic dziwnego, że sytuacja wyglądała coraz gorzej. Nie można wciskać ludziom, że życie jest takie wspaniałe, kiedy rzeczywistość wygląda zupełnie inaczej. A teraz właśnie rozpoczynała się kolejna konferencja Zarządu do spraw Zdrowia Psychicznego i Uzależnień (SAMHSA), na której Jacquie musiała być obecna zgodnie z wymogami grantu uzyskanego dla jej stanowiska doradcy do spraw nadużywania szkodliwych substancji.

Na plakietce recepcjonistki, która zameldowała ją w hotelu, widniało imię „Florencja". Pachniało od niej piwem, papierosami i perfumami. To, że piła w pracy albo przyszła do pracy jeszcze pijana, sprawiło, że Jacquie od razu ją polubiła. Sama od dziesięciu dni nie miała w ustach ani kropli alkoholu. Florencja skomplementowała jej fryzurę, włosy, które niedawno ufarbowała na czarno, aby ukryć nitki siwizny, i ostrzygła na pazia. Jacquie nigdy nie wiedziała, co począć z komplementami.

– Ależ one piękne, takie czerwone – powiedziała więc o stojących za Florencją poinsecjach, kwiatkach, których zresztą nie lubiła, ponieważ nawet prawdziwe wyglądały jej zdaniem jakby były sztuczne.

– Nazywamy je tutaj *flores de noche beuna*, „kwiatami świętej nocy", ponieważ kwitną w okolicach Bożego Narodzenia – wyjaśniła Florencja.

– Ale przecież teraz jest marzec – rzekła Jacquie.

– Sądzę, że to i tak najpiękniejsze ze wszystkich kwiatów – stwierdziła na zakończenie Florencja.

Ostatni powrót do nałogu nie pozostawił po sobie czarnych dziur w życiu Jacquie. Tym razem nie straciła pracy ani nie rozbiła samochodu. Teraz znów była trzeźwa, a dziesięć dni to tyle samo, co rok, kiedy ciągle masz ochotę się napić. Florencja powiedziała jeszcze Jacquie, która była cała zlana potem, że basen jest czynny do dziesiątej. Słońce co prawda już zaszło, ale wciąż było ponad trzydzieści stopni. Po drodze do pokoju Jacquie zauważyła, że na basenie nie było nikogo. Kiedyś, długi czas po tym, jak jej matka na dobre już porzuciła ojca, i podczas jednego z tych licznych okresów, kiedy odchodziła od ojca jej siostry, gdy Opal była jeszcze dzieckiem, a Jacquie miała sześć lat, zatrzymały się we trójkę w jakimś hotelu niedaleko lotniska w Oakland. Matka mówiła im wtedy, że na zawsze wyprowadzą się z miasta i wrócą do jej domu w Oklahomie. Lecz dla Jacquie i jej siostry domem był wówczas zamknięty samochód kombi, stojący na jakimś pustym parkingu. Domem była czasem długa jazda autobusem albo jakiekolwiek inne miejsce, w którym wszystkie trzy mogły bezpiecznie spędzić noc. A tamta noc w hotelu, z widokami na długą podróż i ucieczkę od takiego życia, jakie wiodła jej matka, ciągając za sobą swoje córki, była jedną z najpiękniejszych w całym życiu Jacquie. Matka w końcu zasnęła. Ona zaś już wcześniej, w drodze do ich pokoju, spostrzegła basen – jasnoniebieski, rozjarzony prostokąt. Na zewnątrz było chłodno, ale Jacquie zauważyła też tabliczkę z napisem „Podgrzewany basen". Oglądała więc telewizję i czekała, aż mama sama zapadnie w sen, usypiając Opal, po czym wymknęła się na dół. Na basenie nie było nikogo. Jacquie zdjęła buty i skarpetki i zanurzyła w wodzie duży palec jednej stopy, a potem spojrzała za siebie i w górę, na drzwi ich pokoju. Później spoglądała kolejno na wszystkie drzwi i okna wychodzące na stronę basenu. Nocne powietrze było chłodne, ale przynajmniej nie było najlżejszego choćby wiatru. Kompletnie ubrana, tylko bez butów i skarpetek, zaczęła schodzić po schodkach do wody. Po raz pierwszy była wtedy na prawdziwym basenie. Nie umiała jeszcze wówczas pływać. Przede wszystkim chciała po prostu wejść do wody. Zanurzyć się w niej i otworzyć oczy, patrzeć na swoje ręce i obserwować bąbelki, unoszące się ku powierzchni w tej błękitnej poświacie.

W swoim pokoju Jacquie cisnęła torby na ziemię, zdjęła buty i położyła się na łóżku. Włączyła telewizor, wyciszyła go, a potem przewróciła się na plecy i przez chwilę wpatrywała się w sufit, kontemplując czystą biel, chłód i spokój panujący w pomieszczeniu. Myślała o Opal i chłopcach, o tym, co też teraz porabiają. Po latach zupełnego milczenia od kilku miesięcy pisały do siebie wiadomości. Opal zajmowała się trzema wnukami Jacquie, których ona sama nigdy nie widziała nawet na oczy.

Co porabiasz? – napisała po chwili do Opal. Położyła telefon na łóżku i poszła wyjąć z walizki strój kąpielowy, jednoczęściowy w czarno-białe paski. Potem włożyła go, stojąc przed lustrem. Na jej szyi, brzuchu, ramionach i kostkach rozciągały się i wiły blizny oraz tatuaże. Na przedramionach wytatuowane miała pióra, jedno symbolizujące matkę, a drugie siostrę, a na wierzchach dłoni – gwiazdy, tym razem bez żadnego symbolicznego znaczenia. Pamiętała, że najbardziej bolało tatuowanie pajęczych sieci na grzbietach stóp.

Jacquie podeszła do okna, żeby zobaczyć, czy na basenie wciąż jest pusto. Jej telefon na łóżku zaczął właśnie wibrować.

Orvil znalazł pajęcze odnóża na swojej nodze – brzmiała wiadomość od siostry.

Co takiego?! – odpisała Jacquie. Poprzednie zdanie w ogóle do niej nie dotarło. No bo cóż by to miało w ogóle znaczyć? Później miała sprawdzić to na swoim telefonie – „pajęcze odnóża znalezione na nodze" – ale i tak niczego się nie dowiedziała.

No tak; ja tam nie wiem, ale chłopcy myślą, że to jakiś indiański omen.

Może będzie miał moc jak Spiderman – odpisała siostrze Jacquie.

Zdarzyło ci się kiedyś coś takiego? – brzmiała kolejna wiadomość od Opal.

Co? Nie, nigdy. Na razie, idę popływać.

Jacquie uklękła przed minibarkiem. W głowie słyszała głos swojej matki: „Pajęcza sieć jest zarazem domem i pułapką". I choć nigdy tak naprawdę nie wiedziała, co mama miała na myśli, gdy to mówiła, z biegiem lat przekonywała się, że zdanie to ma sens, nadając mu prawdopodobnie więcej znaczeń, niż jej matka kiedykolwiek zamierzała w nim zawrzeć. W tym konkretnym przypadku Jacquie była pająkiem, a minibarek – siecią. Picie było dla niej jak dom. Było jednak również pułapką, a w każdym razie czymś w tym rodzaju. Teraz chodziło tylko o to, żeby za wszelką cenę nie otwierać minibarku. I Jacquie go nie otwarła.

Jacquie stała na brzegu basenu, patrząc, jak na powierzchni wody lśni i migocze światło. Jej złożone na piersiach ręce wydawały się w nim zielonkawe i popękane. Krok po kroku schodziła po schodkach, po czym lekko się odepchnęła i, nie wynurzając się, przepłynęła dwie długości. Potem wyszła w górę, aby zaczerpnąć tchu. Przez chwilę przypatrywała się rozedrganej powierzchni wody, a później znów zanurzyła się i patrzyła, jak wokół zbierają się bąbelki, które potem unoszą się ku powierzchni i znikają.

Paląc papierosa nad brzegiem basenu, myślała o podróży taksówką z lotniska i sklepie alkoholowym, który spostrzegła o jedną przecznicę od hotelu. Mogłaby bez trudu pójść tam piechotą. Tym, czego teraz naprawdę pragnęła, był ten papieros, którego zawsze wypalała po sześciu piwach. Chciała, by sen przyszedł łatwo, tak jak bywało, kiedy piła. Wracając do swojego pokoju, kupiła w automacie pepsi i mieszankę orzeszków. Leżąc na łóżku, przerzucała kanały, tu i ówdzie zatrzymując się na dłużej i zmieniając stację podczas każdej kolejnej przerwy na reklamy. Pochłonęła przy tym orzeszki i pepsi, i dopiero wtedy, kiedy mieszanka pobudziła jej apetyt, zdała sobie sprawę, że nie jadła dziś obiadu. Leżała tak w łóżku z zamkniętymi oczyma przez godzinę, po czym położyła sobie na twarzy poduszkę i zasnęła. Kiedy obudziła się o czwartej nad ranem, nie miała pojęcia, co takiego ma na głowie. Odruchowo cisnęła poduszką przez cały pokój, a potem wstała i poszła się wysikać, i przez następne dwie godziny próbowała przekonać samą siebie, że śpi. Może nawet zresztą chwilami rzeczywiście spała, ale i tak śniło jej się, że nie może zasnąć.

Jacquie znalazła sobie miejsce siedzące z tyłu głównej balowej sali. Na scenie był właśnie jakiś starszy Indianin w baseballowej czapeczce. Jedną rękę miał uniesioną, jakby się modlił, podczas gdy drugi mężczyzna spryskiwał publiczność wodą z butelki. Jacquie nigdy dotąd nie widziała czegoś podobnego.

Jacquie zaczęła błądzić wzrokiem po sali. Przyglądała się jej indiańskiemu wystrojowi. Pomieszczenie było przestronne, z wysokim stropem i masywnymi żyrandolami, z których każdy składał się z wiązek ośmiu żarówek w kształcie płomienia, otoczonych gigantycznej wielkości obręczą z pofalowanej blachy stalowej, powycinanej w plemienne wzory i ornamenty. Na ścianach i pod sufitem, gdzie farba miała brązowawy kolor zaschniętej krwi, kładły się więc cienie rozlicznych Kokopellich, oraz zygzaki i spirale. Natomiast na dywanach, jak w każdym kasynie czy kinie, było mnóstwo wijących się linii i różnobarwnych geometrycznych kształtów.

Potem Jacquie przyjrzała się z kolei zgromadzonej publiczności. Przy okrągłych stolikach, na których stały szklanki z wodą i małe tekturowe tacki z owocami i duńskimi ciasteczkami, siedziało prawdopodobnie około dwustu osób. Jacquie od razu dostrzegła wśród nich przedstawicieli poszczególnych typów uczestników tego rodzaju konferencji. Większość stanowiły starsze Indianki. Drugie miejsce pod względem liczebności zajmowały starsze białe kobiety. Trzecie – starsi Indianie. Nigdzie nie było widać żadnych młodych ludzi. Wszyscy wydawali jej się przy tym albo nazbyt poważni, albo za mało poważni właśnie. Byli to ludzie zajęci własną karierą i motywowani w większym stopniu chęcią utrzymania swych stanowisk, troską o sponsorów i wymagania związane z pozyskiwaniem grantów, niż wewnętrzną potrzebą niesienia pomocy indiańskim rodzinom czy społecznościom. Tak samo było zresztą w przypadku Jacquie. Sama wiedziała o tym doskonale i nie cierpiała tej świadomości.

Do podestu podszedł właśnie pierwszy prelegent, mężczyzna, którego wygląd sugerował, że mógłby czuć się bardziej komfortowo, stercząc gdzieś na rogu ulicy, niż zabierając głos na tego rodzaju konferencji. Nieczęsto widywało się takich ludzi na środku sceny. Na nogach miał buty marki Jordan i ubrany był w dres firmy Adidas. Ponad jego lewym uchem widniał nierozpoznawalny, wyblakły tatuaż, sięgający aż po czubek łysej głowy. Mogły to być jakieś rysy, sieci lub połowa korony cierniowej. Co kilka sekund otwierał usta w specyficzny sposób, układając wargi w owalny kształt, i ocierał je kciukiem i palcem wskazującym, jakby miał tam nadmiar śliny albo jakby w ten sposób upewniał sam siebie, że nie zacznie nagle spluwać i nie zrobi na zgromadzonych wrażenia osoby niechlujnej.

Kiedy już w końcu podszedł do mikrofonu, najpierw poświęcił długą i krępującą minutę na to, by przyjrzeć się publiczności.

– Widzę tutaj mnóstwo Indian i bardzo mnie to cieszy. Jakieś dwadzieścia lat temu byłem na tego rodzaju konferencji i otaczało mnie istne morze białych twarzy. Pojechałem tam wtedy jako bardzo młody człowiek. Pierwszy raz leciałem samolotem i po raz pierwszy też wyjechałem z Phoenix na dłużej niż kilka dni. Zostałem zmuszony do udziału w pewnym programie, w ramach ugody obrończej, jaką zawarłem, aby nie musieć siedzieć w poprawczaku. Program ten stał się jednym z tematów pewnej konferencji w samym Waszyngtonie, a zatem sprawą nagłośnioną w skali całego kraju. Do wzięcia udziału w konferencji wybrano mnie i jeszcze kilku młodych ludzi, bynajmniej nie na podstawie naszych zdolności przywódczych ani nie z uwagi na nasze zaangażowanie dla sprawy albo sam udział w programie, a jedynie dlatego, że to właśnie w naszym przypadku istniało największe ryzyko. Oczywiście musieliśmy wówczas tylko siedzieć na scenie i słuchać innych młodych ludzi, opowiadających o tym, jak im się udało wygrać tę walkę, oraz naszych opiekunów, przekonujących wszystkich o wielkich zaletach tego rodzaju programów. Lecz kiedy ja byłem na tym wyjeździe, mój młodszy brat, Harold, znalazł pistolet, który trzymałem w schowku, i strzelił sobie z niego między oczy. Miał wtedy czternaście lat – powiedział i zakaszlał, zasłaniając przy tym mikrofon. Jacquie poprawiła się na krześle. – Jestem tutaj po to, aby opowiedzieć wam o tym, że całe nasze podejście od samego początku było właśnie takie: dzieciaki wyskakują przez okna płonących domów, spadają i znajdują śmierć, a my myślimy, że problem tkwi w tym, że skaczą. Oto, co robiliśmy do tej pory: próbowaliśmy wynajdywać różne sposoby, aby je przed tym powstrzymać, przekonać je, że lepiej spłonąć żywcem, niż wyskoczyć, kiedy robi się już tak gorąco, że nie mogą tego dłużej wytrzymać. Zabijaliśmy okna deskami i zakładaliśmy coraz mocniejsze sieci, żeby je łapać, wynajdywaliśmy coraz bardziej przekonujące sposoby na to, aby im powiedzieć, żeby nie skakały. One jednak wciąż podejmują decyzję, że lepiej być martwym i odejść z tego świata, niż wieść to życie, jakie tutaj mamy; życie, jakie im zgotowaliśmy i jakie po nas odziedziczyły. A my albo jesteśmy w to wszystko zaangażowani, co oznacza, że przyłożyliśmy rękę do każdej samobójczej śmierci – tak jak ja w przypadku śmierci mojego brata – albo jesteśmy zupełnie nieobecni, co i tak jest pewną formą uczestnictwa, tak jak milczenie nie jest po prostu milczeniem, tylko niezabieraniem głosu w jakże ważnej sprawie. Teraz sam zajmuję się przeciwdziałaniem samobójstwom. W ciągu mojego życia samobójstwo popełniło piętnastu moich krewnych, nie licząc mojego brata. W jednej ze społeczności, z jakimi ostatnio pracowałem, w Dakocie Południowej, ludzie powiedzieli mi, że są zdruzgotani. Było to po tym, jak doszło tam do siedemnastu samobójstw w ciągu zaledwie ośmiu miesięcy. Jak jednak staramy się zaszczepiać naszym dzieciom chęć do życia? Na takich konferencjach i w naszych biurach. Tymczasem w naszych mailach i na spotkaniach lokalnych społeczności musi panować atmosfera stosowna do wagi i pilności tego, co mamy do zrobienia, w naszych działaniach zaś odczuwalny musi być swego rodzaju duch walki za wszelką cenę. Jeśli jest inaczej, to pieprzyć wszystkie takie programy, i zamiast tego może powinniśmy po prostu wysłać wszystkie te pieniądze rodzinom, które ich potrzebują i będą doskonale wiedziały, co z nimi zrobić. Przecież wszyscy wiemy, na co te pieniądze teraz idą: na pensje i konferencje takie jak ta. Przykro mi, ale taka jest prawda. Mnie też płacą z tych gównianych środków, a tak naprawdę, cholera – nie, nie zamierzam przepraszać, bo do tej kwestii nie można podchodzić w sposób ugrzeczniony czy sformalizowany… Nie możemy zagubić się w kwestiach własnego rozwoju zawodowego i celach poszczególnych grantów, w tej codziennej harówce i rutynie, jakbyśmy rzeczywiście musieli robić to, co robimy. To my wybieramy, co faktycznie robimy, a nasze wybory kształtują naszą wspólnotę. My dokonujemy wyboru za innych jej członków. Przez cały czas. I tak właśnie czują się te dzieciaki. One nie mają nad tym żadnej kontroli. Zgadnijmy w takim razie, nad czym mają kontrolę? Musimy rzeczywiście zajmować się tym, o czym ciągle mówimy jako o naszym zajęciu. A jeżeli nie potrafimy i jeśli tak naprawdę chodzi nam tylko o nas samych, powinniśmy zrezygnować i pozwolić, aby ktoś inny z naszej społeczności, komu naprawdę na niej zależy, i kto rzeczywiście coś w tej sprawie zrobi, przyszedł na nasze miejsce i skutecznie pomagał. I chrzanić całą resztę.

Jacquie wybiegła z sali, zanim jeszcze po chwili wahania rozległy się obowiązkowe oklaski publiczności. Gdy biegła, identyfikator z nazwiskiem podzwaniał jej na szyi i wcinał się w podbródek. Kiedy wpadła do swojego pokoju, zamknęła drzwi, opierając się o nie plecami i zsunęła się na podłogę, po czym skuliła się i zaczęła szlochać. Głowę położyła na kolanach, mocno wciskając w nie zamknięte oczy. Pod powiekami zaczęły pojawiać jej się plamy fioletu, czerni, zieleni i różu, z których z wolna zaczęły wyłaniać się obrazy, a potem wspomnienia. Najpierw zobaczyła wielką czarną dziurę. Potem wymizerowane ciało swojej córki. Na obu rękach były małe czerwone i różowe kropki. Skóra, przez którą przeświecały zielonkawe żyłki, była blada, sina i żółtawa. Jacquie poszła tam wtedy, aby zidentyfikować zwłoki. Były to zwłoki jej córki, małe ciałko, które nosiła w sobie przez zaledwie sześć miesięcy, a potem patrzyła, jak w szpitalnym inkubatorze lekarze wbijają w nie igiełki. Wtedy jeszcze wszystkim, czego pragnęła tak bardzo, jak nigdy dotąd, było to, aby jej nowo narodzona mała dziewczynka przeżyła. A teraz koroner spoglądał na Jacquie, trzymając w ręku pióro i podkładkę do pisania. Ona zaś przez dłuższą chwilę patrzyła w przestrzeń gdzieś pomiędzy ciałem a tą podkładką, ze wszystkich sił starając się nie krzyczeć ani nie podnosić wzroku, aby nie zobaczyć twarzy swojej córeczki. Ta wielka dziura. Strzał pomiędzy oczy. Wyglądająca niczym trzecie oko albo pusty oczodół po nim. Ten podstępny pająk

Veho, o którym mama opowiadała niegdyś Jacquie i Opal, zawsze wykradał ludziom oczy, żeby samemu widzieć lepiej. Veho był białym człowiekiem, który przyszedł i sprawił, że stary świat zaczął patrzeć jego oczyma. Spójrzcie zatem, i zobaczcie, jak będzie: najpierw oddacie mi całą swoją ziemię, potem całą swoją uwagę, aż zapomnicie, jak być uważnym; aż wasze oczy wyschną i nie będziecie już umieli spojrzeć za siebie, a przed wami nie będzie nic wartego oglądania, i igła, butelka lub fajka staną się jedynymi rzeczami w zasięgu wzroku, które będą mieć dla was jakiś sens. W samochodzie Jacquie tak długo waliła pięściami w kierownicę, aż zupełnie opadła z sił. Złamała sobie przy tym mały palec.

Wszystko to działo się trzynaście lat temu. Od sześciu miesięcy nie piła wtedy alkoholu. Był to najdłuższy okres abstynencji od czasu, kiedy zaczęła pić. Jednak po spotkaniu z koronerem pojechała prosto do sklepu z alkoholem, i przez sześć kolejnych lat co wieczór wlewała w siebie 0,7 litra whisky. Przez sześć dni w tygodniu jeździła przy tym na trasie do Oakland i z powrotem, prowadząc autobus sieci AC Transit (linia nr 57), by potem co wieczór upijać się na tyle, aby popadać we w miarę kontrolowane zapomnienie. Codziennie rano wstawała do pracy. Pewnego dnia zasnęła jednak za kierownicą i rozbiła autobus na słupie telefonicznym. Po miesiącu spędzonym na odwyku w ośrodku leczenia uzależnień wyjechała z Oakland. I tak wciąż sama nie wie, po prostu nie pamięta, jak trafiła do Albuquerque. W pewnym momencie dostała pracę jako recepcjonistka w Indiańskim Ośrodku Zdrowia, utrzymywanym przez Indiańską Opiekę Zdrowotną, by z czasem, nie będąc w stanie przez dłuższy okres wytrwać w trzeźwości, zostać certyfikowanym doradcą do spraw nadużywania szkodliwych substancji po ukończeniu internetowego kursu, za który zapłaciła jej firma.

W swym pokoju hotelowym, skulona i oparta o drzwi, Jacquie przypomniała sobie teraz o tych wszystkich zdjęciach chłopców, jakie Opal przesłała jej mailem przez ostatnie lata; zdjęciach, na które nie chciała dotąd nawet spojrzeć. Wstała i podeszła do leżącego na biurku laptopa. Na swoim koncie pocztowym Gmail odnalazła listy podpisane imieniem Opal i zaczęła otwierać po kolei każdą wiadomość z ikonką spinacza biurowego, oglądając zdjęcia z kolejnych lat. Fotki z urodzin, zdjęcia pierwszych rowerków i obrazków, jakie narysowali. Były tam również krótkie klipy wideo, na których chłopcy walczyli ze sobą w kuchni albo spali w swych piętrowych łóżkach, wszyscy w jednym pokoju. Albo we trójkę tłoczyli się wokół ekranu komputera, z tą charakterystyczną poświatą na twarzach. Natrafiła też na jedno zdjęcie, które wręcz złamało jej serce. Chłopcy stali na nim w szeregu, za plecami mając Opal. A sama Opal spoglądała na Jacquie tym swoim nieruchomym, trzeźwym, stoickim wzrokiem poprzez wszystkie te lata i po wszystkim tym, co we czwórkę przeszli. *Przyjedź po nich, są twoi* – zdawał się mówić wyraz jej twarzy. Najmłodszy uśmiechał się nieśmiało, jakby któryś z braci dał mu właśnie kuksańca w ramię, ale Opal zapowiedziała im wcześniej, że wszyscy mają zrobić ładne miny do fotografii. Ten, który stał w środku, wyglądał tak, jakby albo tylko udawał, albo rzeczywiście palcami skrzyżowanych na piersi rąk pokazywał coś, co przypominało znak rozpoznawczy gangu, uśmiechając się przy tym szeroko. On właśnie był najbardziej podobny do Jamie, swojej matki i córki Jacquie. Najstarszy miał dość poważną minę. Wyglądał jak Opal. Przypominał Vicky, matkę Jacquie i Opal.

Jacquie zapragnęła natychmiast do nich pojechać. Chciała też drinka. Chciała się napić. Potrzebowała mityngu. Zauważyła już wcześniej, że spotkania anonimowych alkoholików w ramach konferencji miały odbywać się co wieczór w sali na pierwszym piętrze, o siódmej trzydzieści. Takie sesje zawsze towarzyszyły tego rodzaju konferencjom, jako zjazdom poświęconym tematyce zapobiegania problemom ze zdrowiem psychicznym i nadużywaniem szkodliwych substancji, gromadzącym całe mnóstwo osób takich jak ona: ludzi, którzy zajmowali się tą właśnie dziedziną opieki zdrowotnej, ponieważ sami przeszli przez rozmaite problemy psychiczne i uzależnienia, a teraz mieli nadzieję odnaleźć sens życia w karierze zawodowej, polegającej na pomaganiu innym ludziom w unikaniu błędów, jakie sami popełnili. Kiedy zaczęła ocierać sobie pot z twarzy rękawem, zorientowała się, że klimatyzator był przez cały czas wyłączony. Podeszła więc do niego i puściła zimne powietrze, a potem zasnęła, czekając, aż w pokoju zrobi się chłodniej.

Jacquie wpadła do sali w pośpiechu, przekonana, że jest już spóźniona. W niewielkim kręgu, złożonym z ośmiu składanych krzeseł, siedziało trzech mężczyzn. Za nimi stały przekąski, których nikt jeszcze nie tknął. W pomieszczeniu, niewielkiej sali konferencyjnej z suchościeralną tablicą na ścianie naprzeciwko drzwi, słychać było głośne brzęczenie fluorescencyjnych lamp, a wszystko skąpane było w matowym, białawym świetle, które sprawiało, że miało się poczucie, że wszystko dzieje się w telewizyjnym studiu sprzed jakichś dziesięciu lat.

Jacquie podeszła najpierw do stolika z tyłu i zerknęła na wyłożone na nim jedzenie. Był tam dzbanek kawy stojący w bardzo starym już na oko przelewowym ekspresie, a ponadto ser, krakersy, mięso na zimno oraz kawałki selera naciowego, poukładane w wachlarze wokół rozmaitych sosów. Jacquie wzięła kawałek selera, nalała sobie filiżankę kawy, i podeszła do kręgu krzeseł, by przyłączyć się do grupy.

Wszyscy trzej mężczyźni byli to starsi już Indianie z długimi włosami. Dwaj nosili baseballowe czapeczki, a ten, który wyglądał na prowadzącego, miał na głowie kowbojski kapelusz. Ten ostatni przedstawił się po chwili grupie jako Harvey. Jacquie odwróciła głowę, ale ta nalana twarz, oczy, nos i usta należały bez wątpienia do kogoś, kogo znała. Zaczęła się zastanawiać, czy Harvey też ją poznał, ponieważ nagle przeprosił wszystkich i powiedział, że musi wyjść do toalety.

Jacquie napisała w tym czasie wiadomość do Opal:

Zgadnij, z kim jestem teraz na spotkaniu AA?

Opal zareagowała natychmiast.

Z kim?

Z Harveyem z Alcatraz.

Z kim?

Z Harveyem, czyli ojcem mojej córki, którą oddałam do adopcji.

Niemożliwe!

A jednak.

Jesteś pewna?

Tak.

Co zamierzasz zrobić?

Nie wiem.

Nie wiesz?

Właśnie wrócił.

Opal wysłała jej zdjęcie chłopców. Wszyscy trzej leżeli na łóżku w swoim pokoju w takiej samej pozycji, ze słuchawkami na uszach, i spoglądali na sufit. Było to pierwsze zdjęcie, jakie jej siostra dołączyła do esemesa, odkąd Jacquie zabroniła jej tą drogą wysyłać fotki wnuków, mówiąc, że może jedynie przesyłać je e-mailem, ponieważ ich odbieranie i oglądanie może dezorganizować jej dzień. Jacquie dwoma palcami powiększyła zdjęcie, kilkakrotnie powtarzając ten ruch, aby móc przyjrzeć się twarzom całej trójki.

Pogadam z nim po spotkaniu – napisała do Opal, po czym wyciszyła telefon i odłożyła go na miejsce.

Harvey usiadł na krześle, nie patrząc na Jacquie. Prostym gestem otwartej dłoni wskazał na nią. Jacquie nie była pewna, czy to, że na nią nie patrzył i musiał nagle wyjść do łazienki, oznaczało, że ją rozpoznał. Tak czy inaczej, teraz przyszła jej kolej, by opowiedzieć swoją historię lub podzielić się z pozostałymi uczestnikami spotkania wszystkim tym, co chciała im powiedzieć, więc on i tak lada moment się zorientuje, kiedy tylko usłyszy jej nazwisko. Jacquie oparła łokcie na kolanach i nachyliła się do środka kręgu.

– Nazywam się Jacquie Czerwone Pióro. Nie powiem teraz sakramentalnego zdania w rodzaju „Jestem alkoholiczką". Zamiast tego mówię: ja już nie piję. Kiedyś piłam, ale teraz nie piję. Obecnie mam za sobą jedenaście dni w trzeźwości. Cieszę się, że mogę tutaj być, i jestem wdzięczna za poświęcony mi czas. Dziękuję wam wszystkim za to, że mnie wysłuchaliście. To dla mnie bardzo ważne, że jesteście tutaj. – Jacquie zakaszlała, bo nagle coś zaczęło drapać ją w gardle. Wsunęła do ust pastylkę na kaszel tak wprawnym, machinalnym ruchem, że od razu było widać, że prawdopodobnie używa ich bardzo często i pali mnóstwo papierosów, i ciągle nie może zupełnie pozbyć się kaszlu, ale jest w stanie przynajmniej go powstrzymać, jeśli ssie pastylki, więc bierze je bez przerwy.

– Problem, który stał się problemem alkoholowym, zaczął się dla mnie jeszcze na długo przedtem, nim picie miało z tym jakikolwiek związek, choć wszystko działo się zarazem wtedy, kiedy w ogóle zaczynałam pić alkohol. Nie żebym wszystko zrzucała na swoją przeszłość albo jej nie akceptowała. Ja i moja rodzina byliśmy wtedy na Alcatraz. Było to jeszcze w czasie indiańskiej okupacji wyspy, w 1970 roku. Tam właśnie wszystko się dla mnie zaczęło. Przez pewnego zasranego szczeniaka – powiedziała Jacquie, pamiętając o tym, by spojrzeć przy tym na prowadzącego. Harvey poruszył się nieco na krześle, lecz poza tym wpatrywał się w ziemię w pozie, która sugerowała, że uważnie słucha. – Być może on nawet nie wiedział, co robi, a może potem przeleciał kolejno całą chmarę kobiet, używając siły, aby rozłożyć im nogi i zamienić „nie" na „tak". Teraz już wiem, że dupków jego pokroju jest na pęczki, ale podejrzewam, na podstawie tego krótkiego czasu, jaki spędziłam z nim wtedy na wyspie, że potem robił to raz za razem. Po śmierci mojej mamy mieszkałyśmy w domu pewnego zupełnie nieznanego nam mężczyzny. Był to nasz daleki krewny. Jestem wdzięczna, że mogłyśmy tam mieszkać. Nie chodziłyśmy głodne i miałyśmy dach nad głową. Jednak w tym właśnie okresie oddałam córkę do adopcji. Córka, którą wtedy urodziłam, była pamiątką po pobycie na tamtej wyspie. Owocem tego, co się tam stało. Kiedy ją oddałam, miałam siedemnaście lat. Byłam głupia. Teraz, nawet gdybym chciała, nie wiedziałabym, jak ją odnaleźć: była to adopcja tajna. Potem miałam jeszcze jedną córkę. Ale i to spieprzyłam przez swój nałóg: co wieczór 0,7 litra jakiegokolwiek alkoholu, który mogłam dostać za nie więcej niż dziesięć dolarów. Później było już ze mną tak źle, że powiedziano mi, że muszę to rzucić, jeśli nie chcę stracić pracy. A wtedy, jak to czasem bywa, rzuciłam pracę, żeby móc dalej pić. Moja córka Jamie już wtedy ze mną nie mieszkała, więc tym łatwiej było mi zupełnie się rozsypać. Możecie sobie w tym miejscu dośpiewać niekończący się ciąg strasznych historii o piciu na umór. Dziś usiłuję wrócić do normalności. Moja córka zmarła, pozostawiając trzech synów, lecz ich także porzuciłam. Próbuję wrócić do normalności, ale, jak mówiłam, to na razie dopiero jedenaście dni. Tylko że chodzi o to, że jak człowiek raz wpadnie w to bagno, to im bardziej próbuje się z niego wydostać, tym bardziej w nim grzęźnie. – Jacquie zakaszlała, odchrząknęła, a potem zamilkła.

Podniosła wzrok na Harveya, a później na pozostałych członków grupy, ale wszyscy mieli wciąż pospuszczane głowy. Nie chciała kończyć swojej wypowiedzi takim akcentem, ale nie miała też już ochoty mówić dalej.

– Sama nie wiem – powiedziała – ale chyba skończyłam.

Zapadła cisza. Po chwili Harvey odchrząknął.

– Dziękujemy ci – powiedział i gestem wskazał, by głos zabrała następna osoba.

Był to starszy facet, pochodzący – jak przypuszczała Jacquie – z plemienia Nawahów. Zanim się odezwał, zdjął czapkę, jak to czasami robią niektórzy Indianie, kiedy się modlą.

– Dla mnie wszystko zmieniło się na pewnym spotkaniu – zaczął. – Nie chodziło jednak o mityng anonimowych alkoholików, choć takie właśnie sesje robią całą różnicę od tamtej pory. Przez większość mojego dorosłego życia piłem i brałem narkotyki, na przemian to rzucając używki, to znów wracając do swoich nałogów. Kilkakrotnie zakładałem rodzinę, a później pozwalałem, aby każda kolejna padała ofiarą moich uzależnień. A potem jeden z moich braci poinformował mnie o spotkaniu w sam raz dla mnie. Chodziło o Rodzimy Kościół Amerykański.

Jacquie przestała go słuchać. Sądziła, że jeśli powie o Harveyu to, co powiedziała mu niemalże w oczy, trochę jej ulży. Jednakże przypatrując się mu i słuchając historii innych osób, zaczęła się domyślać, że prawdopodobnie i on ma za sobą ciężkie chwile. Przypomniało jej się, co mówił o swoim ojcu wtedy na Alcatraz: że nawet nie widział go na oczy, odkąd przybyli na wyspę. Potem, rozmyślając o spędzonym tam czasie, Jacquie przypomniała sobie spotkanie z Harveyem w dniu, kiedy z matką i siostrą opuszczały Alcatraz. Właśnie weszła wtedy do motorówki, kiedy zobaczyła go w wodzie. Mało kto wchodził tam w ogóle do wody, gdyż była lodowato zimna, a na dodatek – o czym wszyscy byli przekonani – wprost roiło się w niej od rekinów. Wtem Jacquie ujrzała zbiegającego ze zbocza Rocky'ego, młodszego brata Harveya, który już z daleka głośno wykrzykiwał jego imię. Uruchomiono silnik motorówki. Wszyscy już usiedli, i tylko Jacquie wciąż jeszcze stała. Mama położyła jej dłoń na ramieniu. Pewnie myślała, że Jacquie jest smutno, ponieważ pozwoliła jej tak stać przez kilka minut. Harvey wcale jednak nie pływał: wydawał się raczej chować przed kimś w wodzie. Po chwili krzyknął na swego brata. Rocky go usłyszał i wskoczył do morza kompletnie ubrany. Motorówka ruszyła w kierunku przeciwległego brzegu.

– No dobrze, odpływamy, usiądź już teraz, Jacquie – powiedziała Vicky.

Jacquie usiadła, ale nadal patrzyła, co dzieje się na wyspie. Zobaczyła, jak ojciec chłopców, zataczając się, schodzi ze zbocza, trzymając w ręku coś, co mogło być laską albo baseballowym kijem. Wszystko malało jednak w oczach, w miarę jak oddalali się od wyspy, wolno płynąc przez wody zatoki.

– Wszyscy doświadczyliśmy bardzo wielu rzeczy, których nie rozumiemy, w tym świecie gotowym nas złamać albo sprawić, że staniemy się tak twardzi i nieczuli, że nie będziemy w stanie się ugiąć nawet wtedy, kiedy właśnie tego będziemy najbardziej potrzebowali – dobiegł ją głos Harveya.

Jacquie zdała sobie sprawę, że kompletnie się wyłączyła i nie słuchała tego, co było mówione.

– Wydaje się, że nie pozostaje nic innego, jak tylko się schlać – kontynuował Harvey. – I nie chodzi nawet o alkohol. Nie istnieje żaden szczególny związek między Indianami a alkoholem: jest to po prostu coś, co jest tanie, dostępne i legalne. Jest to coś, do czego możemy się uciec, kiedy wydaje się nam, że nie pozostało nam już nic innego. Sam też tak robiłem, i to przez długi czas. Przestałem już jednak opowiadać samemu sobie te bajkę, którą tak długo sobie powtarzałem; bajkę o tym, że to jedyne wyjście ze względu na to, że jest mi tak ciężko i jestem taki nieczuły. Bajkę o samoleczeniu z choroby, jaką było moje życie, mój zły los czy historia. Dopiero wtedy, kiedy zorientujemy się, że ta bajka staje się naszym sposobem na życie, możemy zacząć się zmieniać, i to powoli, dzień po dniu. Usiłujemy wtedy pomagać ludziom takim jak my sami; staramy się sprawić, by świat wokół nas stał się trochę lepszy. I wtedy właśnie zaczyna się prawdziwa historia. Chcę powiedzieć z tego miejsca, że jest mi bardzo przykro ze względu na to, kim byłem – powiedział Harvey i spojrzał na Jacquie, która odwróciła wzrok. – Jest mi także wstyd. Wstyd za te wszystkie lata, których było więcej, niż człowiekowi pozostało jeszcze do przeżycia. Jest to tego rodzaju wstyd, który sprawia, że masz ochotę powiedzieć „pieprzyć to!" i wrócić po prostu do picia, traktując je jako środek do celu. Przepraszam wszystkie te osoby, które skrzywdziłem przez cały ten czas, kiedy byłem zbyt nawalony, aby wiedzieć, co robię. Nie ma na to żadnego usprawiedliwienia. Przeprosiny nie znaczą nawet tyle, co samo... samo przyznanie się do tego, że się coś spieprzyło, że krzywdzi się ludzi i że nie chce się już więcej tego robić. Nie chce się też krzywdzić samego siebie. To ostatnie bywa czasami najtrudniejsze. Zakończmy więc dzisiejsze spotkanie tak jak zawsze, lecz bardzo uważnie wsłuchajmy się w słowa modlitwy i zmówmy ją z prawdziwym przekonaniem i zaangażowaniem. Boże, użycz mi pogody ducha...

Wszyscy razem odmówili modlitwę. Jacquie początkowo nie miała zamiaru tego robić, ale nagle złapała się na tym, że modli się razem z pozostałymi.

– ...i mądrości, abym odróżniał jedno od drugiego – zakończyła.

Sala opustoszała. Wyszli wszyscy z wyjątkiem ich dwojga: Jacquie i Harveya.

Jacquie siedziała z dłońmi ułożonymi jedna na drugiej na kolanach. Nie była w stanie się poruszyć.

– Kopę lat – zaczął Harvey.

– Owszem.

– A wiesz, że tego lata wracam do Oakland? W sumie to jeszcze za kilka miesięcy, na zjazd plemienny, ale także…

– Czy ta rozmowa ma wyglądać tak, jakbyśmy byli normalni i szczęśliwi? Jakbyśmy byli starymi przyjaciółmi?

– Czy nie zostałaś tu po to, żeby pogadać?

– Jeszcze nie wiem, dlaczego zostałam.

– Wiem, że mówiłaś o tym, co zrobiliśmy… co zrobiłem na Alcatraz, i o tym, że oddałaś dziecko do adopcji. Jest mi strasznie przykro z powodu tego wszystkiego. Nic o tym nie wiedziałem. Właśnie odkryłem, że mam też syna. Odnalazł mnie przez Facebooka. Mieszka w…

– O czym ty mówisz? – przerwała Jacquie, po czym wstała, żeby wyjść.

– Możemy zacząć od początku?

– Gówno mnie obchodzi twój syn i całe twoje życie.

– Czy jest jakiś sposób, żeby się dowiedzieć…

– Dowiedzieć się czego?

– O naszej córce.

– Nawet jej tak nie nazywaj.

– Może chciałaby znać prawdę…

– Będzie lepiej dla wszystkich, jeśli jej nie pozna.

– A co z twoimi wnukami?

– Przestań.

– Naprawdę nie musimy dalej się krzywdzić… – powiedział Harvey, zdejmując kapelusz. Na czubku głowy miał już łysinę. Wstał i powiesił kapelusz na krześle.

– Co mu teraz powiesz? – spytała Jacquie.

– O czym?

– O tym, gdzie się przez cały ten czas podziewałeś.

– Nie miałem pojęcia o jego istnieniu. Posłuchaj, Jacquie, myślę, że powinnaś wrócić ze mną do Oakland.

– Przecież nawet się nie znamy.

– Ta przejażdżka jest darmowa. Będziemy jechać przez cały dzień, a potem także w nocy, dopóki nie dotrzemy na miejsce.

– Masz na wszystko gotową odpowiedź, co?

– Chcę ci jakoś pomóc. Nie sposób naprawić krzywdy, jaką ci wyrządziłem. Ale muszę spróbować.

– Od jak dawna nie pijesz? – spytała Jacquie.

– Od 1982 roku.

– O cholera!

– Tamci chłopcy potrzebują babci.

– Sama nie wiem. A zresztą, skąd ty akurat możesz wiedzieć, jak wygląda moje życie?

– Może udałoby nam się ją odnaleźć...

– Nie!

– Są teraz sposoby...

– Boże, zamknij się, do cholery. Przestań zachowywać się tak, jakbyś mnie znał, jakbyśmy w ogóle mieli o czym rozmawiać, jakbyśmy chcieli wzajemnie się odnaleźć, a nie po prostu się... – Jacquie nie dokończyła zdania, po czym wstała i wyszła z sali.

Harvey dogonił ją przy windzie.

– Przepraszam, Jacquie. Proszę cię... – zaczął.

– O co mnie prosisz? Teraz już sobie idę – odparła, naciskając raz jeszcze i tak już podświetlony guzik przyzywający windę.

– Nie chcesz przecież później tego żałować – rzekł Harvey. – Przecież nie chcesz już dalej żyć tak jak dotąd…

– Przecież nie możesz tak na serio myśleć, że to ty będziesz tym, kto wreszcie odmieni całe moje życie. Do cholery, chyba bym się zabiła, gdybyś ty miał być tym, który w końcu mi pomoże. Rozumiesz?

Winda nareszcie przyjechała i Jacquie weszła do kabiny.

– Musi być przecież jakiś powód tego wszystkiego. Tego, że spotkaliśmy się w takich okolicznościach – rzekł Harvey, wsuwając ramię w drzwi i zatrzymując windę.

– Powodem naszego spotkania jest to, że oboje jesteśmy popaprani, a indiański światek jest mały.

– W takim razie dobrze, nie musisz ze mną jechać. Nie musisz nawet słuchać tego, co mówię. Ale przecież mówiłaś o tym w kręgu. Sama wiesz, czego chcesz. Sama to powiedziałaś. Chcesz do tego wrócić.

– W porządku – odparła Jacquie.

– Czy „w porządku" znaczy, że wrócisz ze mną do Oakland? – spytał Harvey.

– Zastanowię się – odrzekła Jacquie.

Harvey puścił w końcu drzwi windy.

Po powrocie do pokoju Jacquie wyciągnęła się na łóżku. Na twarzy położyła sobie poduszkę. Potem, nawet się nad tym nie zastanawiając, wstała i podeszła do minibarku. Otwarła drzwiczki. W środku było mnóstwo rozmaitych drinków, piw i małych butelek wina. Początkowo ten widok ją uszczęśliwił. Myśl o tym, że może poczuć się dobrze, spokojnie i bezpiecznie oraz doświadczyć tego wszystkiego, czego mogłoby dokonać kilka pierwszych drinków – powiedzmy, sześć – a potem nieodzowny finisz: dwanaście, szesnaście... Nieodzowny, ponieważ sieć oblepia człowieka ze wszystkich stron, kiedy już w nią wpadnie, kiedy tylko zacznie. Jacquie zamknęła lodówkę, a potem wsunęła rękę za jej plecy i wyłączyła ją z prądu. Później wysunęła ją spod telewizora, a następnie, wytężając wszystkie siły, powoli, przechodząc od rogu do rogu, przestawiła pod same drzwi. Butelki w środku podzwaniały przy tym głośno, jakby chciały zaprotestować. Wreszcie wystawiła minibarek na korytarz, po czym wróciła do pokoju i zadzwoniła na recepcję, żeby powiedzieć, aby ktoś przyszedł zabrać sobie to urządzenie. Cała była zlana potem. Niemniej jednak wciąż jeszcze chciała się napić. Było jeszcze dość czasu, zanim ktoś przyjdzie na górę po lodówkę. Musiała coś ze sobą zrobić. W końcu znów włożyła kostium kąpielowy.

Jacquie szerokim łukiem obeszła lodówkę i ruszyła korytarzem w stronę basenu. Nagle zdała sobie sprawę, że zapomniała papierosów, więc odwróciła się i poszła po nie do pokoju. Wychodząc po chwili, uderzyła się golenią o lodówkę.

– Cholera! – zaklęła, spoglądając na nią z góry. – To znowu ty!

Rozejrzała się wokół, sprawdzając, czy ktoś nie nadchodzi, po czym otwarła lodówkę i wyjęła z niej butelkę, a potem jeszcze jedną i kolejne. Sześć flaszek zawinęła w kąpielowy ręcznik. Potem dodała jeszcze cztery. Jadąc windą, musiała obiema rękami trzymać zawiniątko z butelkami.

Poszła na pusty wciąż basen, weszła do wody i pozostała pod powierzchnią aż do bólu w płucach. Za każdym razem, gdy się wynurzała, spoglądała na zawiniątko w ręczniku. Kiedy zbyt długo wstrzymujesz oddech, pojawia się ból. I ulga, kiedy wychodzisz w górę, aby zaczerpnąć tchu. Tak samo jest wtedy, gdy pije się po tym, jak obiecało się samemu sobie, że już nie będzie się tego robić. Obydwa te uczucia w pewnym momencie się kończyły. Obydwa dawały coś i odbierały. Jacquie zanurzyła się ponownie i pływała w tę i z powrotem, nabierając powietrza, kiedy tylko tego potrzebowała. Rozmyślała przy tym o swoich wnukach. O tym zdjęciu, na którym wszyscy trzej byli razem z Opal, i o jej twarzy, jej oczach, które mówiły do Jacquie „Przyjedź po nich".

Jacquie wyszła z basenu i poszła po ręcznik. Zamachnęła się zawiniątkiem i podrzuciła je wysoko w górę. Gdy spadało do wody, patrzyła, jak biały ręcznik wolno spływa w dół i kładzie się płasko na powierzchni. Patrzyła, jak butelki idą na samo dno. Potem odwróciła się, przeszła przez bramkę i wróciła na górę, do swojego pokoju.

Później napisała do Opal wiadomość. Jej tekst brzmiał po prostu: *Czy jak przyjadę do Oakland, będę mogła z wami zostać?*

Orvil Czerwone Pióro

ORVIL STOI PRZED LUSTREM W SYPIALNI OPAL w źle nałożonym stroju indiańskiego tancerza. Na pewno jednak nie chodzi o to, że wdział go tyłem do przodu, i tak naprawdę sam nie wie, co zrobił źle, ale wszystko z niego spada. Próbuje poruszać się przed lustrem i jego pióra zaczynają dygotać. W swoich oczach tam, w zwierciadle, dostrzega wahanie i niepokój. Nagle ogarnia go strach, że Opal może wejść do swojego pokoju, w którym on, Orvil, robi teraz… Właśnie, co on właściwie robi? Zbyt wiele byłoby tutaj do tłumaczenia. Chłopak zaczyna się zastanawiać, jaka byłaby jej reakcja, gdyby go tutaj przyłapała. Odkąd tylko znaleźli się pod jej opieką, Opal była otwarcie i zdecydowanie przeciwna temu, by któryś z nich robił cokolwiek związanego z indiańską tradycją. Traktowała takie sprawy tak, jakby chodziło o coś, o czym będą mogli sami zadecydować, kiedy już będą dostatecznie duzi; tak samo jak o tym, czy będą pić, palić lub głosować. Albo bawić się w Indian.

– To zbyt duże ryzyko – powiedziała im kiedyś Opal. – Zwłaszcza wtedy, kiedy odbywają się zjazdy plemienne. W waszym wieku? Nic z tego.

Orvil nie mógł zrozumieć, co miała na myśli, mówiąc o ryzyku. Strój indiańskiego tancerza znalazł przez przypadek w jej szafie wiele lat temu, myszkując za bożonarodzeniowymi prezentami. Zapytał ją wtedy, czemu nie uczy ich tego, jak być Indianinem.

– Zgodnie z metodami Czejenów pozwalamy wam dowiadywać się pewnych rzeczy samemu, a potem uczymy was, kiedy jesteście już na to gotowi.

– Ale to nie ma sensu – zaprotestował Orvil. – Jeśli wszystkiego dowiemy się sami, nie będzie trzeba nas dalej uczyć. To wszystko przez to, że ciągle tylko pracujesz.

Spostrzegł, że babka odwróciła głowę sponad garnka, w którym coś właśnie mieszała. Szybko wyciągnął sobie krzesło i usiadł.

– Nie zmuszaj mnie, żebym ci to znowu mówiła, Orvil – rzekła Opal. – Jestem już taka zmęczona tym ciągłym powtarzaniem! Sam wiesz, jak dużo pracuję i jak późno wracam do domu. Mam wyznaczony rejon i trasę, a poczta nie przestaje przychodzić, tak jak nie przestają przychodzić rachunki. Rachunki za wasze telefony, Internet i prąd; wydatki na jedzenie. A do tego dochodzi jeszcze czynsz i ubrania, pieniądze na autobusy i pociągi. Posłuchaj, dziecko. Cieszę się, że chcesz się dowiadywać takich rzeczy, ale poznawanie własnego dziedzictwa to przywilej. Przywilej, na jaki nas nie stać. A ponadto nic, co mogłabym powiedzieć ci o twoich przodkach, nie sprawi, że staniesz się w mniejszym czy większym stopniu Indianinem. A przynajmniej prawdziwym Indianinem. I nie pozwól nigdy, aby ktoś mówił ci, co to znaczy być Indianinem. Zbyt wielu spośród nas zginęło, aby choć kilkoro mogło znaleźć się teraz tutaj, w tej naszej kuchni, tak jak ty i ja. Każda cząstka naszego ludu, której się to udało, jest bezcenna. A ty jesteś Indianinem dlatego, że jesteś Indianinem, i tyle – powiedziała Opal, kończąc rozmowę i odwracając się z powrotem w stronę garnka, w którym znów zaczęła coś mieszać.

– Czyli gdybyśmy mieli więcej pieniędzy i gdybyś nie musiała tyle pracować, byłoby inaczej? – spytał Orvil.

– Nie zrozumiałeś ani słowa z tego, co powiedziałam, prawda?

Opal Viola Wiktoria Niedźwiedzia Tarcza. Wielkie, prastare nazwisko dla wielkiej, leciwej damy. Formalnie rzecz biorąc, Opal nie jest ich babcią. Jest nią tylko zgodnie z indiańską tradycją. Tak właśnie powiedziała, kiedy im tłumaczyła, dlaczego nazywa się Niedźwiedzia Tarcza, a oni Czerwone Pióro. Tak naprawdę jest ich cioteczną babką. Ich prawdziwa babcia, Jacquie Czerwone Pióro, mieszka w stanie Nowy Meksyk, a Opal jest jej przyrodnią siostrą. Dorastały jednak razem, wychowywane przez ich wspólną matkę. Mamą chłopców była z kolei Jamie, córka Jacquie. Ale Jamie zawsze ich tylko od siebie odpychała. Nie przestawała brać nawet wtedy, kiedy nosiła ich pod sercem. Wszyscy trzej rozpoczęli więc swe życie na głodzie; dzieci heroiny. Jamie w końcu palnęła sobie między oczy, kiedy Orvil miał sześć lat, a jego młodsi bracia – cztery i dwa. Po śmierci matki Opal formalnie ich adoptowała, ale już wcześniej bardzo często miała ich na głowie. Orvil ma ledwie garść wspomnień związanych z matką. A wszystkie te szczegóły usłyszał kiedyś przypadkiem, gdy babcia późnym wieczorem siedziała w kuchni i rozmawiała przez stacjonarny telefon z przyjaciółką.

– Opowiedz nam coś o niej. – Orvil zwykł prosić, ilekroć tylko miał ku temu okazję, w tych rzadkich chwilach, kiedy Opal była w dobrym humorze i wydawało się, że może zechce mu odpowiedzieć.

– To przez nią wasze imiona mają taką dziwaczną pisownię – oświadczyła Opal pewnego wieczoru przy kolacji, po tym, jak Lony powiedział im, że dzieci w szkole przezywają go „Lony Szalony".

– Nikt nie wymawia mojego imienia jak trzeba – skarżył się chłopiec.

– A mama umiała to robić? – zapytał Orvil.

– Oczywiście, że tak – wtrąciła się Opal. – A któż inny miałby to potrafić? Wasza matka nie była głupia. Znała ortografię i pisownię imion. Chciała tylko, żebyście wszyscy różnili się od innych dzieci. Nie winię jej za to. Nasze imiona powinny wyglądać inaczej.

– Była cholernie głupia – wypalił Loother. – To był gówniany pomysł – dodał, po czym wstał, odepchnął krzesło i wyszedł z pokoju. Zawsze najbardziej narzekał na pisownię swojego imienia, mimo że wszyscy i tak wymawiali je poprawnie. Nikt nigdy nawet nie zauważył, że imię „Orvil" miało być zapisywane „Orville", z tymi dodatkowymi i niewpływającymi na wymowę literami *l* i *e*. Natomiast co do Lony'ego, to tylko i wyłącznie dlatego, że Opal znała ich matkę i słyszała, jak Jamie się do niego zwracała, na świecie istniał dziś ktoś, kto wiedział, że jego imię nie miało brzmieć jak angielskie słowo *pony* – „kucyk".

Orvilowi udaje się w końcu dobrze nałożyć strój i chłopak staje przed pełnowymiarowym lustrem wiszącym na drzwiach szafy Opal. Lustra zawsze stanowiły dla niego problem. Kiedy patrzy na swoje odbicie i myśli o tym, jak wygląda, często jako pierwsze przychodzi mu do głowy słowo „głupkowato". Sam nie wie dlaczego, ale wydaje mu się ono ważne, a w dodatku prawdziwe. Strój indiańskiego tancerza jest szorstki, wyblakły i zdecydowanie na niego za mały. Wcale nie wygląda w nim tak wspaniale, jak sobie wyobrażał. Sam zresztą nie wie, co spodziewał się ujrzeć w zwierciadle. Bycie Indianinem też do niego nie pasowało. A przy tym właściwie wszystko, czego Orvil dowiedział się o byciu Indianinem, pochodziło z Internetu. Swoją wiedzę czerpał z wielogodzinnego oglądania materiałów filmowych ze zjazdów plemiennych oraz filmów dokumentalnych na kanale YouTube, i z czytania wszystkiego, co tylko można było na ten temat znaleźć na stronach takich jak Wikipedia, PowWows.com czy *Indian Country Today*. Wpisywanie w wyszukiwarkę Google fraz takich jak „Co to znaczy być prawdziwym Indianinem" doprowadziło go po kilku kliknięciach do jakichś nieźle popapranych forów, pełnych łatwych i płaskich sądów i opinii, a w końcu do strony Urbandictionary.com i znajdującego się tam słowa, którego nigdy wcześniej nie słyszał: *Pretendian*. Miało ono oznaczać kogoś, kto jedynie udaje potomka rdzennych mieszkańców Ameryki.

Orvil wiedział, że chce tańczyć, odkąd tylko po raz pierwszy ujrzał w telewizji indiańskiego tancerza. Miał wtedy dwanaście lat. Był listopad, więc nietrudno było zobaczyć Indian na ekranie telewizora. Wszyscy domownicy poszli już spać, a on przerzucał kanały, kiedy nagle natrafił na ten program. Tamten człowiek na ekranie, w kompletnym stroju tancerza, poruszał się tak, jakby grawitacja znaczyła dlań coś zupełnie innego. Orvil pomyślał sobie, że w pewien sposób przypomina to breakdance, lecz było dlań zarazem nowe – a przy tym nawet całkiem fajne – choć jednocześnie wydawało się pochodzić z zamierzchłej przeszłości. A przecież tak dużo już go ominęło, tak wielu rzeczy nie dostał od życia! Bardzo wiele też mu nie powiedziano. W tamtej chwili, przed ekranem telewizora, już wiedział. On sam był częścią czegoś wielkiego, czegoś, do czego można było tańczyć.

Zatem Orvil, stojący przed lustrem w za małym na niego i podkradanym Opal stroju indiańskiego tancerza, jest we własnym odczuciu „przebrany za Indianina". Cały w skórze i tasiemkach, wstążkach i piórach, z kościanym napierśnikiem, stoi tak przygarbiony, na miękkich nogach, jak jakaś podróbka albo kopia kogoś innego; jak chłopiec bawiący się w przebieranki. A jednak za tym głupkowatym, szklistym spojrzeniem – tym krytycznym i okrutnym wzrokiem, jakim tak często obrzuca swych braci – czai się coś, co niemalże potrafi dostrzec, i właśnie dlatego spogląda wciąż na swoje odbicie i stoi ciągle przed lustrem. Czeka, aż pojawi się tam coś autentycznego – aż objawi mu się jakaś prawda o nim samym. Ważne, by przy tym ubrał się jak Indianin i tańczył jak Indianin – nawet jeśli jest to tylko gra i nawet jeżeli przez cały czas czuje się z tym jak oszust – ponieważ jedyny sposób na to, by w tym świecie być Indianinem, polega właśnie na tym, aby wyglądać i zachowywać się tak jak Indianin. Właśnie od tego uzależniona jest odpowiedź na pytanie „być albo nie być Indianinem".

Dziś bracia Czerwone Pióro jadą po nowy rower dla Lony'ego. Po drodze zatrzymują się w indiańskim ośrodku kultury. Orvil ma tam dostać dwieście dolarów za opowiedzenie swojej historii w ramach pewnego dokumentalnego projektu, o którym przeczytał na Facebooku.

Loother i Lony siedzą w holu, podczas gdy Orvil wchodzi do jednego z pomieszczeń z facetem, który przedstawił się jako Dene Oxendene. Dene sadza Orvila przed obiektywem. Sam zasiada za kamerą, zakłada nogę na nogę i nachyla się w stronę swojego gościa.

– Czy możesz mi podać swoje nazwisko, wiek i pochodzenie? – pyta Dene.

– Jasne. Jestem Orvil Czerwone Pióro. Mam czternaście lat i pochodzę z Oakland.

– A co z twoim plemieniem? Wiesz, z jakiego plemienia się wywodzisz?

– Z plemienia Czejenów. Ze strony matki.

– A skąd się dowiedziałeś o tym projekcie?

– Z Facebooka. Było tam powiedziane, że można zarobić dwieście dolców. To prawda?

– Prawda. A ja jestem tutaj po to, by gromadzić opowieści, żeby potem udostępniać je w trybie online ludziom z naszej i podobnych społeczności, aby mogli ich sobie słuchać i oglądać nagrania. Kiedy człowiek słucha opowieści ludzi takich jak ty, nie czuje się już tak bardzo osamotniony. A kiedy człowiek nie czuje się już tak bardzo osamotniony i ma poczucie, jakby miał za sobą, czy też obok siebie, całą ludzką wspólnotę, to wierzę, że jest w stanie wieść lepsze życie. Czy, twoim zdaniem, to, co mówię, ma sens?

– Pewnie.

– A co znaczy dla ciebie to słowo, które ciągle powtarzam – słowo „opowieść"?

– Sam nie wiem – odpowiada Orvil. Nawet o tym nie myśląc, zakłada przy tym nogę na nogę tak jak Dene.

– Spróbuj odpowiedzieć na to pytanie.

– To po prostu opowiadanie innym ludziom czegoś, co ci się przytrafiło.

– Dobrze, w gruncie rzeczy o to właśnie chodzi. Zatem opowiedz mi teraz coś, co przytrafiło się tobie.

– Na przykład co?

– To już zależy od ciebie. I pamiętaj, że jest dokładnie tak, jak powiedziałeś: wcale nie musi to być nic nadzwyczajnego. Opowiedz mi o czymś, co ci się przydarzyło i utkwiło ci w pamięci; o czymś, co od razu dało ci do myślenia.

– To opowiem o mnie i moich braciach. O tym, jak trafiliśmy do naszej babci, z którą teraz mieszkamy. To się stało po tym, jak pierwszy raz myśleliśmy, że nasza mama przedawkowała.

– Mógłbyś opowiedzieć nieco więcej o tamtym dniu?

– Bardzo mało pamiętam z czasów, kiedy byłem młodszy, ale tamten dzień zapamiętałem bardzo dokładnie. Była to sobota, więc ja i moi bracia przez całe rano oglądaliśmy kreskówki. Potem poszedłem do kuchni, żeby zrobić nam kanapki, i znalazłem tam mamę leżącą na brzuchu, twarzą do ziemi. Z jej rozkwaszonego nosa lała się krew, a ja wiedziałem, że jest z nią źle, bo ręce miała złożone na brzuchu, jakby na nie upadła, co znaczyło, że po prostu odleciała, chodząc po kuchni. Najpierw wysłałem moich młodszych braci na podwórko przed domem. Mieszkaliśmy wtedy przy przecznicy Trzydziestej Ósmej, w niewielkim, niebieskim domku z takim maleńkim trawiastym ogródkiem z furtką i byliśmy wciąż na tyle młodzi i mali, że ciągle jeszcze lubiliśmy się w tym ogródku bawić. Potem wyjąłem lusterko do makijażu mamy i podłożyłem jej pod nos. Widziałem to w jakimś programie i kiedy zobaczyłem, że ledwie co zaparowało, zadzwoniłem po pogotowie. A gdy już przyjechało, to razem z nim zjawiły się dwa radiowozy i pracownik opieki społecznej zajmujący się sprawami dzieci, bo powiedziałem dyspozytorowi, że w domu oprócz mamy jestem tylko ja i moi bracia. Ten gość z opieki społecznej to był pewien stary Indianin, którego już nigdy więcej nie widziałem. Wtedy też po raz pierwszy usłyszałem, że jesteśmy Indianami. Wystarczyło mu, że na nas popatrzył i od razu wiedział. Kiedy naszą mamę wynosili z domu na noszach, ten pracownik opieki społecznej pokazywał moim młodszym braciom w ogródku magiczną sztuczkę z pudełkiem zapałek, albo zapalał po prostu kolejne zapałki, a im się wydawało, że to magia; zresztą, sam już nie wiem. Ale to on sprawił, że zadzwonili do naszej babci i to dzięki niemu zostaliśmy przez nią adoptowani. Zabrał nas do swojego biura i wypytywał o naszą rodzinę i bliskich. Po jego telefonie do babci Opal pojechaliśmy do szpitala i tam się z nią spotkaliśmy.

– A co było potem?

– Potem pojechaliśmy do niej do domu.

– Pojechaliście z babcią do jej domu?

– No tak.

– A wasza mama?

– Zanim dotarliśmy na miejsce, zdążyła już wyjść ze szpitala. Okazało się, że straciła tylko przytomność w wyniku upadku. Wcale nie przedawkowała.

– Dziękuję ci, to była bardzo ciekawa historia. To znaczy, bardzo nieciekawa, ale dziękuję ci, że ją opowiedziałeś.

– Dostanę teraz te dwieście dolarów?

Orvil i jego bracia opuszczają indiański ośrodek kultury i kierują się prosto do sklepu sieci Target w zachodniej dzielnicy Oakland po rower dla Lony'ego. Lony jedzie na pegach tylnego koła roweru Loothera. Chociaż smutno mu było przypominać sobie całą tę historię, Orvil czuje się dobrze z tym, że ją opowiedział. A jeszcze lepiej czuje się z kartą podarunkową o wartości dwustu dolarów, którą ma w tylnej kieszeni spodni. Wprost nie potrafi powstrzymać uśmiechu. Tylko ta jego cholerna noga! To dziwne zgrubienie, które ma na nodze, odkąd tylko pamięta, strasznie go ostatnio swędzi. A on wciąż nie może przestać go drapać.

– Jakaś gówniana akcja przytrafiła mi się właśnie w kiblu – mówi Orvil Lootherowi, wychodząc ze sklepu sieci Target.

– A gdzie miała ci się przytrafić? – odpowiada na to Loother.

– Zamknij się, do cholery! Mówię poważnie!

– A co, nie zdążyłeś na czas? – szydzi Loother.

– Siedziałem sobie w kabinie i drapałem ten swój guz. Pamiętasz to zgrubienie, które mam na nodze? Poczułem, że coś z niego wystaje, więc trochę za to jakby pociągnąłem, wyjąłem takie jedno, położyłem na kawałku papieru toaletowego, a potem pociągnąłem jeszcze raz i wyjąłem następne, a później jeszcze jedno. Jestem prawie pewien, że to pajęcze odnóża – mówi Orvil.

– Phi! Akurat, pajęcze odnóża! – stwierdza Loother i zaczyna się śmiać, na co Orvil pokazuje mu całkiem schludny stosik złożonych listków papieru toaletowego.

– Pokaż, niech na to spojrzę – mówi Loother.

Orvil rozchyla listki papieru i pokazuje bratu ich zawartość.

– Co to ma być, do cholery?! – mówi zdumiony Loother.

– Właśnie wyjąłem to sobie z nogi – powtarza Orvil.

– Jesteś pewien, że to nie jakieś te, no, drzazgi?

– Nie. Zobacz, gdzie taka noga się zgina. Widać tam staw i małe zgrubienie. Tak samo przy końcu, tam, gdzie noga robi się chudsza; spójrz.

– Odjechane – stwierdza Loother. – Ale co z pozostałymi pięcioma? Znaczy, jeśli to są nogi pająka, to powinno ich być osiem, no nie?

Nim Orvil jest w stanie cokolwiek odpowiedzieć albo schować te pajęcze odnóża, Loother ma już w ręku telefon.

– Sprawdzasz to w necie? – pyta Orvil.

Loother jednak nie odpowiada, tylko dalej lekko stuka w wyświetlacz, przewija i czeka.

– Znalazłeś coś? – dopytuje się Orvil.

– Nic, ani słowa – odpowiada Loother.

Kiedy Lony wychodzi ze sklepu z rowerem, Orvil i Loother przyglądają się nowemu zakupowi i kiwają głowami z aprobatą. Lony uśmiecha się, widząc ich reakcję.

– Jedziemy – mówi Orvil, zakładając słuchawki. Ogląda się za siebie i widzi, jak jego bracia robią to samo. Chłopcy ruszają z powrotem w kierunku Wood Street. Gdy mijają neon sklepu sieci Target, Orvilowi przypomina się, jak w zeszłym roku wszyscy trzej w ten sam dzień dostali tam telefony w charakterze wczesnego prezentu bożonarodzeniowego: najtańsze aparaty, jakie tylko były w sklepie, ale przynajmniej nie były to telefony z klapką. Okazały się zresztą całkiem fajne. Potrafią robić wszystko, co potrzeba: pozwalają im wykonywać połączenia, wysyłać wiadomości tekstowe, odtwarzać muzykę i logować się do Internetu.

Bracia jadą jeden za drugim i słuchają dźwięków wydobywających się z ich telefonów. Orvil słucha głównie muzyki ze zjazdów plemiennych. Ten wielki, donośny bęben ma w sobie niesamowitą energię, a w emocjonalnym natężeniu śpiewu jest coś w rodzaju natarczywości, która wydaje się typowo indiańska. Chłopak lubi też tę moc, jaką ma w sobie chór ludzkich głosów, te wysokie i zawodzące harmonie. Podoba mu się również i to, że nie sposób stwierdzić, ilu właściwie jest wykonawców, gdyż czasami ich śpiew brzmi tak, jakby było ich dziesięciu, a czasami, jakby było stu. Pewnego razu, kiedy słuchając takiej muzyki, tańczył z zamkniętymi oczami w pokoju Opal, przydarzyło mu się coś niezwykłego: poczuł się tak, jakby wszyscy jego przodkowie, którzy przyczynili się do tego, że mógł teraz tutaj tańczyć i wsłuchiwać się w te dźwięki, zaśpiewali mu prosto do ucha poprzez wszystkie te trudne lata, jakie udało im się przetrwać. Ale wtedy też jego bracia po raz pierwszy ujrzeli go tańczącego w tym stroju: weszli do pokoju i nakryli go w samym środku tańca. Uznali, że to bardzo zabawny widok, i potem śmiali się i śmiali bez końca, ale przynajmniej obiecali nic nie mówić Opal.

Jeśli chodzi o Loothera, to – nie licząc własnej muzyki – słucha wyłącznie trzech raperów: Chance'a the Rappera, Eminema i Earla Sweatshirta. Loother pisze teksty i nagrywa swoje własne kawałki do instrumentalnych kompozycji, które wynajduje na kanale YouTube. Potem każe Orvilowi i Lony'emu ich słuchać i przytakiwać sobie, kiedy mówi, że jest w tym dobry. Natomiast co do Lony'ego, to dopiero niedawno odkryli, jaka muzyka go kręci.

– Słyszysz to? – zapytał Loother pewnego wieczoru w ich pokoju.

– Tak. Coś jakby jakiś chór albo zespół wokalny, nie? – odparł Orvil.

– No, jakby aniołowie albo co – rzekł Loother.

– Aniołowie? – zdziwił się Orvil.

– No tak; tak przynajmniej ludzie wyobrażają sobie ich śpiew.

– Jacy ludzie?

– No, na przykład w filmach i takich tam – wyjaśnił Loother. – Ciszej bądź! Dalej idzie ten sam kawałek. Posłuchaj.

Przez kolejnych kilka minut siedzieli i nasłuchiwali odległych dźwięków symfonii i chóru wydobywającego się z dwuipółcentymetrowych głośników, przytłumionych jeszcze przez to, że słuchawki znajdowały się przecież w uszach Lony'ego. Gotowi byli uwierzyć, że to każdy rodzaj muzyki, byle tylko nie anielskie śpiewy, takie, jak wyobrażają je sobie ludzie w filmach. Orvil pierwszy zrozumiał, co to właściwie były za dźwięki, i zaczął już wołać Lony'ego po imieniu, ale wtedy Loother wstał, przytknął palec do ust, a potem podszedł do łóżka najmłodszego z braci i delikatnie zdjął mu słuchawki. Następnie przyłożył sobie jedną z nich do ucha i się uśmiechnął. Później zerknął na telefon Lony'ego, roześmiał się jeszcze szerzej i pokazał aparat Orvilowi.

– Słuchasz Beethovena? – spytał z niedowierzaniem Orvil.

Jadą wzdłuż Czternastej Alei w kierunku centrum. Ta trasa wiedzie ich przez śródmieście do Dwunastej Wschodniej, którą kierują się do Fruitvale. Nie ma tu osobnego pasa dla rowerów, ale jezdnia na Dwunastej Wschodniej jest tak szeroka, że chociaż samochody, starając się ich mijać w bezpiecznej odległości, robią lekki łuk, a potem przyspieszają, lepiej jechać tędy, niż pedałować obejmującym rynienkę ściekową pasem dla rowerów na International Boulevard.

Kiedy docierają w końcu do Fruitvale i International Boulevard, zatrzymują się na parkingu restauracji sieci Wendy's. Orvil i Loother zdejmują słuchawki.

– Chłopaki, mówicie serio? Orvil naprawdę ma w nodze pajęcze odnóża? O co tu, kurwa, chodzi? – pyta Lony.

Orvil i Loother spoglądają na siebie i wybuchają głośnym śmiechem. Lony prawie wcale nie przeklina, więc kiedy już to robi, brzmi to zawsze z jednej strony strasznie poważnie, a z drugiej – niezwykle zabawnie.

– No, mówcie, o co chodzi – dopomina się Lony.

– To prawda, Lony – potwierdza Orvil.

– Ale co to oznacza, jeśli to prawda? – dopytuje się Lony.

– Nie wiemy – odpowiada Orvil.

– Zadzwońcie do babci – proponuje Lony.

– I co jej powiemy? – pyta Loother.

– Prawdę – odpowiada Lony.

– Zrobi z tego wielkie halo – mówi Orvil.

– A co wam powiedział Internet? – pyta Lony.

Loother kręci tylko głową.

– Zdaje się, że to coś typowo indiańskiego – mówi Orvil.

– Co?! – wykrzykuje zdumiony Loother.

– No, te pająki i takie tam – wyjaśnia Orvil.

– Na pewno to coś indiańskiego – przytakuje Lony.

– Może powinieneś jednak zadzwonić – sugeruje Orvilowi Loother.

– Pieprzyć to! – Orvil na to. – Przecież jutro jest ten zjazd plemienny.

– A co to ma z tym wspólnego? – pyta Loother.

– Masz rację – przytakuje Orvil. – Przecież ona nawet nie wie, że się tam wybieramy.

Kiedy Opal nie odbiera, Orvil zostawia jej wiadomość. Mówi, że kupili rower Lony'emu, a potem wspomina coś o tych pajęczych odnóżach. Nagrywając się, widzi, jak Loother i Lony przyglądają im się razem uważnie. Szturchają je i ruszają listkami papieru tak, aby odnóża się wyginały. Orvil czuje nagle puls w żołądku i ma poczucie, jakby coś się z niego wydobywało. Kończąc nagrywać wiadomość, zabiera im te pajęcze nogi, składa listek papieru i wsadza go do kieszeni.

W dzień zjazdu plemiennego Orvil budzi się rozpalony. Przykrywa sobie twarz chłodną stroną poduszki. Myśli o nadchodzącej imprezie, po czym podnosi poduszkę i odwraca głowę, nasłuchując dźwięków, które zdają się dochodzić gdzieś z kuchni. Chce, aby przed wyjściem jego bracia spędzili z Opal jak najmniej czasu. Budzi ich teraz, waląc w nich poduszką. Obaj tylko coś jęczą i przewracają się na drugi bok, więc musi poprawić.

– Musimy wyjść z domu tak, żebyśmy nie byli zmuszeni z nią rozmawiać. Pewnie zrobiła nam śniadanie. Powiemy jej, że nie jesteśmy głodni.

– Ale ja jestem głodny – protestuje Lony.

– Nie chcemy posłuchać, co myśli o tych pajęczych odnóżach? – pyta Loother.

– Nie, nie chcemy – ucina Orvil. – Nie teraz.

– Naprawdę wydaje mi się, że nie będzie jej w ogóle obchodziło, że idziemy na ten zjazd plemienny – mówi Loother.

– Może – mówi Orvil. – Ale co zrobimy, jak będzie miała coś przeciwko temu?

Orvil i jego bracia jadą gęsiego chodnikiem wzdłuż bulwaru San Leandro. Na stacji szybkiej kolejki przy stadionie schodzą z rowerów i zarzucają je sobie na ramiona, po czym wspinają się po schodach i przejeżdżają przez kładkę dla pieszych, wiodącą na stadion. Tutaj wyraźnie zwalniają. Orvil spogląda przez siatkę ogrodzenia i widzi, jak poranna mgła unosi się z wolna, odsłaniając błękit nieba.

Orvil prowadzi swych braci zgodnie z ruchem wskazówek zegara wokół zewnętrznego skraju parkingu. Unosi się z siodełka i zaczyna mocno naciskać na pedały, a potem zdejmuje swoją czarną czapeczkę i wpycha ją do przedniej kieszeni bluzy z kapturem. Rozpędziwszy się nieco, przestaje pedałować, puszcza kierownicę i łapie się za włosy. Strasznie mu ostatnio urosły i sięgają już do połowy pleców. Upina je z tyłu ozdobioną paciorkami spinką do włosów, którą znalazł kiedyś obok stroju tancerza w szafie babci.

Powstały w ten sposób kucyk przeciąga przez półkolisty otwór z tyłu czapeczki, zamykany na sześć ułożonych w rządek małych, czarnych, plastikowych guziczków. Lubi towarzyszący ich zatrzaskiwaniu dźwięk i to uczucie tryumfu, kiedy uda mu się dokładnie trafić wszystkimi sześcioma naraz. Znowu nabiera prędkości, po czym zaczyna zjeżdżać w dół i ogląda się za siebie. Lony wlecze się z tyłu, choć pedałuje tak mocno, że ze zmęczenia aż wystawia język. Loother robi telefonem zdjęcia stadionu. Sam stadion wydaje się ogromny. Większy, niż kiedy ogląda się go z okien szybkiej kolejki albo mija samochodem, przejeżdżając pobliską autostradą. Orvil będzie tańczył na tym samym boisku, na którym grają Athletics i Raiders. Będzie rywalizował w konkursie dla tancerzy. Wykona taniec, którego nauczył się, oglądając relacje ze zjazdów plemiennych na kanale YouTube. To pierwsza tego rodzaju impreza w jego życiu.

– Możemy się zatrzymać? – pyta Lony, z trudem łapiąc oddech.

Zatrzymują się więc w połowie drogi wokół parkingu.

– Muszę was, chłopaki, o coś zapytać – mówi Lony.

– No to pytaj, ziom – Loother na to.

– Zamknij się, Loother. O co chodzi, Lony? – dopytuje się Orvil, spoglądając przy tym na Loothera.

– Już dawno chciałem was o to spytać – zaczyna Lony. – Co to właściwie jest ten zjazd plemienny?

Loother wybucha śmiechem, zdejmuje czapeczkę i z uciechy aż uderza nią o ramę roweru.

– Lony, widzieliśmy mnóstwo takich imprez, więc o co ci teraz chodzi z tym pytaniem? – mówi zdumiony Orvil.

– No tak, ale ja nigdy nikogo o to nie pytałem – wyjaśnia Lony. – Nie bardzo wiedziałem, co takiego właściwie oglądamy – dodaje, pociągając przy tym za daszek swej czarno-żółtej czapeczki Oakland Athletics i opuszczając głowę.

Orvil podnosi wzrok na dźwięk przelatującego właśnie nad nimi samolotu.

– To znaczy, chodzi mi o to, dlaczego wszyscy się przebierają, tańczą i śpiewają po indiańsku... – kontynuuje Lony.

– Lony... – Loother mówi to dokładnie w taki sposób, w jaki starszy brat potrafi człowiekowi dowalić, wypowiadając jedynie jego imię.

– Nieważne – daje za wygraną Lony.

– Nieprawda – oponuje Orvil.

– Za każdym razem, kiedy zadam wam jakieś pytanie, zachowujecie się tak, że jest mi potem głupio, że w ogóle o coś pytałem – stwierdza Lony.

– No tak, Lony, ale ty zadajesz strasznie dużo głupich pytań – usprawiedliwia się Loother. – Czasami człowiek aż naprawdę nie wie, co powiedzieć.

– To wtedy mów mi po prostu, że nie wiesz, co powiedzieć – stwierdza Lony, mocno ściskając przy tym ręczny hamulec. Głośno przełyka ślinę, patrząc, jak jego ręka zaciska się na hamulcu, a potem pochyla się nieco, aby przyjrzeć się temu, jak szczęki zaciskają się na przednim kole.

– Chodzi po prostu o dawne zwyczaje, Lony. O to, żeby tańczyć i śpiewać po indiańsku. Musimy kontynuować te tradycje – wyjaśnia Orvil.

– Dlaczego? – dopytuje się Lony.

– Bo inaczej mogą zniknąć – tłumaczy Orvil.

– Jak to zniknąć? To co się z nimi stanie?

– Miałem na myśli to, że ludzie o nich zapomną.

– Dlaczego nie możemy po prostu wymyślić sobie własnych zwyczajów? – pyta Lony.

Orvil przykłada dłoń do czoła w ten sam sposób, w jaki robi to ich babcia, kiedy jest sfrustrowana.

– Lony, lubisz smak indiańskich *tacos*, prawda? – pyta po chwili.

– Lubię – odpowiada najmłodszy z braci.

– A może wolałbyś przyrządzić jakąś potrawę tak całkiem po swojemu, a potem ją sobie zjeść? – pyta Orvil.

– To brzmi w sumie całkiem zabawnie – odpowiada Lony, patrząc wciąż w ziemię, lecz uśmiechając się już przy tym nieśmiało. Ten widok sprawia, że Orvil wybucha śmiechem, poprzez który rzuca tylko jedno słowo: „głupek!".

Loother także się śmieje, ale patrzy już na ekran swojego telefonu.

Wsiadają z powrotem na rowery, po czym podnoszą wzrok i widzą, jak na parking wjeżdża nagle cały sznur aut, z których wysypują się setki ludzi. Chłopcy zastygają w bezruchu. Orvil zsiada nawet z roweru. Ci ludzie to Indianie. Wysiadają właśnie ze swych samochodów. Niektórzy są już w kompletnych strojach tancerzy. To prawdziwi Indianie, jakich bracia nigdy dotąd nie widzieli, jeśli nie liczyć ich babci, którą prawdopodobnie należałoby wziąć pod uwagę, tylko że chłopcy sami nie potrafiliby chyba powiedzieć, co takiego właściwie sprawiało, że uważali ją za Indiankę. Poza ich matką, o której niełatwo jest im myśleć czy też ją wspominać, Opal jest jedyną osobą indiańskiej krwi, jaką znają. Opal pracuje na poczcie i dostarcza przesyłki. Kiedy jest w domu, lubi oglądać telewizję. Lubi też im gotować. Tak naprawdę niewiele więcej o niej wiedzą. A jednak przy szczególnych okazjach przyrządza im przecież indiański smażony chleb.

Orvil podciąga nylonowe szelki plecaka, aby lepiej go dopasować, i puszcza kierownicę. Pozwala przy tym przedniemu kołu nieco się chybotać, ale utrzymuje równowagę, odchylając się na siodełku. W plecaku ma strój tancerza, który ledwie jest w stanie założyć; czarną bluzę z kapturem w rozmiarze XXL (specjalnie kupił sobie za dużą) oraz trzy zgniecione już teraz kanapki z masłem orzechowym i dżemem w foliowych woreczkach strunowych. Orvil ma nadzieję, że nie będą musieli ich jeść, ale wie, że może jednak być inaczej, jeśli indiańskie *tacos* okażą się dla nich za drogie: jeśli ceny przekąsek będą mniej więcej na tym samym poziomie, co na meczach Oakland Athletics w te wieczory, kiedy nie wszystko można dostać za dolara. O indiańskich *tacos* słyszeli wcześniej tylko dlatego, że babcia robiła im je na urodziny. Była to jedna z niewielu indiańskich potraw, jakie przyrządzała. Zawsze zresztą było więcej niż pewne, że przypomni im przy tym, że nie jest to tradycyjne indiańskie danie, a jedynie konsekwencja niedostatku środków i chęci poprawienia sobie humoru jedzeniem, które kojarzy się człowiekowi z dzieciństwem.

Na pewno będzie ich stać chociaż na jedno indiańskie *taco* dla każdego, bo wcześniej podjechali na rowerach do fontanny za świątynią mormonów. Loother był tam niedawno w czasie szkolnej wycieczki do parku Joaquina Millera i powiedział, że ludzie wrzucają do wody drobne monety, wierząc, że spełnią się ich życzenia. Starsi bracia kazali więc Lony'emu podwinąć nogawki spodni i pozbierać wszystkie drobniaki, jakie tylko zdoła dostrzec, podczas gdy sami rzucali kamieniami w budynek gminny stojący u szczytu schodów powyżej fontanny, oddając się rozrywce, która – czego wówczas jeszcze nie rozumieli – mogła okazać się nawet bardziej ryzykowna niż samo ogałacanie fontanny z drobnych. Gdy już skończyli, zjechali w dół Lincoln Avenue. Była to jedna z najlepszych i najgłupszych zarazem rzeczy, jakie kiedykolwiek razem zrobili. Człowiek mógł się tam tak rozpędzić, że na całym świecie nie liczyło się już nic innego, tylko uczucie przenikającego przez niego pędu i wiatr wiejący mu prosto w oczy. Potem wybrali się jeszcze do galerii handlowej Bayfair Center w San Leandro i wyłowili z tamtejszej fontanny, co tylko się dało, zanim przepędził ich w końcu pracownik ochrony. Pojechali wtedy autobusem na wzgórza Berkeley, do Centrum Nauki im. Lawrence'a, gdzie była dwupoziomowa fontanna. Wiedzieli, że będzie właściwie nietknięta, ponieważ miejsce to odwiedzali jedynie bogacze albo wycieczki dzieci szkolnych pod opieką dorosłych. Kiedy pozbierali wszystkie drobniaki i zanieśli je do banku, wyszli z łączną kwotą 14 dolarów i 91 centów.

Zbliżając się do wejścia na stadion, Orvil ogląda się za siebie i pyta Loothera, czy zabrał zapięcie do roweru.

– Przecież to ty je zawsze zabierasz – mówi Loother.

– Kazałem ci je wziąć, zanim wyszliśmy z domu. Powiedziałem wyraźnie: „Loother, czy możesz wziąć zapięcie, bo nie chcę, żeby mi pogniotło strój tancerza". Serio go nie zabrałeś? Cholera! Co my teraz zrobimy? Pytałem cię przed samym wyjściem z domu i powiedziałeś, że tak, że zabrałeś. Tak powiedziałeś, Loother: „Tak, zabrałem".

– Musiałem mieć coś innego na myśli – tłumaczy się Loother.

Orvil rzuca tylko „okej" i daje braciom znak, by podążyli za nim. Chłopcy chowają rowery w krzakach na tyłach stadionu.

– Babcia nas zabije, jak nam je ukradną – stwierdza Lony.

– Trudno, nie możemy tam teraz nie pójść – mówi Orvil. – No dobra, wchodzimy.

Interludium

Co za dziwa człowiek znajduje w wielkim mieście,
jeśli umie przechadzać się i patrzeć! Życie roi się
od niewinnych potworów.*

– Charles Baudelaire

Zjazdy plemienne

NA ZJAZDY PLEMIENNE PRZYBYWAMY Z CAŁEGO KRAJU. Z rezerwatów i miast, z rancherii, fortów, puebli, lagun i z położonych poza rezerwatami ziem federalnych o statusie powierniczym. Przybywamy z miasteczek leżących po obu stronach autostrady w północnej Newadzie i noszących nazwy w rodzaju Winnemucca. Niektórzy z nas przybywają aż z Oklahomy, Dakoty Południowej, Arizony, Nowego Meksyku, Montany czy Minnesoty; z miast takich jak Phoenix, Albuquerque, Los Angeles, Nowy Jork; z rezerwatów Pine Ridge, Fort Apache, znad Gila River i Pit River, z rezerwatów Osagów, Saliszów i Nawahów; z rezerwatów Rosebud, Red Lake, San Carlos oraz Turtle Mountain. Na zjazdy plemienne przyjeżdżamy sami

* Ch. Baudelaire, *Panna Skalpel*, w: *Paryski spleen. Poematy prozą.*

albo parami własnymi samochodami, pokonując za kółkiem długie trasy; zjeżdżamy się całymi rodzinami, z przyczepami kempingowymi, stłoczeni w samochodach kombi, furgonetkach i na tylnych siedzeniach fordów bronco. Niektórzy z nas wypalają przy tym dwie paczki papierosów dziennie, jeśli prowadzą, lub bez przerwy piją piwo, żeby mieć jakieś zajęcie. Inni natomiast – ci, którzy porzucili ten męczący tryb życia i wkroczyli na długą, czerwoną ścieżkę trzeźwości – piją kawę, śpiewają, modlą się i opowiadają sobie różne historie, dopóki nie wyczerpie im się ich zasób. Kłamiemy przy tym, oszukujemy, podkradamy sobie nawzajem te opowieści, które uchodzą z nas później wraz z potem i krwią w czasie męczącej podróży autostradą, aż wreszcie jej długa, biała wstęga przynosi nam ukojenie i zmusza nas, abyśmy zjechali z drogi, by zażyć nieco snu. Kiedy czujemy się zmęczeni, zatrzymujemy się w motelach i hotelach albo śpimy w naszych samochodach na poboczach, w miejscach odpoczynku dla podróżnych i na parkingach dla ciężarówek albo przed sklepami sieci Walmart. Są wśród nas ludzie bardzo starzy i bardzo młodzi oraz Indianie w każdym możliwym pośrednim przedziale wiekowym.

Organizowaliśmy zjazdy plemienne, ponieważ potrzebowaliśmy miejsca, gdzie mogliśmy być razem. Potrzebowaliśmy czegoś o międzyplemiennym charakterze i wywodzącego się z dawnej tradycji, co zarazem pozwoliłoby nam zarabiać pieniądze; czegoś, z myślą o czym moglibyśmy pracować. Potrzebowaliśmy miejsca, gdzie moglibyśmy eksponować nasze ozdoby, śpiewać nasze pieśni i tańczyć w rytm wielkiego bębna. Nadal organizujemy takie zjazdy, ponieważ wciąż wcale nie tak wiele jest miejsc, gdzie wszyscy mamy szansę pobyć razem; gdzie możemy się widywać i słuchać siebie nawzajem.

Wszyscy przybyliśmy na wielki zjazd plemienny w Oakland z różnych powodów. Poplątane i porwane nici naszych żywotów zostały tam wplecione w warkocz i wpięte do czegoś, co stanowiło odwrotność wszystkiego, co przez cały ten czas robiliśmy, aby się tutaj znaleźć. A przybywaliśmy z bardzo daleka. Przybywaliśmy tu poprzez wszystkie te trudne lata, żywoty i pokolenia, otuleni modlitwą i odziani w warstwy ręcznie tkanych tradycyjnych strojów tancerzy, zszytych i obwieszonych paciorkami; w pióropuszach, z włosami splecionymi w warkocze, błogosławieni i przeklęci.

Wielki zjazd plemienny w Oakland

Jest jedna rzecz, która sprawia, że wiele spośród naszych samochodów, stojących na parkingu przy stadionie w Oakland, na którym gromadzimy się na tamtejszy wielki zjazd plemienny, wygląda tak samo. Otóż ich zderzaki i tylne szyby pokryte są indiańskimi naklejkami z hasłami w rodzaju „Wciąż tu jesteśmy", „Moim drugim pojazdem jest wojenny rumak", „Jasne, że można zaufać rządowi. Zapytaj Indianina", „Custer sobie na to zasłużył", „Nie dziedziczymy ziemi po przodkach, tylko pożyczamy ją od naszych dzieci", „W walce z terroryzmem od 1492 roku" oraz „Moja córka nie trafiła na listę odznaczonych, ale na pewno umie zaśpiewać pieśń na cześć poległych". Są na nich również proekologiczne naklejki wzorowane na pracach Schima Schimmela, nalepki ludu Nawahów czy Irokezów i proporce ruchu kontestacyjnego Idle No More oraz Ruchu Indian Amerykańskich, przymocowane do anten taśmą klejącą. W środku zaś ze wstecznych lusterek zwisają łapacze snów i maleńkie mokasyny, pióra i rozmaite przyozdobione paciorkami drobiazgi.

Jesteśmy Indianami i rdzennymi Amerykanami, amerykańskimi Indianami i rdzennymi Indianami amerykańskimi, Indianami północnoamerykańskimi, tubylcami, dzikusami, Indiańcami oraz Indianami figurującymi w federalnym rejestrze bądź nie; przedstawicielami Narodów Pierwotnych lub Indianami tak dalece indiańskimi, że albo nie ma dnia, żebyśmy o tym nie myśleli, albo w ogóle się nad tym nie zastanawiamy. Jesteśmy miejskimi Indianami i Indianami tubylczymi, Indianami z rezerwatu, Indianami z Meksyku oraz z Ameryki Środkowej i Południowej. Jesteśmy rdzennymi Indianami alaskańskimi i rdzennymi Hawajczykami oraz potomkami indiańskich emigrantów do Europy, Indianami z ośmiu różnych plemion z wymogiem czwartej części indiańskiej krwi, czyli tego rodzaju Indianami, których władze federalne nie uznają za Indian. Jesteśmy zarejestrowanymi członkami plemion i wyrejestrowanymi członkami plemion, Indianami niekwalifikującymi się do oficjalnej przynależności plemiennej i członkami rad plemiennych. Jesteśmy Indianami czystej krwi, pół krwi, ćwierć krwi; Indianami w jednej ósmej, jednej szesnastej, a nawet jednej trzydziestej drugiej. Mamy śladowe ilości indiańskiej krwi, których nie sposób się doliczyć.

Krew

Kiedy krew wydostaje się z człowieka, jest kłopotliwa i wszystko brudzi. W jego wnętrzu natomiast płynie sobie całkiem schludnie, a nawet wydaje się błękitna w tych znaczących nasze ciała kanalikach, które rozdzielają się i rozgałęziają niczym wielkie systemy rzeczne globu. Krew w dziewięćdziesięciu procentach składa się z wody i tak jak ona musi być w nieustannym ruchu. Musi ciągle krążyć i nie może nigdzie się zabłąkać, rozszczepić, skrzepnąć ani się podzielić, tracąc w ten sposób jakąś znaczącą ilość samej siebie, podczas gdy rozprowadzana jest równomiernie po całym naszym ciele. A jednak jest kłopotliwa, gdy wydostaje się na zewnątrz. Zasycha wówczas, ulega podziałowi i pęka na powietrzu.

Pojęcie ilości rdzennej krwi wprowadzone zostało w kolonii Wirginii w roku 1705. Jeśli ktoś był przynajmniej w połowie potomkiem rdzennych Amerykanów, nie miał takich samych praw, co biali. Od tego czasu kwestie ilości krwi i przynależności plemiennej pozostawiono do rozstrzygnięcia poszczególnym plemionom.

Pod koniec lat dziewięćdziesiątych ubiegłego wieku Saddam Husajn zamówił sobie egzemplarz Koranu, który miał być napisany jego własną krwią. Obecnie muzułmańscy przywódcy nie bardzo wiedzą, co począć z tą księgą. Napisanie Koranu własną krwią było, rzecz jasna, grzechem, ale grzechem byłoby teraz również zniszczenie świętej księgi islamu.

Rana, jaką nam zadano, kiedy pojawili się tutaj biali ludzie i odebrali nam wszystko to, co nam odebrali, nigdy się nie zagoiła. W taką nieleczoną ranę zwykle wdaje się zakażenie.

Staje się ona raną nowego rodzaju, tak jak historia tego, co naprawdę się wydarzyło, stała się nowego rodzaju historią. Wszystkie te historie, których przez cały ten czas nie opowiadaliśmy, których nie słuchaliśmy, są jedynie częścią tego, co musi się w nas zabliźnić. Nie znaczy to bynajmniej, że jesteśmy kompletnie załamani. Lecz nie popełniajcie także i tego błędu i nie mówcie, że jesteśmy żywotni. To, że nie zostaliśmy unicestwieni, że nie daliśmy za wygraną i przetrwaliśmy, wcale nie przynosi nam chwały. Czyż powiedzielibyście o cudem ocalałej niedoszłej ofierze zamachu, że jest żywotna?

Kiedy zaczynamy opowiadać swoje historie, ludzie myślą, że chcielibyśmy, aby wszystko potoczyło się inaczej. Od razu mają ochotę mówić nam rzeczy w rodzaju „nie umiecie przegrywać", „dajcie sobie już z tym spokój" albo „przestańcie się bawić w to ciągłe obwinianie nas". Ale czy to rzeczywiście jest zabawa? Jedynie ludzie, którzy utracili tak wiele jak my, potrafią dostrzec ten szczególnie ohydny szeroki uśmiech u kogoś, kto sądzi, że wygrywa, gdy mówi „przejdźcie wreszcie nad tym do porządku dziennego". O to właśnie chodzi: jeśli człowiek może pozwolić sobie na to, by nie myśleć o historii, czy wręcz w ogóle nie brać jej pod uwagę – nieważne, czy nauczył się jej dobrze, czy też źle, i niezależnie od tego, czy w ogóle zasługuje ona na zainteresowanie – to wtedy wie, że jest na pokładzie luksusowego statku, na którym serwuje się przekąski i strzepuje poduszki, podczas gdy inni są tam w dole, za burtą, gdzie pływają bądź toną, albo chwytają się małych pompowanych tratw, przy których nadmuchiwaniu muszą się zmieniać, a i tak brakuje im już tchu. Ludzie ci nigdy nawet nie słyszeli o przystawkach ani o strzepywaniu poduszek. Wtem ktoś z góry, z pokładu tego luksusowego jachtu, mówi: „To doprawdy fatalnie, że ci ludzie tam, w wodzie, są leniwi i nie tacy sprytni i uzdolnieni jak my tutaj na górze; my, którzy sami zbudowaliśmy te solidne, duże i piękne okręty, a teraz jak królowie przemierzamy siedem mórz". A wtedy ktoś inny z pokładu mówi coś w rodzaju: „Ależ ten jacht dostałeś przecież od swojego ojca i to jego lokaje serwowali nam przystawki". W tym momencie człowiek ten zostaje wyrzucony za burtę przez bandę wynajętych zbirów, zatrudnionych jeszcze przez rzeczonego ojca, właściciela jachtu, właśnie w celu usuwania z pokładu jachtu wszystkich ewentualnych agitatorów, aby uniemożliwić im wywoływanie niepotrzebnego wzburzenia czy w ogóle nawiązywanie do postaci ojca lub kwestii samego jachtu. Tymczasem wyrzucony za burtę człowiek błaga o uratowanie mu życia, ale ludzie w małych dmuchanych tratwach nie są w stanie dotrzeć do niego na czas albo nawet nie próbują go ocalić, a prędkość i masa jachtu wywołują prąd powrotny. Podczas gdy agitator zostaje przezeń wciągnięty pod stępkę statku, na jego pokładzie szeptem zawiera się tajne porozumienia, ustanawia stosowne środki ostrożności i wszyscy zgadzają się, że nadal będą po cichu zgadzać się z milczącą regułą prawa i nie będą więcej myśleć o tym, co się właśnie stało. Niebawem o ojcu, który wszystko to załatwia i organizuje, wspomina się już tylko w formie mitów, historii opowiadanych dzieciom wieczorami przy świetle gwiazd. Wówczas mowa jest już nagle o kilku ojcach, mądrych i szlachetnych przodkach. Jacht zaś spokojnie płynie sobie dalej.

Jeśli miałeś dość szczęścia, aby przyjść na świat w rodzinie, której przodkowie odnieśli bezpośrednie korzyści z ludobójstwa i/lub niewolnictwa, to może myślisz sobie, że im mniej będziesz wiedział, tym łatwiej będzie ci zachować niewinność, a myśl ta sama w sobie stanowi już doskonałą motywację do tego, aby nie próbować się zbyt wiele dowiedzieć, nie szperać zbyt głęboko, ostrożnie obchodząc z daleka przysłowiowego wilka z lasu. Wystarczy jednak przyjrzeć się własnemu nazwisku. Spróbuj prześledzić jego dzieje, a być może przekonasz się, że twój ród ma za sobą drogę wybrukowaną złotem albo usianą pułapkami.

Nazwiska

Zanim oni się tu pojawili, nie nosiliśmy nazwisk. Kiedy uznali, że muszą mieć nas na oku, po prostu je nam nadali, tak jak nadano nam wszystkim zbiorową nazwę „Indianie". Nazwiska te były nieudolnymi próbami tłumaczenia indiańskich imion lub przekręconymi indiańskimi imionami, przypadkowymi przydomkami bądź nazwiskami pochodzącymi od białych amerykańskich generałów, admirałów i pułkowników, a czasem nawet nazwami poszczególnych szwadronów kawalerii, którymi bywały po prostu kolory. To właśnie dlatego nazywamy się Black, Brown, Green, White lub Orange. Nosimy też nazwiska takie jak Smith, Lee, Scott, MacArthur, Sherman, Johnson albo Jackson. Nasze nazwiska są niczym wiersze, opisy zwierząt, obrazy i metafory, które mają sens bądź są go całkowicie pozbawione. Nosimy więc nazwiska takie jak Mała Chmura, Mały Człowiek, Samotnik, Szalony Byk, Zły Byk, Skaczący Byk, Ptak, Ptasia Głowa, Rajski Ptak, Sroka, Orzeł, Żółw,

Kruk, Bóbr, Żółtodziób, Dryblas, Eastman, Hoffman, Wylatujący, Bez Konia, Złamana Noga, Paznokieć, Lewa Ręka, Łosia Łopatka, Biały Orzeł, Czarny Koń, Dwie Rzeki, Złoty Ząb, Dobry Koc, Dobry Niedźwiedź, Niedźwiedzia Tarcza, Żółtek, Ślepiec, Dereszowaty Koń, Brzuchaty Muł, Ballard, Begay, Yazzie. Nazywamy się też Dixon, Livingston, Tsosie, Nelson, Oxendene, Harjo, Armstrong, Mills, Tallchief, Banks, Rogers, Bitsilly, Bellecourt, Means, i wreszcie Dobre Pióro, Złe Pióro, Małe Pióro czy Czerwone Pióro.

Tanatoza

Przybędziemy na zjazd, nie spodziewając się strzelaniny ani zamachowca w tłumie. Ilekroć coś takiego się dzieje, to – choć widzimy wszystko na naszych ekranach – nadal chodzimy sobie po świecie, myśląc przy tym: „Nie, nam się to nie przydarzy, to przytrafiło się tylko tym ludziom po drugiej stronie ekranu, ofiarom i ich rodzinom. A my tych ludzi przecież nie znamy; nie znamy nawet ludzi, którzy ich znają, nie jesteśmy krewnymi drugiego ani trzeciego stopnia większości osób widzianych po drugiej stronie ekranu, a już zwłaszcza tego okropnego mężczyzny – bo to zawsze mężczyzna – którego przez jeden, a może nawet dwa dni, albo przez cały tydzień, obserwujemy z przerażeniem, patrząc na tę jego niewyobrażalną zbrodnię; piszemy posty i klikamy linki, dajemy lajki lub wstawiamy groźne emotikony, publikujemy cudze posty. A potem – całkiem niedługo potem – jest tak, jakby to wszystko w ogóle się nie wydarzyło. Przechodzimy nad tym do porządku dziennego;

następuje jakieś inne wydarzenie. Przywykamy do wszystkiego do tego stopnia, że przywykamy nawet do samego przywykania do wszystkiego. Przynajmniej tak nam się wydaje, dopóki nie pojawi się ten zamachowiec, dopóki nie spotkamy go w prawdziwym życiu, kiedy znajdzie się tuż obok nas i kiedy strzały zaczną padać ze wszystkich stron: ze środka, z zewnątrz, z przeszłości, przyszłości, teraźniejszości, a my nie od razu będziemy wiedzieć, gdzie właściwie jest strzelec. Wokół nas osuwać się będą na ziemię ciała, donośny huk wystrzałów sprawi, że serce przestanie nam niemal bić. Będziemy czuć przypływ paniki oraz skrzenie i zimny pot na skórze, i nic nie będzie wówczas bardziej realne niż ten moment, kiedy w głębi naszych trzewi będziemy już wiedzieli, że oto zbliża się koniec.

Będzie przy tym mniej krzyku, niż się spodziewamy. Zapadnie raczej ta nabrzmiała cisza, tak typowa dla ukrywających się ofiar; cisza towarzysząca temu, gdy człowiek próbuje zniknąć, zapaść się pod ziemię; zamkniemy oczy i schowamy się głęboko w siebie, mając nadzieję, że to tylko sen, a raczej koszmar; że, zamykając oczy, obudzimy się z powrotem po drugiej stronie ekranu, w tym innym życiu, gdzie będziemy w stanie bezpiecznie oglądać wszystko z naszych kanap w salonie czy łóżek w sypialni, z foteli w autobusach lub pociągach, z naszych biur; skądkolwiek, byle tylko nie z tego miejsca, nie z ziemi, gdzie właśnie leżymy i, zastygli w bezruchu, udajemy nieżywych albo niczego już nie udajemy. Umkniemy niczym duchy z naszych własnych martwych ciał w nadziei, że uda nam się uciec przed pociskami i tym aż nazbyt głośnym, choć milczącym, oczekiwaniem na kolejny wystrzał, na jeszcze jedną ostrą i gorącą krechę, która przetnie następne życie, pozbawi je oddechu, nazbyt szybko sprowadzi nieznośny, piekący żar, a potem chłód przedwczesnej śmierci.

Pojawienia się zamachowca w naszym życiu spodziewaliśmy się mniej więcej w ten sam sposób, w jaki spodziewamy się śmierci, o której wiemy, że przez cały czas nieubłaganie idzie po nas ze swą kosą, by jednym cięciem położyć kres naszemu życiu. Jakby na poły oczekujemy, że nagle poczujemy drżenie powietrza i usłyszymy huk rozlegających się tuż obok wystrzałów; że padniemy na ziemię i będziemy chronić głowy, czując się przy tym jak zwierzęta, jak ofiary rozciągnięte bezładnie na ziemi. A przecież wiedzieliśmy, że zamachowiec może pojawić się wszędzie; wszędzie tam, gdzie gromadzą się ludzie; spodziewaliśmy się ujrzeć go w naszym otoczeniu – zamaskowany cień przedzierający się poprzez tłum i strzelający do przypadkowych osób – i widzieć, jak huk wystrzałów z półautomatycznej broni kosi ciała wokół nas, sprawiając, że podrygują jeszcze karykaturalnie przed śmiercią w rozrywanym pociskami powietrzu.

Pocisk jest tak szybki, że aż rozgrzewa się do czerwoności, i taki gorący, że staje się śmiertelnie niebezpieczny, a przy tym mknie przed siebie tak prosto i nieubłaganie, że przechodzi na wylot przez człowieka, pozostawiając po sobie otwór. Rozszarpuje i pali ciało, po czym wychodzi z niego i pędzi dalej, niesyty krwi, albo zostaje w nim na dobre, stygnie, uwiera i wywołuje zakażenie. Kiedy rozrywa twoje ciało, krew tryska niczym woda z nazbyt pełnych ust. Nawet zabłąkana kula, tak jak włóczący się samopas pies, może nagle doskoczyć i ukąsić kogoś w najmniej spodziewanym miejscu, tylko dlatego, że jego zęby stworzone zostały do tego, by gryźć, by zmiękczać i rozrywać mięso. Pocisk bowiem również stworzony jest do tego, by przegryźć się przez tyle mięsa, przez ile tylko zdoła.

Będzie w tym wszystkim jakaś przewrotna logika. Pociski nadlatują wszak z bardzo daleka. Od wielu lat. Ich dźwięk będzie rozorywał tę wodę w naszych ciałach, będzie rozsadzał sam dźwięk i rozpruwał nasze życie na pół. Będzie w tym wszystkim także niewypowiedziany tragizm, choćby z uwagi na fakt, że od dziesięcioleci walczyliśmy o to, aby uważano nas za ludzi żyjących teraźniejszością, nowoczesnych i niepozbawionych pewnego znaczenia, a przy tym wciąż aktywnych, tylko po to, by teraz znów umierać na porośniętym trawą polu w strojach przyozdobionych mnóstwem piór.

Tony Samotnik

POCISKI POCHODZIĆ BĘDĄ Z FABRYKI AMUNICJI W BLACK HILLS w Dakocie Południowej. Spakowane do pudełek mieszczących po szesnaście sztuk, przejadą przez pół kraju i będą przechowywane w magazynie w Hayward w Kalifornii przez siedem lat, po czym zostaną zamówione i trafią na półkę sklepu sieci Walmart w Oakland przy przecznicy z Hegenberger Road, gdzie zakupi je pewien młody człowiek imieniem Tony Samotnik. Do jego plecaka trafią dwa pudełka naboi. Wyjmie je z niego raz jeszcze, aby stojący przy wyjściu pracownik ochrony mógł sprawdzić, czy wszystko zgadza się z rachunkiem. Tony pojedzie potem na rowerze w dół Hegenberger Road, przejedzie przez wiadukt i pomknie dalej chodnikiem, mijając stacje benzynowe i szereg fastfoodów rozmaitych sieci. Na każdym wyboju i przy każdym wstrząsie będzie czuł ciężar naboi i słyszał ich chrzęst.

Przy wejściu na stadion wyjmie każde z pudełek i wsypie jego zawartość do jednej z pary skarpetek. Potem zamachnie się dwa razy i ciśnie tymi skarpetkami jedną po drugiej za mur za krzakami rosnącymi za wykrywaczami metalu. A kiedy już zrobi swoje, obejrzy się za siebie i spojrzy na księżyc, patrząc, jak obłoczek pary z jego oddechu wznosi się w górę pomiędzy nim a całym światem. Wsłuchany w przyspieszone bicie swego serca, będzie rozmyślał o ukrytych w zaroślach pociskach oraz zjeździe plemiennym, i zastanawiał się, jak to się właściwie stało, że znalazł się właśnie tutaj, by w świetle księżyca, pod majaczącą w mroku bryłą stadionu, wrzucać w krzaki jakieś naboje.

Calvin Johnson

KIEDY CALVIN WCHODZI DO SALI, ludzie wciąż jeszcze zajmują się tym, czym zajęci są zawsze w ciągu pierwszej godziny każdego spotkania komitetu organizacyjnego zjazdu plemiennego, na jakim kiedykolwiek zdarzyło mu się być: rozmawiają niezobowiązująco na błahe tematy i napełniają sobie tekturowe talerzyki meksykańskim jedzeniem z cateringu. Dziś pojawił się tu jakiś nowy facet. Jest naprawdę otyły i jako jedyny nie ma przed sobą talerzyka. Calvin od razu widzi, że nie ma go dlatego, że należy do tego rodzaju grubych facetów, którzy nie wiedzą, co począć ze swoją tuszą; nie wiedzą, jak się do niej przyznać. Sam Calvin również nie jest bynajmniej szczupły, ale jego wysoki wzrost i luźne ubrania, jakie nosi, sprawiają, że wydaje się duży, ale niekoniecznie od razu gruby.

Calvin siada obok tego otyłego gościa i wita się z nim lekkim i ogólnikowym skinieniem głowy w rodzaju „co słychać?". W odpowiedzi tamten podnosi rękę i macha do niego na powitanie, po czym wydaje się natychmiast żałować tego gestu, ponieważ opuszcza dłoń niemal tak szybko, jak ją wcześniej uniósł, i wyciąga telefon, tak jak to obecnie robią wszyscy, kiedy tylko chcą opuścić towarzystwo, nie ruszając się przy tym z miejsca.

Błękitna pisze coś albo rysuje machinalnie na okładce żółtego notatnika. Calvin lubi Błękitną. Ona i Maggie pracowały kiedyś razem w opiece społecznej, w wydziale do spraw młodzieży. To ona załatwiła Calvinowi tę robotę, mimo iż nie miał żadnego doświadczenia w pracy z młodzieżą. Może myślała, że Calvin sam jest jeszcze młodzieńcem, a przynajmniej na takiego wygląda z tymi swoimi gadżetami Raidersów i smętną hiszpańską bródką. Błękitna jest szefową komitetu organizacyjnego zjazdu plemiennego. Poprosiła Calvina, by dołączył do jego składu wkrótce po tym, jak dostał tę pracę. Powiedziała, że potrzebni im są ludzie z nowym, świeżym spojrzeniem. Dostali na organizację tej imprezy całkiem pokaźny grant, i chcieli, żeby ten zjazd był wielkim wydarzeniem, mogącym rywalizować z innymi dużymi zjazdami w kraju. Na jednym ze spotkań komitetu Calvin z głupia frant wypalił: „To nazwijcie go Wielkim Zjazdem Plemiennym w Oakland", i wszystkim bardzo spodobała się ta nazwa. Potem usiłował im wytłumaczyć, że tylko żartował, ale i tak postanowili ją zachować.

Thomas, sprzątacz, wchodzi teraz do sali, gadając coś do siebie. Calvin od razu wyczuwa od niego alkohol. Wówczas Thomas, jakby wiedział, że Calvin czujnie nadstawia nosa, mija go i podchodzi do tego otyłego gościa.

– Thomas Frank – mówi, wyciągając rękę na powitanie.

– Edwin Black – przedstawia się tamten.

– Pomogę wam się wreszcie zabrać do roboty, ludziska – mówi Thomas, wynosząc z sali śmieci. – Dajcie znać, jak będziecie potrzebowali pomocy przy sprzątaniu resztek – dodaje takim tonem, jakby mówił: „Zostawcie coś dla mnie". Koleś jest naprawdę dziwny. Przez cały czas wydaje się cholernie skrępowany, a przy tym zachowuje się tak, jakby musiał sprawić, że wszyscy wokół poczują się równie zakłopotani jak on; zupełnie jakby nie potrafił nad tym zapanować.

Błękitna stuka dwukrotnie w blat stolika i odchrząkuje.

– No dobrze, moi drodzy – mówi, jeszcze dwa razy stukając w stół. – Zaczynajmy. Mamy mnóstwo rzeczy do omówienia, a jest już styczeń. Zostało nam niespełna pięć miesięcy. Rozpoczniemy od przedstawienia dwóch nowych osób. Ponieważ jednej z nich jeszcze z nami nie ma, zaczniemy od ciebie, Edwinie. Śmiało, opowiedz wszystkim coś o sobie i o tym, jaka ma być twoja rola tutaj, w naszym ośrodku kultury.

– Cześć wszystkim – mówi Edwin, unosząc dłoń i machając na powitanie w ten sam sposób, w jaki pomachał wcześniej do Calvina. – Nazywam się Edwin Black, no i oczywiście teraz tutaj pracuję, to znaczy, przepraszam, nie jest to może wcale takie oczywiste – plącze się Edwin, wiercąc się przy tym niespokojnie na krześle.

– Powiedz po prostu, skąd jesteś, z jakiego plemienia pochodzisz i jaka jest twoja rola w komitecie – podpowiada Błękitna.

– Dobrze. Więc wychowałem się tutaj, w Oakland, i jestem… ech… jestem Czejenem. Nie zapisałem się jeszcze do plemiennego rejestru, ale pewnie wkrótce to zrobię. Zarejestruję się jako członek plemion Czejenów i Arapahów z Oklahomy. Mój ojciec powiedział mi, że jesteśmy Czejenami, a nie Arapahami. A teraz, przez tych kilka miesięcy przed zjazdem, będę tutaj odbywał staż i jestem tutaj po to, żeby pomóc w organizacji tej imprezy – wyjaśnia Edwin.

– Czekamy na jeszcze jedną osobę – mówi właśnie Błękitna, gdy do sali wchodzi jeszcze jeden facet. – O wilku mowa – stwierdza Błękitna z uśmiechem.

Nowo przybyły to młody człowiek w baseballowej czapeczce z niewyraźnym plemiennym wzorem. Calvin nie jest wcale pewien, czy gdyby nie ta czapka, wpadłby na to, że przybysz też jest indiańskiej krwi.

– Słuchajcie wszyscy, to jest Dene Oxendene. Dene Oxendene, to jest właśnie komitet organizacyjny zjazdu plemiennego. Dene zorganizuje nam tutaj pokój zwierzeń, trochę w stylu StoryCorps. Wszyscy słyszeliście o organizacji StoryCorps, prawda?

W odpowiedzi wszyscy obecni mruczą coś niezobowiązującego.

– Dene, może powiesz nam kilka słów o sobie, zanim zaczniemy? – sugeruje Błękitna.

Dene zaczyna z przejęciem mówić coś o opowieściach i storytellingu jako metodzie badań jakościowych i wygadywać jakieś bzdury, więc Calvin się wyłącza. Nie ma pojęcia, co powie, kiedy przyjdzie jego kolej. Powierzono mu zadanie wyszukiwania młodszych sprzedawców, mających wspierać młodych rdzennych artystów i przedsiębiorców. Jak na razie nie zrobił jednak nic.

– Calvin? – dociera do niego nagle głos Błękitnej.

Dene Oxendene

DENE PRZEKONAŁ BŁĘKITNĄ, aby pozwoliła Calvinowi nagrać materiał do swojego projektu storytellingowego w godzinach pracy. Teraz Calvin siedzi na krześle, wciąż na przemian to krzyżując, to znów rozprostowując nogi i co chwilę pociąga za daszek swej baseballowej czapeczki. Dene sądzi, że Calvin jest zdenerwowany, ale to sam Dene się denerwuje, wiecznie się denerwuje, więc może to tylko jego projekcja. Jednakże pojęcie projekcji jest jak równia pochyła, ponieważ projekcją może być dokładnie wszystko. Dene ciągle poddany jest działaniu nawracających i ogarniających go bez reszty wpływów solipsyzmu.

Dene już wcześniej podłączył kamerę i mikrofon w gabinecie Błękitnej, która wyszła właśnie na swoją godzinną przerwę na lunch. Calvin wciąż siedzi jednak w milczeniu na krześle, patrząc, jak Dene zmaga się ze sprzętem do nagrywania. W końcu Dene orientuje się, co było nie tak, i wciska przycisk „Record" na kamerze i urządzeniu do rejestrowania dźwięku, po czym jeszcze jeden, ostatni już raz, poprawia mikrofon. Podczas realizacji swego projektu bardzo szybko nauczył się, że należy nagrywać wszystko to, co dzieje się bezpośrednio przed i po samej opowieści, ponieważ te właśnie chwile potrafią czasami okazać się ciekawszym materiałem niż ten, który udaje się zarejestrować, kiedy rozmówca wie, że jest nagrywany.

– Przepraszam, zanim przyszedłeś, myślałem, że wszystko jest już w porządku i będziemy mogli od razu zacząć – tłumaczy Dene i siada po prawej stronie kamery.

– Spoko – odpowiada Calvin. – Raz jeszcze: o co tutaj chodzi?

– Podaj swoje nazwisko i powiedz, z jakiego plemienia pochodzisz. Potem dodaj kilka słów o miejscu albo miejscach w Oakland, w których mieszkałeś, a później opowiedz jakąś historię, jeśli coś przychodzi ci do głowy. Na przykład o czymś, co przydarzyło ci się w Oakland, a co mogłoby dawać pewne wyobrażenie o tym, czym było dla ciebie, jako człowieka indiańskiej krwi, dorastanie w tym mieście, i jak to dorastanie wyglądało.

– Mój ojciec nigdy w ogóle nie wspominał o swym indiańskim pochodzeniu i tego rodzaju bzdurach, tak że nawet nie wiemy, z jakiego plemienia wywodzimy się z jego strony. Nasza mama, Meksykanka, także ma trochę indiańskiej krwi, ale też zbyt wiele o tym nie wie. Taaak... mojego ojca prawie wcale nie było w domu, aż w końcu pewnego dnia odszedł na dobre. Zostawił nas. Więc sam już nie wiem i czasami czuję się naprawdę niezręcznie, mówiąc, że jestem potomkiem rdzennych Amerykanów. Przeważnie czuję się po prostu jak ktoś, kto pochodzi stąd, z Oakland.

– Aha – potakuje Dene.

– Zostałem okradziony na parkingu, kiedy miałem właśnie iść na zjazd plemienny na miasteczku studenckim w Laney. To tak naprawdę wcale nie jest ciekawa historia, po prostu, cholera, okradli mnie na jakimś pieprzonym parkingu, a ja stamtąd odjechałem i w ogóle nie dotarłem na ten zjazd. Więc ten nadchodzący zjazd plemienny będzie moim pierwszym.

Dene sam nie ma pewności, jak mógłby mu pomóc rozpocząć jakąś opowieść, a nie chce robić niczego na siłę. Cieszy się, że od samego początku wszystko nagrywa. Czasami brak opowieści z prawdziwego zdarzenia też bardzo wiele mówi; sam w sobie jest opowieścią.

– To tak, jakby mieć Indianina za ojca i w ogóle go nie znać, a jeśli chodzi o to, jak nas potraktował jako ojciec, to nie chciałbym, żeby to zabrzmiało tak, jakbym myślał, że na tym właśnie polega bycie człowiekiem indiańskiej krwi. Wiem, że w samym Oakland i w rejonie Zatoki mieszka mnóstwo rdzennych Amerykanów, których historia jest podobna. Ale wygląda to tak, jakbyśmy nie mogli o tym rozmawiać, bo to tak naprawdę nie jest historia dotycząca samych tylko potomków Indian, choć jednocześnie trochę tak właśnie jest. To wszystko jest kompletnie popieprzone!

– Owszem.

– Kiedy zaczniesz nagrywać, żebym mógł już mówić, to co właściwie mam tu próbować powiedzieć?

– Ależ ja już przez cały czas to wszystko nagrywam.

– Co takiego?

– Przepraszam, powinienem był cię uprzedzić.

– Czy to znaczy, że możesz wykorzystać to wszystko, co już powiedziałem?

– A mogę?

– To znaczy… chyba możesz. Czy te tutaj bzdury to jest jakby twoja praca?

– W pewnym sensie. Innej pracy nie mam. Ale będę się starał zapłacić wszystkim uczestnikom z pieniędzy z grantu, jaki dostałem od władz miasta Oakland. Myślę, że sam zarobię dosyć, żeby jakoś przeżyć – mówi Dene, po czym nastaje chwila milczenia i zapada cisza, której żaden z nich nie potrafi przerwać. W końcu Dene odchrząkuje. – W jaki sposób trafiłeś tutaj do pracy? – pyta.

– Przez moją siostrę. Ona przyjaźni się z Błękitną.

– Czyli nie odczuwasz dumy z tego, że jesteś potomkiem Indian, albo czegoś w tym rodzaju?

– Szczerze?

– Jasne, że tak.

– Po prostu czuję się niezręcznie, kiedy usiłuję powiedzieć coś, co nie jest prawdą.

– Szczerość i prawda to właśnie coś, co chciałbym wydobyć z całego tego projektu, z tych wszystkich naszych rozmów i opowieści. Ponieważ wszystkim, co w tej chwili jako Indianie mamy, są jedynie opowieści z rezerwatów i gówniane wersje wydarzeń z przestarzałych podręczników historii. A przecież bardzo wielu spośród nas mieszka teraz w miastach. Ten projekt ma być sposobem na to, by zacząć opowiadać tę zupełnie inną już historię.

– Po prostu nie sądzę, że to w porządku, żebym powoływał się na moje rdzenne pochodzenie, skoro nic o nim nie wiem.

– Czyli uważasz, że w byciu rdzennym Amerykaninem chodzi o pewną wiedzę?

– Nie, ale chodzi o znajomość pewnej kultury i historii.

– Mojego ojca też nie było w domu, kiedy dorastałem. Nawet nie wiem, kim on jest. Ale moja mama też jest indiańskiej krwi i uczyła mnie, ile mogła, kiedy tylko nie była zbyt zajęta pracą i miała odpowiedni nastrój. Z tego, co mówiła, wynikało, że wszyscy nasi przodkowie walczyli o to, by przetrwać, więc różne części ich plemion łączyły się z krwią innych narodów i miały dzieci, więc jak moglibyśmy teraz zapomnieć o naszych przodkach? Jak mielibyśmy o nich zapomnieć, gdy oni żyją nadal w nas samych?

– Doskonale cię rozumiem, chłopie. Ale czasami sam już nie wiem, co myśleć. Nie mam pewności co do tej cholernej kwestii krwi.

Jacquie Czerwone Pióro

JACQUIE JEDZIE Z HARVEYEM JEGO FORDEM PIKAPEM przez skąpaną w purpurowej księżycowej poświacie pustynię na odcinku autostrady międzystanowej I-10 między Phoenix a Blythe. Jak dotąd w czasie ich podróży pełno było długich chwil milczenia, z uwagi na to, że Jacquie ignoruje po prostu pytania Harveya. Harvey nie jest jednak typem faceta, który czuje się komfortowo z tego rodzaju ciszą. W końcu jest przecież konferansjerem zjazdów plemiennych. Jego praca polega właśnie na tym, że musi gadać bez przerwy. Za to Jacquie jest przyzwyczajona do milczenia i taka cisza nie stanowi dla niej problemu. Przed wyjazdem zmusiła nawet Harveya, by jej obiecał, że nie będzie musiała z nim gadać. Nie oznaczało to jednak, że sam Harvey również będzie siedział cicho.

– Wiesz, kiedyś utknąłem tutaj na pustyni – zaczyna właśnie Harvey, ze wzrokiem utkwionym w rozciągającej się przed nimi wstędze autostrady. – Poszedłem się napić z paroma kumplami, a potem zachciało nam się pojechać gdzieś przed siebie. Wieczór taki jak dzisiejszy byłby wręcz idealny na przejażdżkę. Jeszcze nawet nie jest wcale ciemno. Zresztą nic dziwnego: przy tym księżycu w pełni, oświetlającym pustynny piasek? – mówi Harvey, zerkając na Jacquie, po czym opuszcza swoją boczną szybę i wystawia przez nią rękę, aby poczuć powiew nocnego powietrza.

– Chcesz papierosa? – pyta Jacquie.

Harvey wyciąga sobie papierosa, wydając przy tym bliżej nieokreślony pomruk, jaki Jacquie słyszała już u wielu mężczyzn indiańskiej krwi, dzięki czemu wie, że znaczy on tyle, co „tak".

– Piłem wtedy z takimi bliźniakami, facetami z plemienia Nawahów. Jeden z nich nie chciał, żeby w furgonetce śmierdziało papierosami, bo wóz był jego dziewczyny, więc zatrzymaliśmy się na poboczu autostrady. Wzięliśmy ze sobą butelkę tequili – 1,75 litra. Trochę za dużo wypiliśmy, przez kilka godzin rozprawialiśmy tam o pierdołach, a potem uznaliśmy, że na wszelki wypadek musimy oddalić się nieco od samochodu. Zataczając się, ruszyliśmy więc na pustynię, aż w końcu odeszliśmy tak daleko, że straciliśmy z oczu furgonetkę – ciągnie Harvey swoją opowieść.

Jacquie jednak już go nie słucha. Zawsze wydaje jej się zabawne – a może nawet nie tyle zabawne, co w gruncie rzeczy wkurzające – że ludzie na odwyku uwielbiają opowiadać stare historie o piciu. Sama nie miała ani jednej tego rodzaju opowieści, którą chciałaby się z kimkolwiek podzielić. Dla niej picie nigdy nie było zabawne. Stanowiło raczej coś w rodzaju świętego obowiązku. Rozluźniało jej nerwy i pozwalało mówić i robić wszystko to, co chciała, sprawiając zarazem, że nie czuła się z tym potem źle. Zawsze rzuca jej się w oczy to, jak wiele śmiałości i pewności siebie potrafią mieć niektórzy ludzie. Weźmy nawet takiego Harveya. Opowiada sobie tę okropną historię, jakby była interesująca i niepozbawiona uroku. Jacquie natrafia w życiu na tak wielu ludzi, którzy sprawiają wrażenie, jakby wręcz urodzili się już z ogromną pewnością siebie i wysokim poczuciem własnej wartości. Tymczasem ona sama nie pamięta nawet jednego dnia, w którym w pewnym momencie nie chciałaby doszczętnie, tak do korzenia, wypalić żywym ogniem całego swojego życia. Choć w sumie akurat dziś – dziś nie przyszła jej jeszcze do głowy ta myśl. To już było coś, a w każdym razie coś więcej niż nic.

– A potem, chociaż nie pamiętam, żeby gdzieś tam na piasku urwał mi się film – kontynuuje swą opowieść Harvey – ocknąłem się, a bliźniaków nigdzie nie było. Księżyc nie przesunął się za daleko, czyli nie minęło zbyt wiele czasu, ale oni zniknęli, jakby zapadli się pod ziemię, więc zacząłem iść w kierunku, w którym, jak sądziłem, zaparkowaliśmy. Nagle zrobiło się naprawdę bardzo zimno. Zapanował taki ziąb, jakiego chyba nigdy wcześniej nie czułem. Był to tego rodzaju chłód, jaki potrafi naprawdę dać ci w kość blisko oceanu; taki, jaki panuje czasem w San Francisco – wilgotny chłód, który przenika człowieka do kości.

– A zanim zemdlałeś, nie było zimno? – pyta Jacquie.

– Właśnie to jest w tym najdziwniejsze. Musiałem tak iść pewnie przez jakieś dwadzieścia minut, oczywiście w złym kierunku, dalej w głąb pustyni, i wtedy nagle ich zobaczyłem.

– Bliźniaków? – podpowiada Jacquie, zamykając szybę po swojej stronie. Harvey też zamyka swoje okno.

– Nie, nie bliźniaków – mówi. – Wiem, że to zabrzmi nieprawdopodobnie, ale było to dwóch bardzo wysokich, białych facetów z zupełnie białymi włosami – chociaż wcale nie byli tacy starzy. Nie byli przy tym aż tak wysocy, żeby wyglądali dziwacznie: może jakieś niespełna pół metra wyżsi ode mnie.

– A teraz mi pewnie powiesz, że dopiero wtedy właśnie się obudziłeś i odkryłeś, że obaj bliźniacy leżą na tobie, albo coś w tym stylu – szydzi Jacquie.

– Pomyślałem, że może bliźniacy dosypali mi czegoś do alkoholu. Wiedziałem, że należą do Rodzimego Kościoła Amerykańskiego, ale brałem już wcześniej pejotl i to nie było to. Podszedłem do tamtych dwóch białych facetów może na jakieś trzy metry i się zatrzymałem. Obaj mieli takie wielkie oczy. Nie takie jak u kosmitów, ale wyraźnie większe – mówi Harvey.

– Co za bzdury! – wykrzykuje Jacquie. – Oto cała historia: Harvey upił się na pustyni, a potem miał dziwaczny sen, i to wszystko.

– Ja wcale nie żartuję. Naprawdę byli tam ci dwaj wysocy biali faceci, z białymi włosami i wielkimi oczami. Stali sobie lekko przygarbieni i spoglądali gdzieś w dal, nawet na mnie nie patrząc. Spieprzałem stamtąd, aż się kurzyło. A jeżeli to był sen, to wszystko aż do teraz też mi się śni, bo nigdy się z tego snu nie wybudziłem.

– Zachowujesz się tak, jakby twoja pamięć, gdy piłeś, była co najmniej niezawodna, prawda?

– Racja, ale słuchaj dalej: kiedy pojawił się Internet – albo może lepiej będzie powiedzieć, że wtedy, kiedy ja zacząłem z niego korzystać – wpisałem w wyszukiwarkę „wysocy biali faceci na pustyni w Arizonie" i rzeczywiście istnieje coś takiego. Nazywają ich „Wysocy Biali". To kosmici. Nie żartuję. Sama możesz to sobie sprawdzić w necie – mówi Harvey.

Telefon w kieszeni Jacquie zaczyna wibrować. Jacquie wyjmuje go, wiedząc, że Harvey pomyśli, że rzeczywiście chce sprawdzić tych tam „Wysokich Białych". Tymczasem jest to dłuższy niż zwykle esemes od Opal:

> Zakładałam wcześniej, że powiedziałabyś mi, gdybyś znalazła pajęcze odnóża w swojej nodze, albo wtedy, kiedy byłyśmy jeszcze małe, albo po tym, jak powiedziałam Ci, że Orvil je znalazł. Ale takie założenie nie ma sensu, ponieważ sama odkryłam takie odnóża w mojej nodze tuż przed tym wszystkim, co wydarzyło się z Ronaldem, i – aż do dziś – nigdy ci o tym nie powiedziałam. Teraz jednak muszę wiedzieć, czy tobie też się to przydarzyło. Mam poczucie, że to ma jakiś związek z Mamą.

– Przeczytałem na jednej stronie, że „Wysocy Biali" kontrolują teraz Amerykę, rozumiesz? – mówi Harvey. Jacquie zaczyna mu współczuć. Zresztą tak jak swojej siostrze. Smutno jej się robi na myśl o tych pajęczych odnóżach. Gdyby kiedykolwiek znalazła je w swojej nodze, prawdopodobnie od razu ucięłaby cały temat. Nagle czuje się tak bardzo przytłoczona tym wszystkim, że ogarnia ją zmęczenie. Czasami jej się to zdarza i jest wdzięczna losowi za te chwile, kiedy tak się dzieje, ponieważ przez większą część doby własne myśli nie pozwalają jej zasnąć.

– Zdrzemnę się teraz trochę – mówi.

– Aha, w porządku – odpowiada Harvey.

Jacquie opiera głowę o szybę. Patrzy, jak przed nimi ciągnie się rozmigotana biała wstęga autostrady; jak linie telefonicznych kabli na przemian to wznoszą się, to znów opadają. Jej myśli krążą gdzieś, błąkają się samopas bez wyraźnego celu. Jacquie myśli o swoich trzonowych zębach, o tym jak bardzo ją bolą, ilekroć ugryzie coś zbyt gorącego lub za zimnego. O tym, od jak dawna nie była już u dentysty. Zastanawia się, czy jej matka miała zdrowe zęby. Zaczyna rozmyślać o genetyce i krwi, i żyłach oraz o tym, dlaczego ludzkie serce ciągle bije. Patrzy przy tym na swoją głowę opartą o ciemne odbicie samej siebie w samochodowej szybie. Potem jej oczy zaczynają nagle mrugać w niekontrolowany sposób i w końcu zamykają się na dobre. Jacquie zasypia, kołysana nieustannym szumem autostrady i miarowym warkotem silnika.

CZĘŚĆ III

POWRÓCIĆ

*Ludzie są uwikłani w historię, a historia wikła się w nich**.

– James Baldwin

* J. Baldwin, *Stranger in the Village*, w: tenże, *Notes of a Native Son*, 1955.

Opal Viola Wiktoria Niedźwiedzia Tarcza

ILEKROĆ OPAL WSIADA DO SWEJ POCZTOWEJ FURGONETKI, zawsze robi to samo. Spogląda mianowicie we wsteczne lusterko i odnajduje w nim spojrzenie swych oczu, patrzących na nią poprzez wszystkie te lata. Nie chce nawet myśleć o tym, od jak dawna pracuje jako listonoszka dla United States Postal Service. Nie żeby nie lubiła tej pracy. Chodzi raczej o to, że ciężko jest jej patrzeć na wszystkie te lata wypisane na jej obliczu; na otaczające jej oczy bruzdy i zmarszczki, rozgałęziające się niczym rysy i pęknięcia w betonie. Mimo że nie znosi oglądać własnej twarzy, nigdy nie zdołała jednak pozbyć się tego nawyku spoglądania na nią, ilekroć tylko znajdzie przed sobą lustro, w którym może uchwycić jedną z niepowtarzalnych już wersji swojego oblicza, jakie dane jej będzie zobaczyć właśnie w formie odbicia na szklanej powierzchni zwierciadła.

* * *

W czasie jazdy Opal myśli o tym, jak na samym początku procesu adopcji pierwszy raz zabrała do siebie na weekend trzech braci Czerwone Pióro. Poszli wtedy do domu towarowego sieci Mervyn's w Alamedzie, aby kupić im nowe ubrania. Opal przyglądała się wtedy Orvilowi stojącemu przed lustrem w stroju, jaki dla niego wybrała.

– Podoba ci się? – spytała.

– A co z nimi? – odrzekł chłopak, wskazując na ich postacie odbite w lustrze. – Skąd wiadomo, czy czasem nie jest tak, że to któreś z nich coś robi, a my to tylko naśladujemy?

– Sam zobacz: w tej właśnie chwili postanawiam pomachać ręką przed lustrem – rzekła Opal, wykonując jednocześnie ten gest. Było to potrójne lustro, stojące przed przymierzalnią. Loother i Lony schowali im się właśnie w stojącym nieopodal wieszaku z ubraniami.

– Może to ona pierwsza pomachała, a ty musiałaś za nią powtarzać. Ale spójrz tylko na to! – rzekł Orvil, rozpoczynając nagle jakiś szalony taniec. Wymachując w powietrzu ramionami, podskakiwał i obracał się wokół własnej osi. Zdaniem Opal wyglądało to tak, jakby wykonywał tradycyjny taniec na zjeździe plemiennym. A przecież chłopak nie miał o tym pojęcia. Zapewne próbował po prostu wygłupiać się przed lustrem, aby udowodnić, że to on, a nie kto inny, panuje nad sytuacją: on, Orvil, stojący po tej stronie lustra.

Opal zaczyna znów objazd swego rejonu tą samą, starą i aż nazbyt dobrze znaną trasą. A jednak zwraca uwagę na każdy kolejny krok. Idąc, nie stawia stóp na szczelinach między płytkami chodnika. Stąpa tak ostrożnie, ponieważ zawsze miała poczucie, że wszędzie są dziury i rozpadliny, do których można wpaść: koniec końców, świat jest porowaty. Opal żyje też przesądami, choć za nic w świecie by się do tego nie przyznała. Jest to sekret, który skrywa tak blisko swej piersi, że sama już w ogóle go nie zauważa. Przesądy są jej niezbędne do życia, tak samo jak oddech. Wrzucając pocztę do odpowiednich otworów i skrzynek, usiłuje sobie przypomnieć, którą łyżką jadła przed wyjściem z domu. Opal ma bowiem swoje szczęśliwe i pechowe łyżki. Aby te szczęśliwe odpowiednio działały, trzeba je jednak trzymać razem z pechowymi, a sięgając do szuflady, nie wolno patrzeć, jaka łyżka akurat się trafia. Jej najszczęśliwszą łyżką jest taka z kwiatowym wzorem biegnącym od trzonka aż po miseczkę.

Opal odpukuje w niemalowane drewno, aby odwołać coś, co właśnie powiedziała – coś, co chciałaby, aby się stało bądź właśnie się nie stało; wystarczy zresztą, że sobie coś takiego pomyśli, a już znajduje jakiś drewniany przedmiot i stuka weń dwa razy. Lubi też liczby. Liczby są wszak logiczne i konsekwentne. Można na nie liczyć. Jednak dla Opal pewne liczby są dobre, a inne złe. Parzyste są na ogół lepsze od nieparzystych, a te, pomiędzy którymi zachodzi jakiś matematyczny związek, również są korzystne. Na przykład adresy Opal sprowadza do jednej liczby, sumując wszystkie cyfry, a następnie wysnuwa sąd o mieszkańcach danego domu na podstawie uzyskanego wyniku. Liczby przecież w końcu nie kłamią. Jej ulubione to czwórka i ósemka. Natomiast trójka i szóstka nie niosą z sobą nic dobrego. Opal najpierw dostarcza pocztę na nieparzystą stronę ulicy, ponieważ od zawsze wierzyła, że lepiej najpierw pozbyć się tego, co złe, nim człowiek weźmie się za to, co dobre.

Zwyczajny pech lub po prostu jakieś popaprane sytuacje, które przytrafiają się w życiu, mogą sprawić, że człowiek w sekrecie staje się przesądny: chce do pewnego stopnia przejąć nad wszystkim kontrolę lub chociaż odzyskać poczucie, że wciąż jednak ją ma. Kiedy zdarza się odpowiednio duża kumulacja, Opal kupuje zdrapki i kupony na loterię. Swych przesądów za nic w świecie nie nazwałaby jednak przesądami, w obawie, aby nie straciły swej mocy.

Opal skończyła właśnie nieparzystą stronę ulicy. Kiedy przechodzi na drugą stronę, jakiś samochód zatrzymuje się, aby ją przepuścić. Kobieta za kierownicą niecierpliwie macha ręką, pokazując jej, aby się pospieszyła. Ma przy tym taką minę, jakby robiła łaskę całej ludzkości. Opal ma ochotę podnieść dłoń i pokazać jej środkowy palec, przechodząc jej tuż przed maską, lecz zamiast tego zaczyna ociężale truchtać przez przejście, reagując na zniecierpliwienie tamtej kobiety i jej afektowaną wielkoduszność. Jednocześnie nienawidzi samej siebie za ten trucht i za uśmiech, jaki pojawił się na jej twarzy, nim zdołała go powstrzymać, odwrócić do góry nogami i zamienić w podkówkę, zanim było za późno.

Opal żałuje wielu rzeczy, jakie przytrafiły jej się w życiu, ale nie tych, które sama zrobiła. Ta cholerna wyspa, śmierć jej matki, Ronald, a potem te zmieniające się wciąż, duszne pokoje i twarze w rodzinach zastępczych, a później w domach dziecka. Opal naprawdę żałuje, że to wszystko się stało. I nie ma tutaj znaczenia, że to nie ona była temu wszystkiemu winna. Myśli, że jakoś musiała sobie na to zasłużyć. Jak dotąd nie wpadła jeszcze tylko na to jak. Przez cały czas znosiła zatem wszystkie te lata i cały ich ciężar, a one drążyły w niej dziurę na wylot, dziurę w samym środku jej istoty, tam, gdzie coś w niej usiłowało jeszcze wciąż wierzyć, że jest jakiś powód ku temu, by ocalić swą miłość. Opal jest twarda jak głaz, lecz gdzieś w głębi niej kryje się wciąż niespokojna, zmącona woda, która od czasu do czasu grozi jej zalaniem, prawdziwą powodzią i wzbierając, sięga aż do jej oczu. Czasami Opal nie może się ruszyć. Czasami czuje, że nie jest w stanie nic zrobić. To jednak nic nie szkodzi, ponieważ z czasem i tak dosyć biegle opanowała sztukę zatracania się w robieniu rozmaitych rzeczy, najlepiej zresztą kilku naraz, jak na przykład dostarczanie poczty i jednoczesne słuchanie audiobooka lub muzyki. Cała sztuka polega na tym, aby ciągle być zajętym, zaprzątać sobie uwagę jedną rzeczą, a potem kolejną i tak dalej. Wielokrotnie się zdystansować. Chodzi o kolejne warstwy. Chodzi o to, by zniknąć w nieustannym wirze i hałasie gorączkowej krzątaniny.

Opal wyjmuje z uszu słuchawki, słysząc jakiś dobiegający z góry dźwięk: coś jakby nieznośne buczenie, bezlitośnie tnące powietrze. Podnosi wzrok i dostrzega drona, po czym rozgląda się w poszukiwaniu kogoś, kto mógłby nim sterować. Nie dostrzegłszy nikogo takiego, z powrotem wkłada słuchawki. Słucha właśnie piosenki Otisa Reddinga pod tytułem *(Sittin' on) The Dock of the Bay*. Nie jest to bynajmniej jej ulubiony kawałek Otisa, ponieważ zbyt często leci w radiu. Włącza więc funkcję losowego wybierania i trafia na utwór *The Tracks of My Tears* w wykonaniu Smokeya Robinsona. Ta piosenka przynosi jej wreszcie tę przedziwną mieszankę smutku i szczęścia, a w dodatku jest żywa i energiczna. To właśnie Opal uwielbia u muzyków promowanych przez wytwórnię Motown Records: ich nagrania sprawiają, że człowiek obnosi po świecie swój smutek czy złamane serce, nie przestając przy tym tańczyć.

Wczoraj Opal była w pracy i pokonywała właśnie swą codzienną trasę, kiedy jej adoptowany wnuk Orvil zostawił jej na poczcie głosowej wiadomość, że wyjął sobie trzy pajęcze odnóża z niewielkiego zgrubienia na nodze. Rozdrapał sobie tego guza i wtedy, niczym drzazgi, wyszły z niego te pajęcze nogi. Odsłuchując to nagranie, Opal aż zakryła usta dłonią, choć nie była zaskoczona, a przynajmniej nie tak bardzo, jak mogłaby być, gdyby jej samej też się coś takiego nie przydarzyło, kiedy była mniej więcej w wieku Orvila.

Matka Opal i Jacquie nigdy nie pozwalała swym córkom zabijać pająków, jeśli znalazły jakiegoś w domu; poza domem zresztą też, jeśli chodzi o ścisłość. Mawiała, że takie pająki mają w sobie kilometry wątku, snują kilometry opowieści o życiu i noszą w sobie zalążek domu lub pułapki. Mawiała też, że są w tym podobne do ludzi, którzy również potrafią być domem albo pułapką.

Kiedy temat pajęczych odnóży nie pojawił się poprzedniego wieczoru przy kolacji, Opal uznała, że Orvil bał się poruszyć tę kwestię z uwagi na zjazd plemienny, mimo iż te dwie sprawy nie miały z sobą nic wspólnego.

Kilka tygodni temu znalazła nagranie wideo, na którym Orvil tańczył w swoim pokoju tradycyjny taniec ze zjazdów plemiennych. Opal regularnie sprawdza telefony chłopców, kiedy śpią. Patrzy, jakie obrazki i materiały wideo ściągają, czyta ich esemesy i sprawdza historię przeglądarki internetowej. Jak na razie żaden z nich nie okazuje szczególnie niepokojących symptomów zepsucia. To jednak tylko kwestia czasu. Opal jest bowiem zdania, że w każdym człowieku czai się mroczna ciekawość. Sądzi też, że wszyscy bez wyjątku pozwalamy sobie dokładnie na to, co naszym zdaniem może nam ujść płazem. Opal uważa, że prywatność jest dla dorosłych, natomiast dzieci trzeba nieustannie mieć na oku i trzymać w ryzach.

Na tym nagraniu Orvil wykonywał taniec ze zjazdu plemiennego tak, jakby doskonale wiedział, co robi. Opal nie mogła tego zrozumieć. Tańczył ponadto w tradycyjnym stroju tancerza, który trzymała w szafie. W stroju, będącym podarunkiem od jej starego przyjaciela.

Dla mieszkającej w Oakland młodzieży indiańskiej krwi organizowane były niegdyś najprzeróżniejsze programy i wydarzenia. Opal po raz pierwszy spotkała Lucasa w jednym z domów dziecka, a potem ponownie właśnie na tego rodzaju imprezie dla młodzieży z rodzin zastępczych. Przez pewien czas Opal i Lucas uchodzili za wzorcowych młodych ludzi wychowanych w takich właśnie rodzinach i zawsze jako pierwsi typowani byli do udzielania wywiadów i pozowania do zdjęć do ulotek reklamowych. Oboje dowiedzieli się wówczas od jednej ze starszych kobiet, czego potrzeba, aby zrobić taki strój tancerza, a potem sami pomogli jej go wykonać. Potem z kolei Opal pomogła Lucasowi przygotować się do pierwszego zjazdu plemiennego, na którym miał tańczyć. Lucas i Opal byli w sobie zakochani. Ich miłość była może szczenięca i desperacka, niemniej jednak była to miłość. Wtem pewnego dnia Lucas wsiadł do autobusu i wyniósł się do Los Angeles. Nigdy wcześniej nawet o tym nie wspomniał. Po prostu wyjechał sobie z dnia na dzień. Potem powrócił, blisko dwadzieścia lat później. Pojawił się w jej życiu znowu jakby znikąd, mówiąc, że chce przeprowadzić z nią wywiad do filmu dokumentalnego o miejskich Indianach, jaki wówczas kręcił. Wtedy właśnie podarował jej ten strój, a potem zmarł, ledwie kilka tygodni później. Zadzwonił jeszcze do Opal z domu swojej siostry, aby powiedzieć, że jego dni są policzone. Dokładnie tak to zresztą ujął. Nawet nie powiedział jej dlaczego; stwierdził jedynie, że strasznie ją przeprasza i życzy jej wszystkiego najlepszego.

Wczoraj wieczorem przy kolacji panowała cisza. A przecież nigdy tak nie bywało. Chłopcy odeszli jednak od stołu, wciąż zachowując to podejrzane milczenie. Opal przywołała więc do siebie Lony'ego. Chciała go spytać, jak im minął dzień, bo Lony nie umie kłamać. Chciała ponadto wiedzieć, czy podoba mu się jego nowy rower. Na dodatek była właśnie jego kolej na zmywanie naczyń. Jednak Orvil i Loother zrobili wówczas coś, co nie zdarzyło się nigdy wcześniej. Pomogli mianowicie swemu najmłodszemu bratu wytrzeć do sucha i poodkładać na miejsce wszystkie sztućce, kubki i talerze. Wobec tego Opal nie chciała dłużej ich naciskać, mimo że naprawdę nie wiedziała, co ma o tym myśleć. Czuła się tak, jakby coś uwięzło jej w gardle i nie chciało ani wrócić, ani wpaść do przełyku. Właściwie przypomniało jej to ten guz w nodze, z którego wyszły niegdyś trzy pajęcze odnóża. Ten guz nigdy zresztą nie sklęsł. Czy było w nim zatem więcej pajęczych odnóży? A może mieścił w sobie ciało samego pająka? Opal już dawno temu przestała zadawać sobie takie pytania. A guz pozostał.

Kiedy poszła powiedzieć chłopcom, żeby szli już spać, usłyszała, jak jeden z braci gorączkowo uciszał pozostałych.

– O co chodzi? – spytała.

– O nic, babciu – odparł Loother.

– Nie próbujcie mnie zbywać byle czym, dobrze? – upierała się Opal.

– Ale to naprawdę nic takiego – zawtórował bratu Orvil.

– Idźcie już spać – powiedziała Opal. Chłopcy boją się jej tak samo, jak ona zawsze bała się swej matki. Chodzi o to, że Opal potrafi być bardzo konkretna i bezpośrednia. Być może jest przy tym również przesadnie krytyczna, jak jej matka. Takie traktowanie ma jednak przysposobić ich do życia w świecie, stworzonym po to, by ludzie indiańskiej krwi nie tyle w nim żyli, co raczej umierali, zamykali się w sobie i znikali. Opal musi mocniej dokręcać im śrubę, gdyż, aby odnieść życiowy sukces, będą musieli zrobić znacznie więcej niż ludzie niebędący potomkami rdzennych Amerykanów. Musi to robić także dlatego, że jej samej nie udało się zrobić wiele więcej, jak tylko zniknąć. Traktuje ich więc surowo, bo sądzi, że życie zawsze zrobi, co tylko w jego mocy, aby się do człowieka dobrać. Niepostrzeżenie zakradnie się od tyłu i rozwali cię na drobne kawałki, tak że nawet nie będzie co zbierać. Trzeba zatem być gotowym do tego, by podchodzić do wszystkiego pragmatycznie, za bardzo się nie wychylać i jakoś popychać naprzód swój wózek. Tylko jedna jedyna śmierć kpi sobie bowiem z ciężkiej pracy i trzeźwego podejścia do rzeczywistości. Śmierć i może jeszcze pamięć. Zazwyczaj nie ma jednak czasu ani dostatecznie dobrego powodu do tego, by spoglądać w przeszłość. Wystarczy pozostawić wspomnienia samym sobie, a rozmażą się i połączą w coś w rodzaju lakonicznego streszczenia tego, co się dotąd wydarzyło. Opal zdecydowanie wolała przechowywać je w pamięci w takiej właśnie postaci. A teraz te przeklęte pajęcze odnóża stanowią dla niej problem właśnie dlatego, że każą jej spoglądać w przeszłość.

Opal wydobyła trzy pajęcze odnóża ze swojej nogi pewnego niedzielnego popołudnia, kiedy ona i Jacquie miały opuścić dom i człowieka, z którym zostawiła je ich matka, gdy odeszła z tego świata. Opal niedawno miała swoją pierwszą miesiączkę. Zarówno miesięczna krew, jak i te odnóża pająka sprawiały, że czuła ten sam rodzaj wstydu. Było w niej mianowicie coś, co dopiero teraz z niej wyszło; coś, co wydawało się tak dalece zwierzęce i groteskowe, a zarazem magiczne, że jedynym uczuciem, jakim była w stanie natychmiast na to wszystko zareagować, był w obydwu sytuacjach właśnie wstyd. W obu przypadkach ten właśnie wstyd sprawił, że nie podzieliła się z nikim swoją tajemnicą. Tajemnice przekłamują rzeczywistość poprzez przemilczenie pewnej jej części, tak jak wstyd przekłamuje ją poprzez tajemnice. Mogła była powiedzieć Jacquie o pajęczych odnóżach albo o krwawieniu. Jej siostra była jednak w ciąży i sama nie miewała już miesiączek, a w jej brzuchu rosły kończyny maleńkiego ciałka, którego, jak postanowiły, miała już się nie pozbywać, aby, kiedy przyjdzie pora, urodzić dziecko i oddać je do adopcji. Jednakże z czasem zarówno miesięczna krew, jak i pajęcze odnóża nabrały naprawdę bardzo wielu innych znaczeń.

Ten facet, u którego pozostały po śmierci ich matki, ten cały Ronald, zabierał je na różne indiańskie obrzędy uzdrawiające, mówiąc im przy tym, że tylko w ten sposób zdołają zaleczyć ból po stracie matki. Przez cały ten czas Jacquie potajemnie stawała się matką. Opal zaś potajemnie stawała się kobietą.

Tymczasem Ronald zaczął najpierw przechodzić w nocy przed drzwiami ich pokoju. Potem przystawał w drzwiach i stał tam jak cień ujęty w ramę futryny i podświetlony padającym z tyłu światłem. Opal zapamiętała, jak podczas powrotu do domu z jednego z obrzędów Ronald wspomniał coś o tym, że muszą odbyć razem rytuał snów. Opal nie spodobał się ten pomysł. Zaczęła więc trzymać pod ręką – a właściwie obok siebie, w łóżku, kij baseballowy, który znalazła w szafie w ich sypialni, kiedy tylko się wprowadziły. Nauczyła się tulić do niego tak, jak niegdyś tuliła się do misia Dwa Buciki, mającego zapewnić jej pociechę i dać poczucie bezpieczeństwa. O ile jednak Dwa Buciki tylko gadał i nic nie mógł zdziałać, o tyle kij, z wypisanym na grubszym końcu nazwiskiem „Storey", nadawał się jedynie do działania.

Jacquie zawsze spała twardo od wieczora aż do białego rana. Pewnej nocy Ronald podszedł do nóg jej łóżka – a właściwie rozłożonego na podłodze materaca. Materac Opal znajdował się przy przeciwległej ścianie pokoju. Kiedy Opal zobaczyła, że Ronald ciągnie Jacquie za kostki, nawet nie zastanawiała się nad tym, co powinna zrobić. Nigdy wcześniej nie machała baseballowym kijem, ale dobrze znała jego ciężar i widziała, jak się to robi. Ronald już klęczał i miał właśnie przyciągnąć do siebie śpiącą wciąż Jacquie. Opal wstała najciszej, jak tylko umiała, powoli zaczerpnęła tchu, a potem wzniosła kij wysoko w górę, po czym z całych sił grzmotnęła nim Ronalda w sam czubek głowy.

Rozległ się głuchy, przytłumiony trzask i Ronald osunął się wprost na Jacquie, która obudziła się wreszcie i ujrzała stojącą nad nimi siostrę z baseballowym kijem w rękach. Potem dziewczęta, najszybciej jak tylko umiały, zapakowały swoje torby z wełnianej bai i zeszły na dół. Przechodząc przez salon, spostrzegły na ekranie telewizora głowę Indianina z planszy testowej, którą widziały wcześniej z tysiąc razy. Opal zdawało się jednak, że widzi ją po raz pierwszy. Wyobrażała sobie nawet, że ten Indianin zwraca się wprost do niej i mówi: „Idź". Potem dźwięk tego słowa zaczął stawać się coraz bardziej przeciągły, by wreszcie zamienić się w testowy sygnał wydobywający się z telewizora. W końcu Jacquie chwyciła Opal za rękę i wyprowadziła ją z domu. Gdy wyszły, Opal wciąż miała w rękach baseballowy kij.

Po opuszczeniu domu Ronalda pojechały do schroniska, do którego zawsze zabierała je matka, kiedy potrzebowały pomocy lub chwilowo nie miały gdzie mieszkać. Spotkały tam pracownicę opieki społecznej, która spytała, skąd się tutaj wzięły i gdzie wcześniej mieszkały, ale nie naciskała zbytnio, gdy dziewczęta nie odpowiedziały na to pytanie.

Opal przez rok nieustannie żyła ze świadomością, że mogła zabić Ronalda. Bała się jednak wrócić do jego domu, aby to sprawdzić. Przerażało ją również to, że zbytnio nie przejmowała się tym, że może być martwy; że to ona go zabiła. Wcale nie chciała tam pójść i się przekonać, czy on nadal żyje. Tak naprawdę jednak wcale nie chciała też, aby się okazało, że go zabiła. Łatwiej było pozostawić wszystko tak, jak było, i przyjąć, że Ronald być może nie żyje. Prawdopodobnie nie żyje.

Rok później z życia Opal zniknęła też Jacquie. Opal nie wiedziała nawet, gdzie przebywa jej siostra. Kiedy widziała ją po raz ostatni, policja aresztowała właśnie Jacquie z jakiegoś nieznanego Opal powodu. Utrata siostry na rzecz krajowego systemu więziennictwa była kolejną spośród tych dotkliwych strat, jakich Opal poniosła tak wiele. Wcześniej jednak poznała chłopca indiańskiej krwi, swojego rówieśnika, i chłopak ten wydał jej się sensowny: nie był wcale dziwaczny ani ponury, a może zresztą był, tylko w ten sam sposób, co ona. A w dodatku nigdy nie mówił o tym, skąd pochodził ani co mu się wcześniej przydarzyło. Oboje zgodnie pomijali zatem takie tematy milczeniem, niczym żołnierze po powrocie z wojny, aż do pewnego popołudnia, kiedy Opal i Lucas siedzieli w indiańskim ośrodku kultury, czekając na ludzi, którzy mieli przyjść na składkowy poczęstunek. Lucas mówił właśnie o tym, jak straszliwie nie znosi jedzenia w sieci McDonald's.

– Ależ ono jest takie smaczne! – oponowała Opal.

– Ale to nie jest wcale prawdziwe jedzenie – nie dawał za wygraną Lucas, przechadzając się tam i z powrotem po krawężniku przed budynkiem i starając się utrzymywać równowagę.

– Jest prawdziwe, skoro jestem w stanie je zjeść, a potem widzę, jak wyłazi ze mnie drugą stroną – upierała się Opal.

– Ale ohyda! – wykrzyknął Lucas.

– Pewnie nie byłoby to ohydne, gdybyś ty to powiedział. Dziewczynom nie wolno mówić o pierdach, kupie ani przeklinać czy...

– Mógłbym równie dobrze połykać drobniaki, a potem je wysrywać, ale to nie znaczy, że byłyby jedzeniem – przerwał jej Lucas.

– Kto ci naopowiadał, że to nie jest prawdziwe jedzenie? – spytała Opal.

– Przez blisko miesiąc miałem w plecaku połówkę cheeseburgera, o której zupełnie zapomniałem. Kiedy ją znalazłem, wyglądała i pachniała dokładnie tak samo jak wtedy, kiedy ją tam wsadziłem. A prawdziwe jedzenie się psuje – wyjaśnił Lucas.

– Suszona wołowina się nie psuje – zaprotestowała Opal.

– Niech ci będzie, Ronald – rzucił od niechcenia Lucas.

– Jak mnie nazwałeś? – rzekła zdumiona Opal, czując, jak w jej sercu wzbiera palący smutek, który pnie się po karku aż do oczu.

– Nazwałem cię Ronald – wyjaśnił Lucas, przestając wreszcie balansować na krawężniku. – Jak maskotka tej ich sieci: Ronald McDonald – dodał, po czym położył rękę na ramieniu Opal i pochylił nieco głowę, usiłując spojrzeć jej w oczy. Opal odsunęła się jednak, a twarz zbladła jej jak papier. – O rany, co znowu? Przepraszam, tylko sobie zażartowałem. Jeśli chcesz wiedzieć, co w tym wszystkim jest najzabawniejsze, to powiem ci, że zjadłem tego cheeseburgera – przyznał Lucas. Opal weszła do budynku i usiadła na składanym krześle. Lucas podążył za nią, przysunął sobie krzesło i usiadł obok. Po chwili perswazji Opal powiedziała mu o wszystkim. Był pierwszą osobą, której opowiedziała nie tylko zresztą o Ronaldzie, lecz także o swojej mamie, pobycie na wyspie i o tym, jak wcześniej wyglądało ich życie. Lucas zdołał ją jakoś przekonać, że jeśli się nie dowie, co stało się z Ronaldem, z czasem strawi ją niepewność i wyrzuty sumienia.

– Ten gość jest teraz jak ten niezjedzony cheeseburger w moim plecaku – powiedział Lucas. Opal uśmiała się z tego tak, jak nie śmiała się już od bardzo dawna. Tydzień później pojechali autobusem pod dom Ronalda.

* * *

Przez dwie godziny czekali po przeciwnej stronie ulicy, chowając się za jakąś skrzynką pocztową. Skrzynka ta była wówczas jedyną rzeczą, jaka dzieliła wciąż jeszcze Opal od pewności, od ujrzenia bądź nieujrzenia Ronalda; od reszty jej życia. Chwilami odechciewało jej się żyć, chciała, by czas zatrzymał się tu i teraz; by Lucas także tutaj z nią pozostał już na zawsze.

Zmroziło ją, gdy ujrzała, jak Ronald wraca do domu swoją furgonetką. Patrząc, jak wchodzi po schodkach do tego dobrze znanego jej domu, Opal sama nie wiedziała, czy ma ochotę się rozpłakać z nagłego poczucia ulgi i natychmiast stamtąd uciec, czy raczej pobiec za nim, powalić go na ziemię i rozszarpać gołymi rękami; rozprawić się z nim, tym razem już na dobre. Jednak ze wszystkich rzeczy, jakie mogły jej teraz przyjść do głowy, przez myśl przemknęło jej jedynie pewne słowo, które usłyszała jeszcze od swojej matki: *Veho*. Pochodziło ono z języka Czejenów i oznaczało pająka, oszusta i białego człowieka. Opal zawsze zastanawiała się, czy Ronald nie jest czasem biały. Robił co prawda różne rzeczy, jakie robią Indianie, ale wyglądał jak pierwszy lepszy biały, jakiego w życiu widziała.

Gdy zobaczyła, jak zamykają się za nim frontowe drzwi domu, dla niej zatrzasnęły się również drzwi za całym jej wcześniejszym życiem i Opal gotowa była już stamtąd odejść.

– Chodźmy już – powiedziała.

– Czyli nie chcesz już… – zaczął Lucas.

– Nie ma tu już czego szukać – przerwała mu Opal. – Chodźmy – powtórzyła, po czym wrócili te kilka mil na piechotę, nie mówiąc do siebie przy tym ani słowa. Opal przez całą drogę szła kilka kroków przed Lucasem.

Opal jest gruba. Można oczywiście powiedzieć, że w sposób typowy dla osób grubokościstych, ale ona jest gruba również w innym sensie niż ludzie o proporcjonalnym, lecz dużym ciele, albo ludzie grubokościści właśnie. Specjalistyczna komisja lekarska zapewne stwierdziłaby, że ma nadwagę. Ona jednak stała się taka gruba, aby nie skurczyć się i nie zniknąć zupełnie. Po prostu wolała tego rodzaju pęcznienie od nieustannego kurczenia się. Opal jest jak głaz. Jest duża i silna, ale już niemłoda, i wszystko ją boli.

Teraz wysiada ze swojej furgonetki z paczką w rękach. Zostawia przesyłkę na ganku i wraca do samochodu przez furtkę w ogrodzeniu podwórka przed frontem domu. Nagle po drugiej stronie ulicy zjawia się czarno-brązowy prążkowany pitbull, który szczerzy kły i warczy tak niskim basem, że Opal czuje ten dźwięk w głębi własnej piersi. Pies nie ma nawet obroży i czas też wydaje się teraz spuszczony nagle ze smyczy, gotów pomknąć tak szybko, że Opal nawet się nie zorientuje, kiedy będzie po niej. Zawsze istniała możliwość, że trafi w końcu na psa takiego jak ten, tak jak wszędzie może spotkać człowieka śmierć; tak jak samo Oakland potrafi nagle wyszczerzyć kły i napędzić ci strachu co niemiara. Ale teraz nie chodzi już tylko o biedną starą Opal: chodzi o to, co stałoby się z chłopcami, gdyby jej zabrakło.

Wtem Opal słyszy donośny męski głos, dochodzący gdzieś z końca ulicy i wykrzykujący jakieś niezrozumiałe dla niej słowo. Pies wzdryga się na sam dźwięk swego imienia, które padło najwyraźniej z ust tego człowieka. Przywiera do ziemi, po czym odwraca się i pędzi w kierunku, skąd dobiega głos. Biedne psisko prawdopodobnie próbuje w ten sposób udobruchać swojego pana po jakichś niedawnych wybrykach. To wzdrygnięcie się na sam dźwięk jego głosu mówiło samo za siebie.

Opal wsiada do swej pocztowej furgonetki, zapala silnik i rusza wprost do siedziby swojego oddziału.

Octavio Gomez

KIEDY WRÓCIŁEM DO DOMU BABCI JÓZEFINY, ledwie trzymałem się na nogach. Babka musiała wciągać mnie po schodkach. To stara i drobna kobieta, a ja już nawet wtedy byłem dosyć rosły, ale Fina jest naprawdę niezwykle silna. Ma w sobie tę niezwykłą moc, której nie widać na pierwszy rzut oka. Miałem wrażenie, że wniosła mnie po schodach aż na samą górę, do pokoju gościnnego, i położyła do łóżka. Przez cały czas robiło mi się na przemian to cholernie zimno, to znów piekielnie gorąco, a przy tym czułem przenikliwy ból, jakby ktoś ściskał moje pieprzone kości, wysysał z nich szpik albo po prostu po nich skakał.

– To może być po prostu grypa – zawyrokowała babcia, jakbym co najmniej pytał ją o opinię na temat tego, co właściwie mi dolega.

– A jak nie grypa, to co? – zapytałem.

– Nie wiem, czy twój ojciec mówił ci kiedyś coś o klątwach – rzekła babcia, podchodząc do mojego łóżka, by położyć mi dłoń na czole i sprawdzić temperaturę.

– To po nim tak przeklinam.

– Takie przekleństwa się nie liczą. Swoje niby potrafią, ale prawdziwa klątwa to raczej coś w rodzaju pocisku wystrzelonego z oddali – wyjaśniła babcia, po czym stanęła nade mną i złożywszy mokry ręcznik, położyła mi go na czole. – Ktoś celuje do ciebie z bardzo daleka, ale przy takiej odległości jego kula przeważnie chybia, a jeśli nawet trafi, to zazwyczaj cię nie zabije. Wszystko zależy od zamiarów tego, kto do ciebie mierzy. Mówiłeś, że twój wujek absolutnie niczego ci nie dawał, a ty też niczego od niego nie brałeś, tak?

– Nie brałem – potwierdziłem.

– No to na razie niczego się nie dowiemy – skwitowała babcia.

Po chwili wróciła na górę z miską i kartonem mleka. Wlała mleko do miski, po czym wsunęła ją pod moje łóżko. Później wstała i podeszła do wotywnej świecy stojącej po drugiej stronie pokoju. Kiedy ją zapaliła, odwróciła się i spojrzała na mnie takim wzrokiem, jakbym nie powinien był na to patrzeć; jakbym powinien mieć zamknięte oczy. Spojrzenie babci Finy potrafiło być kąśliwe. Jej oczy były zielone tak jak moje, ale jakby ciemniejsze – w kolorze aligatora. Podniosłem więc wzrok i spojrzałem na sufit. Babka podeszła znów do łóżka i stanęła nade mną ze szklanką wody.

– Wypij to – powiedziała. – Mój własny ojciec przeklął mnie, kiedy miałam osiemnaście lat. Posłużył się jakąś starą indiańską klątwą, która zdaniem mojej matki była kompletnie niepoważna. Tak mi właśnie powiedziała. Jakby wiedziała wystarczająco dużo, by mieć świadomość, że klątwa była indiańska, a przy tym nieprawdziwa, ale zarazem za mało, żeby w jakikolwiek sposób mnie przed nią uchronić – to mówiąc, babcia Fina zaśmiała się z lekka.

Chciałem oddać jej szklankę, ale ona odepchnęła ją ponownie w moim kierunku, jakby mówiła: „Wypij do dna".

– Wydawało mi się, że jestem zakochana – powiedziała. – Byłam w ciąży. Byliśmy już zaręczeni, ale on nagle wyjechał. Na początku nic nie powiedziałam rodzicom. Jednak pewnej nocy przyszedł do mnie mój ojciec, aby zapytać, czy nadam jego wnukowi – bo był pewien, że to będzie wnuk – imię po nim. Wtedy właśnie powiedziałam mu, że nie wychodzę za mąż, że ten chłopak wyjechał, a w dodatku wcale nie mam zamiaru urodzić tego dziecka. Ojciec rzucił się na mnie z tą swoją wielką łyżką, którą czasem mnie bił. Zaostrzył sobie nawet jej trzonek, żeby mnie nim wtedy straszyć, ale tym razem rzucił się na mnie od razu z tym ostrym końcem w ręku. Moja mama go powstrzymała. On byłby sprzeciwił się każdemu i przekroczył każdą granicę, ale nigdy nie zrobiłby niczego wbrew jej woli. Nazajutrz rano znalazłam pod łóżkiem warkocz z jego włosów. Tam właśnie odkładałam buty, więc kiedy sięgnęłam po nie następnego ranka, znalazłam tam ten warkocz. A kiedy zeszłam na dół, mama powiedziała mi, że muszę odejść – powiedziała babcia Fina, po czym podeszła do okna i otwarła je. – Lepiej będzie wpuścić tu trochę powietrza. Temu pokojowi potrzebny jest oddech. Mogę dać ci więcej koców, jeśli będzie ci zimno.

– Jest w porządku, babciu – odparłem, choć nie była to prawda. Do pokoju wpadł podmuch wiatru i teraz czułem się tak, jakby smagał mnie po plecach i ramionach. Nakryłem się kocami aż po brodę. – To było w Nowym Meksyku? – spytałem.

– W Las Cruces – odparła babcia. – Mama wsadziła mnie jeszcze do autobusu jadącego tutaj, do Oakland, gdzie mój wujek miał restaurację. Kiedy już tu przyjechałam, dałam sobie zrobić skrobankę. I wtedy naprawdę się pochorowałam. Trzymało mnie z przerwami przez blisko rok. Czułam się gorzej niż ty teraz, ale to było dokładnie to samo. Tego rodzaju choroba, która zwala cię z nóg i nie pozwala wstać. Napisałam do mamy z prośbą o pomoc. Przysłała mi wtedy kępkę zwierzęcej sierści i kazała mi ją zakopać po zachodniej stronie podstawy kaktusa.

– Kępkę sierści? – spytałem z niedowierzaniem.

– Mniej więcej tej wielkości – dodała babcia, unosząc dłoń zaciśniętą w pięść.

– I co? Pomogło?

– No, nie od razu. Z czasem jednak przestałam chorować.

– Czyli klątwa polegała tylko na tym, że chorowałaś?

– Tak właśnie myślałam, ale teraz, po tym wszystkim, co się wydarzyło... – przerwała i spojrzała w stronę drzwi. Na dole dzwonił telefon. – Powinnam odebrać – powiedziała i wstała, żeby zejść na dół. – Prześpij się trochę.

Spróbowałem się przeciągnąć i przeszedł mnie gwałtowny dreszcz. Naciągnąłem koce po sam czubek głowy. Był to ten etap gorączki, kiedy człowiekowi jest tak zimno, że musi się wypocić, aby przerwać proces narastania temperatury. Czując na przemian zimno i gorąc oraz przebiegające przeze mnie raz za razem dreszcze i oblewające mnie poty, zacząłem rozmyślać o tamtej nocy, która wdarła się przez okna i ściany do naszego domu, sprawiając, że z czasem znalazłem się w tym właśnie łóżku, w którym robiłem teraz, co mogłem, aby jak najszybciej wydobrzeć.

Ja i mój tata przenieśliśmy się właśnie z kanapy do kuchennego stołu, żeby zjeść kolację, kiedy po całym domu zaczęły nagle śmigać pociski. Miałem takie poczucie, jakby przez nasze mieszkanie przetaczał się wał rozgrzanego do czerwoności dźwięku i wiatru. Cały dom aż trząsł się w posadach. Wszystko to stało się tak nagle, choć nie było bynajmniej zaskoczeniem. Mój młodszy brat, Junior, oraz mój wujek Sixto ukradli z czyjejś piwnicy jakieś roślinki. Wrócili wtedy do domu z dwoma wypchanymi czarnymi workami na śmieci. Co za głupota! Było tego tyle, że było jasne, że te roślinki musiały ściągnąć na nas jakieś nieszczęście. Od tamtej pory czasami czołgałem się przez salon, żeby dostać się do kuchni, albo oglądałem telewizję, leżąc na brzuchu na podłodze.

Tamtej nocy ludzie, którym mój głupkowaty brat i wujek ukradli ich towar, podjechali pod nasz dom i opróżnili magazynki swych karabinów, dziurawiąc go na wylot; a wraz z nim i życie, jakie wówczas znaliśmy; życie, które nasza mama i ojciec przez lata budowali praktycznie od zera. Jednak z całej naszej rodziny oberwał tylko mój ojciec. Mama była wtedy w łazience, a Junior w swoim pokoju z tyłu domu. Ojciec wepchnął się przede mnie i własnym ciałem zasłonił mnie przed nadlatującymi pociskami.

* * *

Leżąc tak w łóżku i bardzo pragnąc snu, choć starałem się ze wszystkich sił, za nic w świecie nie potrafiłem odpędzić od siebie myśli o Szóstym. Tak właśnie kiedyś go nazywałem. Mojego wujka Sixto. On z kolei mówił na mnie „Ósmy". Gdy dorastałem, tak naprawdę go nie znałem. Ale po śmierci mojego ojca zaczął przesiadywać u nas po kilka dni w tygodniu. Nie żebyśmy ze sobą dużo rozmawiali. On zwykł przychodzić i włączać telewizor, przed którym potem wypalał skręta i pił. Mnie też zresztą częstował. Dawał mi bucha. Nigdy nie lubiłem się upalać. Zioło sprawiało jedynie, że robiłem się cholernie nerwowy i za dużo myślałem o własnym tętnie: może moje serce bije zbyt wolno i w końcu się zatrzyma, a może za szybko i będę miał pieprzony atak serca? Pić natomiast lubiłem.

Po tamtej strzelaninie Juniora nie było w domu jeszcze częściej niż zwykle. Twierdził, że załatwi tamtych facetów, że ta napaść oznacza wojnę, ale, jak to zwykle z nim bywało, kończyło się tylko na gadaniu.

Czasami ja i Szósty oglądaliśmy popołudniami telewizję, a słońce wpadało do salonu przez jeden z otworów po pociskach – jedną z tych dziur, które wybiły akurat w ścianie – i widziałem, jak w smudze światła mającej szerokość kuli unosi się ten pieprzony kurz. Mama wymieniła okna i drzwi, ale nie zadała sobie trudu, by zagipsować otwory w ścianach. Nie chciało jej się z tym pieprzyć albo zrobiła to specjalnie.

Po kilku miesiącach Szósty przestał do nas przychodzić, a babcia Fina kazała mi spędzać więcej czasu z moimi kuzynami Mannym i Danielem. Ich mama zadzwoniła do niej z prośbą o pomoc. Sprawiło to, że zacząłem się zastanawiać, czy moja mama także poprosiła ją o pomoc po śmierci ojca i czy to właśnie dlatego Szósty zaczął wtedy do nas przychodzić. To Fina przykładała rękę do wszystkiego, co działo się w naszej rodzinie. Tylko ona jedna usiłowała sprawić, żebyśmy wszyscy trzymali się razem, żebyśmy na dobre nie wypadli przez dziury, jakie z nagła otwierały się w naszym życiu; dziury takie jak te pozostawione przez pociski, której tamtej nocy rozorały ściany naszego domu.

Ojciec Manny'ego i Daniela stracił pracę i od pewnego czasu dużo pił. Najpierw chodziłem do nich z poczucia obowiązku. Człowiek robił po prostu to, co mu babcia Fina kazała. Potem jednak zaprzyjaźniłem się z Mannym i Danielem. Nie żebyśmy dużo ze sobą rozmawiali. Przeważnie po prostu graliśmy w gry komputerowe u nich w piwnicy. Spędzaliśmy jednak razem niemal cały swój wolny czas – czas, kiedy nie byliśmy w szkole – a tak się składa, że to, z kim spędzasz czas, okazuje się koniec końców ważniejsze niż to, co z tym czasem robisz.

Pewnego dnia byliśmy na dole, w piwnicy, kiedy usłyszeliśmy jakiś hałas na górze. Manny i Daniel spojrzeli po sobie, jakby dobrze wiedzieli, o co chodzi, i jakby bardzo nie chcieli, żeby to było właśnie to. Manny poderwał się z kanapy i ruszył na górę. Ja pobiegłem za nim. Kiedy tylko dotarliśmy na górę, zobaczyliśmy, jak jego ojciec ciska ich matką o ścianę, a potem uderza ją otwartą dłonią najpierw prawej, a potem lewej ręki. Ona próbowała go odepchnąć, lecz on tylko się zaśmiał. Nigdy nie zapomnę tego śmiechu. Ani tego, jak chwilę później Manny sprawił, że przestało mu być wesoło. Zaszedł ojca od tyłu i pociągnął go za szyję tak mocno, jakby usiłował wyrwać mu z gardła każdy oddech, jakiego ten kiedykolwiek zaczerpnął. Był już przy tym większy od ojca i naprawdę szarpnął nim ze wszystkich sił. Potykając się po drodze, obaj wpadli tyłem do salonu.

W tym momencie usłyszałem, że Daniel wchodzi na górę po schodach. Otwarłem więc drzwi i uniosłem dłoń w takim geście, jakbym chciał mu powiedzieć: „Zostań na dole". Wtedy doszedł mnie dźwięk tłuczonego szkła. To Manny i jego ojciec przetoczyli się właśnie przez szklaną ławę w salonie. W szamotaninie Manny zdołał ich obu obrócić, więc wylądował teraz na grzbiecie ojca na blacie ze szkła. Sam miał trochę poranione ręce, ale jego ojciec był cały pokiereszowany. W wyniku upadku stracił też przytomność i przez chwilę sądziłem nawet, że nie żyje. „Pomóż mi go wsadzić do samochodu" – powiedział do mnie Manny. Tak też zrobiłem. Chwyciłem wujka pod ręce i uniosłem, a Manny poszedł za mną, trzymając ojca za nogi. Wychodząc z domu frontowymi drzwiami, kiedy już niemal przeszedłem przez próg, spostrzegłem Daniela i ciocię Sylwię, przypatrujących się temu, jak wynosimy z domu ich poranionego męża i ojca. Było coś niezwykłego w tym, jak nam się przyglądali. Oboje płakali przy tym, bo chcieli, żeby sobie poszedł i zniknął z ich życia. Płakali, bo chcieli zarazem, aby wrócił do nich taki, jaki był dawniej. Ten widok naprawdę cholernie mnie zdołował. Wyrzuciliśmy ich ojca z samochodu przed szpitalem Highland, przy podjeździe dla karetek. Zostawiliśmy go tam po prostu na ziemi. Wcisnęliśmy przy tym klakson jeden jedyny raz, trzymając go przez dłuższą chwilę, a potem odjechaliśmy.

Później jeszcze częściej wpadałem do moich kuzynów. Przez cały tydzień nawet nie wiedzieliśmy, czy go zabiliśmy, czy nie. Potem pewnego dnia rozległ się dzwonek do drzwi i było tak, jakby Manny dobrze wiedział, kto idzie. Jakby to przeczuwał. Dwa razy klepnął mnie w kolano i wybiegł na górę. Po otwarciu drzwi wejściowych nie musieliśmy nawet nic mówić. Staliśmy tam tylko z minami w rodzaju: „Czego? Czego tu jeszcze szukasz, do cholery? Odejdź stąd!". Jego twarz była cała w bandażach. Wyglądał jak jakaś pieprzona mumia. Zrobiło mi się go trochę żal. Wtedy ciocia Sylwia stanęła za nami z workiem na śmieci pełnym jego ubrań i zaczęła wrzeszczeć: „Wynoś się!". Odsunęliśmy się więc tylko, a ona cisnęła w niego tym workiem. Manny zamknął potem drzwi i było już po wszystkim.

Siedziałem u moich kuzynów także i wtedy, kiedy Manny i ja po raz pierwszy przejechaliśmy się kradzionym wozem. Najpierw pojechaliśmy szybką kolejką do centrum Oakland. W śródmieściu były takie dzielnice, których mieszkańcy mieli ładne samochody, a jednak na widok kogoś takiego jak Manny i ja nie dzwonili od razu po gliny. Manny chciał podprowadzić lexusa: wóz całkiem ładny, ale bez przesady. No i nierzucający się za bardzo w oczy. Znaleźliśmy w końcu taki w czarnym kolorze, ze złotymi literami i przyciemnianymi szybami. Nie wiem, od jak dawna Manny kradł samochody, ale szybko dostał się do środka za pomocą zwykłego wieszaka na ubrania, a potem odpalił zapłon śrubokrętem. W środku pachniało skórą i papierosami.

Ruszyliśmy przed siebie Czternastą Wschodnią, która nazywała się kiedyś International Boulevard, ale wzdłuż całej ulicy tak się porobiło, że w końcu zmienili jej nazwę na coś bez skojarzeń z historią. Zacząłem przetrząsać schowek i znalazłem paczkę newportów. Obaj uznaliśmy, że to dziwne, żeby ktoś, kto – jak zakładaliśmy – był biały, kupował właśnie newporty. Żaden z nas na co dzień wprawdzie nie palił, ale te akurat papierosy wypaliliśmy, słuchając przy tym radia włączonego na cały regulator, i w czasie całej przejażdżki nie zamieniliśmy ze sobą ani jednego słowa. Taka jazda miała jednak w sobie coś niezwykłego. Było tak, jakbyśmy mogli założyć cudze ubranie, żyć w cudzym domu, jeździć cudzym samochodem i palić cudze papierosy, nawet jeśli było to możliwe tylko przez godzinę albo dwie. Kiedy już odjechaliśmy dość daleko w głąb wschodniej dzielnicy, wiedzieliśmy, że nic nam nie grozi. Zostawiliśmy wóz na parkingu przy stacji szybkiej kolejki przy stadionie i wróciliśmy na nogach do domu Manny'ego, podjarani tym, że tak łatwo wszystko uszło nam na sucho. Choć cały system ciągle usiłował cię zastraszyć, żebyś myślał, że musisz przestrzegać zasad, my przekonywaliśmy się właśnie, że było to tylko wciskanie kitu. Tak naprawdę można było zrobić wszystko to, co tylko mogło człowiekowi ujść bezkarnie. I o to właśnie chodziło.

Siedziałem właśnie u Manny'ego, kiedy ciocia Sylwia zajrzała na dół do piwnicy, żeby mi powiedzieć, że babcia Fina chce ze mną rozmawiać. Babka nigdy do mnie nie dzwoniła, kiedy u nich byłem. Zanim poszedłem na górę, Daniel wziął ode mnie joypad.

– On ich pozabijał! Pozabijał ich! – powtarzała do słuchawki babcia Fina.

Nawet nie wiedziałem, o kogo jej chodzi.

– Twój wujek Sixto! – wyjaśniła w końcu. – Rozbił samochód, którym ich wiózł. Oboje nie żyją!

Wybiegłem przez frontowe drzwi, wskoczyłem na rower i popędziłem do domu. W moim sercu szalały emocje w rodzaju: „Niech to szlag! Cholera, tylko nie to!", a jednocześnie miałem poczucie, jakby po słowach babci Finy to samo serce wymknęło mi się z piersi. Zanim jednak dotarłem do domu, myślałem już w następujący sposób: „No dobra, Szósty, lepiej, żebyś i ty był martwy".

Babcia stała w drzwiach swego domu. Płynnym ruchem zeskoczyłem z roweru i wbiegłem do środka, jakbym spodziewał się tam jeszcze kogoś znaleźć. Moją mamę i brata albo Szóstego. Musiałem widocznie wierzyć, że to jakiś żart albo cokolwiek innego, tylko nie to, co mówił mi wyraz twarzy stojącej w progu babci Finy.

– Gdzie on jest? – spytałem.

– Zabrali go do aresztu gdzieś w centrum.

– Niech to szlag! – zakląłem, a kolana ugięły się wreszcie pode mną. Znalazłem się na ziemi. Nie płakałem, ale było tak, jakbym nie mógł ruszyć się z miejsca i przez minutę było mi naprawdę tak cholernie smutno, ale potem zareagowałem zupełnie odwrotnie i zacząłem wrzeszczeć, sam nie pamiętam co. Babcia nie odezwała się ani słowem i nie zrobiła nic, by mnie powstrzymać, kiedy wskoczyłem z powrotem na rower i stamtąd odjechałem. Nie pamiętam, co robiłem tamtej nocy ani dokąd wtedy pojechałem. Czasami człowiek idzie po prostu przed siebie. I znika.

Po pogrzebie wprowadziłem się do babci. Fina powiedziała mi, że Szóstego wypuścili. Dostał grzywnę za prowadzenie samochodu pod wpływem alkoholu bądź narkotyków i stracił prawo jazdy, ale jednak go wypuścili.

Babcia powiedziała mi, że mam się z nim nie spotykać. Powtarzała, żebym nigdy tego nie robił i pozostawił wszystko tak, jak jest. Nie wiedziałem, co zrobię, jeśli do niego pójdę, ale wiedziałem, że cokolwiek by zrobiła, i tak za cholerę nie zdoła mnie przed tym powstrzymać.

W drodze do jego domu zatrzymałem się na parkingu przed znajomym sklepem z alkoholem, w którym mogłem mieć pewność, że nie spytają mnie o dowód. Wszedłem i kupiłem 0,7 brandy E&J. Takiej, jaką pił Szósty. Sam nie wiedziałem, co chcę osiągnąć, idąc do niego. W głowie roił mi się taki plan, że go spiję, a potem stłukę na kwaśne jabłko. Może nawet go zabiję. Wiedziałem jednak, że tak się nie stanie. Szósty miał na wszystko swoje sposoby. Nie żebym nie był dość wściekły na niego, żeby to zrobić. Po prostu nie wiedziałem, jak będzie wyglądało to nasze spotkanie. Wychodząc ze sklepu, usłyszałem gdzieś w pobliżu głos gołębia karolińskiego. Ten dźwięk sprawił, że dostałem gęsiej skórki, ale nie takiej, jakiej dostaje się z zimna, ani nie takiej, która kojarzy się z dobrymi emocjami.

Odkąd tylko sięgam pamięcią, trzymaliśmy takie gołębie na podwórku z tyłu domu, pod gankiem. Kiedyś, gdy usiłowaliśmy tam naprawić mój rower, ojciec powiedział mi: „Ich głos jest tak smutny, że człowiek prawie ma ochotę je pozabijać za to, że śpiewają". Po jego śmierci miałem wrażenie, że słyszę je częściej. Może po prostu chodziło o to, że przypominały mi o nim i o tym, jakie miał podejście do większości rodzajów smutku. Sam też nie chciałem wtedy czuć się zdołowany. A przy tym było tak, jakby to te cholerne ptaki sprawiały, że popadałem w przygnębienie. Wyszedłem więc na podwórko z moim pistoletem pneumatycznym marki BB, który dostałem na Boże

Narodzenie, kiedy miałem dziesięć lat. Jeden z gołębi stał tam sobie właśnie zwrócony dziobem do ściany, jakby naprawdę śpiewał specjalnie dla mnie, siedzącego we wnętrzu domu. Strzeliłem mu w tył głowy, a potem jeszcze dwa razy w grzbiet. Próbował jeszcze wzbić się w powietrze, lecz jego pióra tylko unosiły się i opadały jakby za wolno, gdy ptak usiłował trzepotać nimi przez krótką chwilę, wpadając w końcu w nieregularny korkociąg i lądując gdzieś na podwórku sąsiedniego domu. Przez chwilę czekałem, nasłuchując, czy jeszcze się rusza. Kiedy przeleciał mi już nad głową, myślałem o tym, co musiał czuć. Ten nagły, piekący ból w głowie i grzbiecie. Jednak nie było mi go ani trochę żal, z uwagi na to, jak bardzo dołował mnie jego głos, odkąd zastrzelili mojego ojca, a ja musiałem nad nim stać i patrzeć, jak mruga oczami z niedowierzaniem i spogląda na mnie tak, jakby to jemu było przykro: przykro, że muszę patrzeć, jak odchodzi w ten właśnie sposób, nie mając żadnej kontroli nad rozszalałymi żywiołami, jakie brutalna rzeczywistość rozpętała nad naszym domem i życiem.

Będąc już pod domem wujka, zapukałem do drzwi. „Hej, Szósty, to ja!" – zawołałem. Potem cofnąłem się nieco i spojrzałem w okno na piętrze. Wtedy usłyszałem jego kroki, głośne i powolne. Kiedy otworzył drzwi, nawet na mnie nie spojrzał ani nie czekał, aż coś zrobię lub powiem, tylko wszedł z powrotem do domu.

Poszedłem za nim do jego sypialni i znalazłem sobie miejsce na starym krześle biurowym, które trzymał w kącie. Byłem zdziwiony, że jest puste, biorąc pod uwagę panujący w całym pokoju bałagan: wszędzie walały się ubrania, butelki i śmieci, a nad całym tym rozgardiaszem unosiła się łagodna woń tytoniu, zioła i popiołu. Sam Szósty wydawał się cholernie zdołowany. A ja, choć nienawidziłem siebie za to, miałem ochotę powiedzieć coś, co by sprawiło, że poczuje się lepiej. Wtedy też po raz pierwszy spojrzałem na to inaczej. Jakbym mu współczuł ze względu na to, jak podle musi się czuć z tym, co zrobił.

– Kupiłem nam flaszkę – wypaliłem w końcu. – Chodźmy na podwórko z tyłu domu – zaproponowałem. Wychodząc z pokoju, słyszałem, jak wstaje i idzie za mną.

Szósty miał na tyłach domu kilka krzeseł na zarośniętym i ogrodzonym krzywym drewnianym płotkiem podwórku pomiędzy dwoma niepłodnymi teraz drzewkami: pomarańczowym i cytrynowym, które dawniej obwieszone były zawsze owocami. Przez chwilę piliśmy w milczeniu. Patrzyłem, jak wujek wypala skręta. Ciągle czekałem, że to on zacznie rozmowę; że powie coś o tym, co stało się z moją matką i bratem. On jednak wciąż milczał. Zamiast tego zapalił jeszcze papierosa.

– Kiedy byliśmy dziećmi – zaczął wreszcie – razem z twoim ojcem zakradaliśmy się do pokoju twojej babci. Ona miała tam urządzony prawdziwy ołtarzyk. Były na nim najprzeróżniejsze dziwaczne duperele. Babka trzymała tam na przykład czaszkę tak zwanych „małych ludzi". Mówiła nam, że ci mali ludzie porywają dzieci i niemowlęta. Miała tam też słoiki pełne jakichś proszków oraz różne zioła i kamienie. Pewnego dnia wreszcie przyłapała w swoim pokoju mnie i twojego ojca. Jemu powiedziała, że ma natychmiast wracać do domu. Zwiewał, aż się kurzyło! Ona czasami potrafi mieć niezły obłęd w oczach. Ciemnieją jej tak strasznie, jakby za tymi zielonymi, które widać na co dzień, miała drugą parę, parę znacznie ciemniejszych oczu. Ja trzymałem właśnie w rękach tę małą czaszkę. Najpierw kazała mi ją odłożyć, a potem powiedziała mi, że mam w sobie coś, czego na razie nie będę w stanie z siebie wyrzucić. Dodała, że mogę znieść to jak mężczyzna i z tym umrzeć, ale mogę też podzielić się tym z rodziną. Porozdawać to z czasem, nawet nieznajomym. Była to jakaś mroczna i pradawna spuścizna, przekazywana z pokolenia na pokolenie w naszej rodzinie. Niektórzy dostają zapisane w genach choroby. Inni dziedziczą po przodkach rude włosy albo zielone oczy. My mamy tę ponurą spuściznę, która naprawdę cholernie boli i sprawia, że człowiek staje się zły. Ty też to masz. To samo miał w sobie twój dziadek. „Bądź mężczyzną – powiedziała mi wtedy babcia. – Zachowaj to dla siebie" – to mówiąc, Szósty chwycił butelkę i pociągnął z niej długi łyk. Spojrzałem na niego, na jego oczy, aby się przekonać, czy oczekuje, że coś teraz powiem. Po chwili cisnął butelkę na trawę i wstał. Nie mogłem wprost uwierzyć, że w ogóle nie poruszył tematu mojej matki i brata. A może właśnie do tego zmierzał? Czy wszystko to, co do tej pory powiedział, było tylko jakimś przydługawym wytłumaczeniem tego, dlaczego wszystkie te nieszczęścia, jakie spadały na naszą rodzinę, zdarzały się właśnie w taki, a nie inny sposób?

– Chodźmy – powiedział do mnie tak, jakbyśmy rozmawiali właśnie o tym, że dokądś się wybieramy. Zaprowadził mnie do swojej piwnicy. Wyciągnął drewnianą skrzynkę, która wyglądała jak skrzynka na narzędzia. Oświadczył, że to jego szkatułka z lekami.

– Będziesz mi musiał przy tym pomóc – dodał, przeciągając nieco słowa. Wyciągnął ze skrzynki jakąś zasuszoną roślinę obwiązaną czerwonym sznurkiem i podpalił ją. Piwnicę wypełnił natychmiast gęsty dym i intensywny zapach piżma, ziemi i babci Finy. Nie miałem pojęcia o indiańskich rytuałach – jeśli za coś takiego zabierał się właśnie Szósty – ale wiedziałem, że nie powinniśmy przy ich odprawianiu być pijani.

– To ciągnie się od bardzo dawna – powiedział Szósty, wysypując na dłoń jakiś proszek. Potem dał mi znak, bym przybliżył się trochę, jakby chciał, żebym lepiej przyjrzał się tej substancji. Kiedy pochyliłem nieco głowę, wziął głęboki wdech i dmuchnął mi prosto w twarz tym proszkiem, który okazał się gruby jak piasek. Trochę tego świństwa dostało mi się do ust, a nawet do nosa. Zacząłem się dławić i raz po raz usiłowałem wysiąkać nos, jak pies.

– Mamy w sobie złą krew – oznajmił Szósty. – Niektóre z tych ran przekazywane są następnym pokoleniom. Tak samo jak to, co jesteśmy winni naszemu ludowi. Nasza skóra powinna być brązowa. Widzisz tę całą biel, jaką masz na swojej skórze? Musimy zapłacić za to, co uczyniliśmy swojemu własnemu ludowi – dodał z zamkniętymi oczami i pochyloną nieco głową.

– Co ty pieprzysz, Szósty?! – wrzasnąłem w trakcie kolejnego ataku kaszlu, po czym próbowałem wstać.

– Siadaj – powiedział Szósty takim tonem, jakim nigdy wcześniej się do mnie nie odezwał. – To nie tylko samo zło. Jest w tym także i moc.

Usiadłem, ale zaraz znowu wstałem.

– Pierdolę, idę stąd! – krzyknąłem.

– Siadaj, powiedziałem! – wrzasnął Szósty, raz jeszcze dmuchając w płonącą wciąż roślinę, z której wzbił się obłok gęstego dymu. Od razu zrobiło mi się niedobrze. Poczułem dziwną słabość. Udało mi się jednak wyjść przed dom. Wsiadłem na rower i pojechałem do babci Finy.

Kiedy obudziłem się następnego dnia, do pokoju weszła Fina, potrząsając w moją stronę kluczykami od samochodu.

– Wstawaj, jedziemy – powiedziała. Ciągle czułem się jeszcze bardzo zmęczony, ale gorączka ustąpiła. Pomyślałem, że może wybieramy się po zakupy spożywcze. Kiedy jednak minęliśmy Castro Valley, wiedziałem już, że nie chodzi o wiktuały ani o żadne tego rodzaju sprawunki. Jechaliśmy dalej przed siebie pośród wzgórz, na których stało całe mnóstwo wiatraków. Zasnąłem, przypatrując się jednemu z nich, przypominającemu z daleka monetę z gry Mario Brothers.

Kiedy się obudziłem, staliśmy na polu graniczącym po obu stronach z sadami owocowymi. Fina stała na masce samochodu i spoglądała w dół. Otworzyłem swoje drzwi, ale kiedy chciałem wysiąść, ujrzałem, jak babcia daje mi ręką znak, żebym został na swoim miejscu, więc usiadłem z powrotem, nie zamykając jednak drzwi. Przez przednią szybę widziałem, jak babcia przyklęka i usiłuje poderwać coś w górę kawałkiem żyłki wędkarskiej. Nie byłem w stanie dojrzeć, o co właściwie chodzi, dopóki na przedniej szybie wozu nie wylądowało jakieś zaplątane w żyłkę stworzenie.

– Rwij jego sierść! Wyrwij mu trochę futra! – wrzasnęła do mnie Fina. Ja jednak nie byłem w stanie ruszyć się z miejsca. Gapiłem się tylko na to zwierzę. Cóż to, do cholery, było? Szop? Raczej nie. Wtem babcia rzuciła się na tego zwierzaka. Był czarny, z białą pręgą ciągnącą się od nosa do nasady szyi.

Usiłował ją ugryźć albo podrapać, ale trzymała dłoń na jego grzbiecie, przyciskając go mocno do śliskiej maski samochodu, której nie był w stanie uczepić się pazurami. Kiedy już wyglądało na to, że zwierzak się uspokaja, babka uniosła go w górę za kark na kawałku wędkarskiej żyłki.

– Chodź tu i wyrwij mu trochę sierści! – powiedziała.

– Ale jak? – spytałem.

– Rwij to jego pieprzone futro obiema rękami! – wrzasnęła Fina. To w zupełności wystarczyło, żeby zmobilizować mnie do działania. Wysiadłem z samochodu i starałem się zajść zwierzaka od tyłu, ale on ciągle próbował się do mnie dobrać zębami lub pazurami. Dwa razy próbowałem go dosięgnąć, ale nie chciałem dać się ugryźć. Wreszcie za trzecim razem zdołałem wyrwać dużą kępkę sierści z jego boku.

– A teraz wsiadaj z powrotem do wozu – rozkazała mi Fina, podnosząc się z kolan. Opuściła przy tym zwierzaka na ziemię. Odeszła z nim nieco dalej w pole, wchodząc aż do sadu rosnącego na jego skraju. Gdy wróciła do samochodu, ja wciąż jeszcze siedziałem na swoim miejscu, trzymając w uniesionej pięści kępkę zwierzęcego futra. Fina wyjęła skórzany woreczek ozdobiony paciorkami i frędzlami, otwarła go i dała mi znak, abym wsadził sierść do środka.

– Co to było? – zapytałem, kiedy znaleźliśmy się już z powrotem na drodze.

– Borsuk – odparła spokojnie Fina.

– Ale po co to wszystko?

– Założymy ci szkatułkę.

– Co takiego?

– Zrobimy ci szkatułkę z lekami – wyjaśniła babcia.

– Aha – powiedziałem takim tonem, jakbym nie potrzebował już więcej wyjaśnień. Przez chwilę jechaliśmy w milczeniu, a potem Fina odwróciła głowę i zerknęła na mnie.

– Bardzo dawno temu nie wiedziano, jak je nazwać – rzekła, wskazując słońce, które było dokładnie przed nami. – Nie potrafiono nawet stwierdzić, czy jest mężczyzną, czy kobietą, czy może jeszcze czymś innym. Spotkały się w tej sprawie wszystkie zwierzęta, a wtedy borsuk wyszedł ze swej nory w ziemi i głośno podał właściwą nazwę, ale jak tylko to zrobił, zaczął uciekać. Pozostałe zwierzęta rzuciły się w pogoń. Borsuk wlazł wtedy pod ziemię i już tam pozostał. Bał się, że go ukarzą za to, że nadał słońcu nazwę – rzekła Fina, włączając kierunkowskaz i zmieniając pas, aby wyprzedzić wlokącą się przed nami ciężarówkę. – Niektórzy z nas przez cały czas mają takie poczucie, jakby zrobili coś złego. Jakbyśmy to my sami byli czymś złym. Jakbyśmy się bali, że zostaniemy ukarani za to, kim jesteśmy gdzieś w głębi duszy; tą istotą, którą chcielibyśmy nazwać, ale nie potrafimy. Właśnie dlatego się ukrywamy. Pijemy alkohol, ponieważ on pomaga nam czuć się tak, jakbyśmy mogli wreszcie być sobą i niczego już się nie bać. Ale pijąc go, karzemy też samych siebie. To, czego najbardziej nie chcemy, ma swoje sposoby na to, aby spaść nam na głowę. Lek z tego borsuka to jedyna rzecz, która ma szansę pomóc. Musisz się nauczyć, jak pozostać tam, na dole. Gdzieś w głębi samego siebie, na samym dnie, i jak się przy tym nie bać.

Odwróciłem głowę. Spojrzałem na szarą wstęgę drogi. Jej słowa trafiły mnie prosto w serce. Wszystko, co powiedziała, było prawdą. A teraz utkwiło we mnie w tym właśnie miejscu, gdzie wszystkie nici splatają się w człowieku w jeden węzeł.

– Szósty ma taką szkatułkę? – spytałem, choć dobrze znałem odpowiedź.

– Przecież wiesz, że tak.

– Pomagałaś mu ją założyć?

– Ten chłopak nigdy nie pozwalał mi w niczym sobie pomóc – odparła Fina drżącym głosem i otarła oczy. – Myśli, że wszystko może zrobić sam, ale spójrz tylko, do czego go to doprowadziło.

– Właśnie miałem zamiar ci powiedzieć, że byłem się z nim zobaczyć.

– I jak on się trzyma? – spytała Fina błyskawicznie, jakby tylko czekała, aż o tym wspomnę.

– Całkiem nieźle. Ale trochę wypiliśmy. A potem zaprowadził mnie do piwnicy, zaczął gadać, że poda mi jakieś świństwo i podpalił taką związaną roślinę, a potem dmuchnął mi w twarz jakimś sproszkowanym paskudztwem.

– Jak się teraz czujesz?

– Jakbym miał ochotę go zabić. Całkiem serio.

– Dlaczego?

– Jak to dlaczego?

– Przecież on nie chciał zrobić żadnej z tych rzeczy – rzekła Fina. – Jest po prostu zagubiony.

– Ale wszystko spieprzył.

– Tak jak i twój brat.

– Szósty też miał w tym wtedy swój udział.

– I co z tego? Wszyscy czasami nawalamy. Liczy się to, jak potem wracamy do normalnego życia.

– W takim razie nie wiem, co, do cholery, powinienem teraz zrobić. Nie jestem w stanie zawrócić go z drogi ani nie mogę przywrócić im życia. I za cholerę nie wiem, o co w tym wszystkim chodzi.

– Wcale nie musisz wiedzieć – rzekła Fina, opuszczając szybę w drzwiach kierowcy.

Robiło się gorąco. Ja też otwarłem swoje okno.

– Tak to wszystko jest już urządzone – kontynuowała babcia. – Wcale nie masz tego wiedzieć, i to przez całą drogę. Właśnie przez to wszystko kręci się tak, a nie inaczej. Po prostu nie jest nam dane wiedzieć. I to każe nam ciągle iść naprzód.

Chciałem coś powiedzieć, ale nie byłem w stanie wydusić z siebie ani słowa. Tak naprawdę nie wiedziałem zresztą, co mógłbym teraz rzec. Wszystko, co Fina powiedziała, wydawało się zarazem słuszne i najbardziej krzywdzące pod słońcem. Zamilkłem więc na resztę drogi powrotnej i milczałem potem jeszcze przez wiele tygodni. A Fina wcale nie zmuszała mnie do mówienia.

Daniel Gonzales

CHŁOPAKI PRAWIE NAROBILI W GACIE, jak im pokazałem gnata. Zaczęli się poszturchiwać i śmiać tak głośno, jak nie śmiali się już od wieków. Po śmierci Manny'ego wszystko zrobiło się nagle takie cholernie poważne. Zresztą nic dziwnego, że tak się stało. Wcale nie mówię, że nie powinno tak być. Ale on byłby zachwycony, widząc ich w takich humorach. I ten gnat też bardzo by mu się spodobał. W końcu był to prawdziwy pistolet. Tak prawdziwy, jak to tylko możliwe, mimo że był biały, plastikowy, a w dodatku sam wydrukowałem go na drukarce 3D w moim pokoju, to znaczy w piwnicy, która była kiedyś pokojem Manny'ego. Ciągle nie potrafię myśleć o nim jak o kimś, kogo już z nami nie ma, gdyż w tej chwili Manny nie jest ani tu, ani tam; jest gdzieś pośrodku, pomiędzy dwoma światami; gdzieś, gdzie człowiek może przebywać tylko wtedy, kiedy nie może być nigdzie indziej.

Wystarczyły ledwie trzy godziny, żeby wydrukować ten pistolet. Mama zrobiła w tym czasie chłopakom *tacos*, a oni oglądali sobie mecz Raidersów. Ja natomiast siedziałem w piwnicy i patrzyłem, jak pistolet, warstwa po warstwie, wyłania się z drukarki. Kiedy i oni zeszli w końcu na dół, przyglądaliśmy się w milczeniu, jak drukują się jego ostatnie fragmenty. Wiedziałem, że nie będą mieli pojęcia, co o tym wszystkim myśleć, dlatego zawczasu ściągnąłem z kanału YouTube filmik wideo, żeby im go teraz puścić. Był to półminutowy film poklatkowy, pokazujący faceta, który najpierw drukuje pistolet w 3D, a potem z niego strzela. Kiedy to zobaczyli, to już dosłownie wszyscy narobili w gacie z wrażenia. Wrzeszczeli i poszturchiwali się nawzajem, jakby znowu byli dzieciakami. Zachowywali się tak, jak to bywało dawniej przy jakichś znacznie prostszych sprawach w rodzaju gier komputerowych, kiedy robiliśmy sobie całonocne turnieje w Madden NFL. Ktoś wygrywał taki turniej o czwartej nad ranem, a wówczas w piwnicy robiło się nagle głośno i mój ojciec schodził na dół z tym małym metalowym kijem baseballowym, który trzymał przy łóżku – był to ten sam aluminiowy kij, którym uczył nas odbijać piłkę, kiedy byliśmy młodsi – i okładał nas tym draństwem; tym samym kijem, który dostaliśmy za darmo na tym meczu Oakland Athletics, kiedy rozdawali je kibicom, a my specjalnie przyszliśmy wcześniej, żeby mieć pewność, że też się załapiemy.

Manny'emu nie podobałoby się to, że po jego śmierci Octavio tak często do nas przychodził. Chodzi mi o to, że w dużej mierze to właśnie Octavio był wszystkiemu winien. Tylko że on jest jednak naszym kuzynem. A on i Manny z czasem stali się dla siebie jak bracia. Zresztą wszyscy trzej byliśmy jak bracia. To prawda, że Octavio nie powinien był tyle gadać na tamtej imprezie. Przez pewien czas naprawdę go za to nienawidziłem. Obwiniałem go też o wszystko. Ale on ciągle do nas przychodził. Upewniał się, czy wszystko jest w porządku ze mną i z moją mamą. A potem im więcej nad tym myślałem, tym bardziej dochodziłem do wniosku, że to wszystko nie stało się wyłącznie z jego winy. W końcu to Manny stłukł tego dzieciaka. Tak naprawdę była to wina nas wszystkich. Odwracaliśmy głowy i udawaliśmy, że nic się nie dzieje. Patrzyliśmy w inną stronę, podczas gdy Manny sprał tego dzieciaka na kwaśne jabłko na trawniku przed naszym domem. Na pożółkłej trawie pozostały tam brunatne ślady zakrzepłej krwi, aż do chwili, kiedy wziąłem kosiarkę i skosiłem trawnik. A później, kiedy było dobrze, a forsa sama wpadała nam w ręce, i zanim Manny zginął, nie pytaliśmy go wcale, skąd bierze te pieniądze. Wzięliśmy ten telewizor i gotówkę, jaką zostawiał czasami w kopertach na kuchennym stole. Wpuściliśmy do domu to gówno i zapragnęliśmy się go pozbyć dopiero wtedy, kiedy to ono zabrało nam Manny'ego.

Wiedziałem, że już wierzą, że ten biały pistolet jest prawdziwy, kiedy tylko wziąłem go do ręki i zacząłem do nich mierzyć. Wszyscy cofnęli się i unieśli ręce do góry. Wszyscy oprócz Octavia. On kazał mi go odłożyć. W pistolecie nie było pocisków, ale i tak od bardzo dawna nie miałem poczucia, że mam nad nimi władzę. Wiem, że każda broń to głupota. Nie oznacza to jednak, że nie może dać ci poczucia, że panujesz nad sytuacją, gdy trzymasz w ręce gnata. W końcu Octavio delikatnie wyjął mi pistolet z rąk. Zajrzał w głąb lufy, a potem wycelował go w nas. Wtedy to ja z kolei zacząłem się bać. W rękach Octavia pistolet wydał mi się jeszcze bardziej prawdziwy. Jego biały kolor sprawiał przy tym, że wydawał się dziwaczny i przerażający, niczym jakieś plastikowe przesłanie z przyszłości mówiące o tym, że to draństwo dostało się w niewłaściwe ręce.

Tamtego wieczoru, kiedy kumple już wyszli, postanowiłem napisać maila do mojego brata. Przecież sam pomogłem mu kiedyś założyć konto Gmail. Manny prawie go nie używał, ale czasami pisywał do mnie. A wtedy wypisywał takie rzeczy, których nigdy by mi nie powiedział w realu. I to właśnie było najfajniejsze w tych listach od brata.

Otwarłem swoje konto Gmail i kliknąłem „Odpowiedz" przy ostatnim mailu, jaki wysłał mi Manny: „Bez względu na to, co się stanie, wiesz, że zawsze będę tutaj z uwagi na ciebie". Miał na myśli gwałtowne kłótnie, w jakie wdawał się ostatnio z naszą mamą. Ona ciągle groziła, że wyrzuci go z domu, po tym jak pobił tego dzieciaka. Przyjechali też do nas gliniarze. O wiele za późno, ale jednak się pojawili, i wypytywali nas o wszystko. Matka przeczuwała, że cała sytuacja robi się coraz poważniejsza. W Mannym także narastało napięcie. Też to czułem, ale nie wiedziałem, co powiedzieć. Było prawie tak, jakby sam podążał w kierunku tej kuli i naszego trawnika przed domem, na długo przedtem, zanim rzeczywiście się tam znalazł.

Przewinąłem ekran, żeby napisać odpowiedź.

Cześć, bracie

cholera, wiem, że cię tam nie ma. Ale gdy piszę do ciebie na twój adres mailowy, mając na ekranie twoją ostatnią wiadomość, czuję się tak, jakbyś wciąż tu był. Kiedy jestem z chłopakami, też mam takie wrażenie. Pewnie się zastanawiasz, co też ja takiego wyprawiam. Może zresztą sam to widzisz. Może wszystko wiesz. Jeśli tak, to pewnie myślisz sobie: „Co, do cholery? Spluwa z drukarki 3D? Niech to szlag!". Ja czułem to samo, kiedy pierwszy raz zobaczyłem tego gnata, i śmiałem się po prostu jak obłąkany, gdy w końcu się z niej wyłonił. I dobrze wiem, że ty byś tego nie pochwalał. Przykro mi, ale ta forsa jest nam potrzebna. Mama straciła pracę. Po twojej śmierci w ogóle nie wstawała z łóżka. Nie byłem w stanie jej namówić do wyjścia z domu. Nie wiem, skąd weźmiemy kasę na czynsz w przyszłym miesiącu. Jeśli dostaniemy nakaz eksmisji, będziemy mogli zostać tu jeszcze przez miesiąc, ale, do cholery, mieszkaliśmy w tym domu całe nasze życie! Na ścianach w całym mieszkaniu wciąż wiszą twoje zdjęcia. Ciągle muszę na ciebie patrzeć. Więc tak po prostu sobie stąd nie pójdziemy. Spędziliśmy tutaj całe życie. Zresztą i tak nie mamy dokąd pójść.

Wiesz, co jest w tym najzabawniejsze? To, że w prawdziwym życiu gadam językiem prosto z ulicy czy wręcz z rynsztoka. Ale na sieci wcale tak się nie wyrażam, tylko raczej tak jak teraz, więc czuję się z tym dziwnie. Na sieci staram się robić wrażenie mądrzejszego, niż jestem. Mam na myśli to, że starannie dobieram słowa, bo ludzie wiedzą o mnie tylko to, co sam napiszę. Będą oceniać mnie na podstawie tego, co napiszę, i tego, co zamieszczę. Dosyć dziwnie jest tam, w sieci. A właściwie tu. Na przykład przez to, że nie wiesz, kim tak naprawdę są ludzie, z którymi masz do czynienia. Znasz tylko ich awatary czy pseudonimy. Czasem widzisz jakieś zdjęcie profilowe. Ale jeśli zamieszczasz i piszesz fajne rzeczy, ludzie dają ci lajki. Mówiłem ci o grupie, do której jakiś czas temu dołączyłem? Jej nazwa, tej strony i grupy w sieci, brzmi Vunderkode. Nie uwierzysz, ale ta grupa jest norweska! Pewnie nie wiesz, o jaki „kod" tutaj chodzi. Ja bardzo poważnie wszedłem w ten temat po twojej śmierci. Nie miałem wtedy ochoty nigdzie wychodzić wieczorami ani chodzić do szkoły, ani w ogóle nic robić.

A kiedy spędzasz w sieci dostatecznie dużo czasu, jeśli wytrwale szukasz, możesz znaleźć różne naprawdę fajne rzeczy. Takie poszukiwanie nie wydaje mi się wcale takie różne od tego, co ty robiłeś. Przecież też szukałeś sposobu, aby jakoś obejść ten pieprzony wielki system ucisku, który zapewnia środki do osiągnięcia sukcesu tylko tym, którzy mają za sobą pieniądze lub władzę. Na kanale YouTube nauczyłem się, jak kodować. Poznałem takie systemy, jak JavaScript, Python, SQL, Ruby, C++, HTML, Java, PHP. Brzmi to dla ciebie jak jakiś obcy język, co? Bo to rzeczywiście jest inny język. I stajesz się w nim coraz lepszy, poświęcając temu dużo czasu i biorąc sobie do serca wszystko to, co różne skurczybyki na rozmaitych forach mają do powiedzenia o twoich umiejętnościach. Musisz jednak coś umieć, żeby wyłapać różnicę i wiedzieć, czyją krytyką się przejąć, a czyją zignorować. Mówiąc w skrócie, sprawa wygląda tak, że załapałem się do tej grupy i zdałem sobie sprawę, że mogę załatwić wszystko, co tylko zechcę. Nawet nie dragi i takie tam świństwa. To znaczy mógłbym je mieć, ale nie o to mi chodzi. Ta drukarka 3D, którą sobie załatwiłem, sama została wydrukowana na takiej drukarce. Bez ściemy: to drukarka 3D wydrukowana na drukarce 3D. Octavio dał mi na nią kasę.

Tym, co mnie dobija z uwagi na to, że cię tu nie ma, jest świadomość, że tak naprawdę nigdy niczego ważnego ci nie powiedziałem. Nawet wtedy, kiedy pisałeś do mnie maile. Sam nawet nie zdawałem sobie sprawy, jak wiele chciałem ci powiedzieć, aż do dnia, kiedy odszedłeś; aż do chwili, kiedy poczułem, że cię straciłem, tam, na trawniku przed naszym domem, dokładnie w tym samym miejscu, gdzie krew tamtego chłopaka poplamiła wcześniej trawnik. A wiedziałem, jak bardzo mnie kochasz, bo mi to okazywałeś. Robiłeś różne takie rzeczy, jak na przykład to, że skombinowałeś mi tego cholernie drogiego schwinna. Prawdopodobnie rower należał przedtem do jakiegoś hipstera i pewnie mu go ukradłeś, ale przecież zrobiłeś to dla mnie, i w pewnym sensie to nawet lepiej, niż gdybyś mi go po prostu kupił. Zwłaszcza jeśli zwędziłeś go jednemu z tych białych chłopaków z zachodniej dzielnicy, usiłujących przejąć całe Oakland. Musisz wiedzieć, że jak na razie nie zdołali jeszcze dotrzeć w głąb wschodniej części miasta. Być może zresztą nigdy im się to nie uda. Nie jest tutaj łatwo. Wydaje mi się jednak, że los całego obszaru od High Street aż do zachodniej dzielnicy jest już przesądzony. Tak czy inaczej, ja ostatnio oglądam Oakland głównie z perspektywy sieci. Zresztą z czasem wszyscy będziemy najczęściej tam właśnie przebywać: w sieci. Przynajmniej tak myślę. Jeśli się nad tym głębiej zastanowić, to już teraz w pewnym sensie zmierzamy w tym kierunku. Już zachowujemy się jak jakieś pieprzone androidy, które przez cały czas myślą i patrzą na wszystko za pośrednictwem swoich telefonów.

Pewnie chciałbyś wiedzieć więcej o innych sprawach, na przykład o tym, co z mamą. Ostatnio częściej wstaje z łóżka, ale właściwie przenosi się tylko przed telewizor. Dużo patrzy też przez okno; wygląda zza zasłon, jakby ciągle czekała, aż wrócisz do domu. Wiem, że powinienem częściej być przy niej, ale jej widok strasznie mnie dołuje. Parę dni temu upuściła na podłogę w kuchni świecę wotywną. Draństwo połamało się na kawałki, a ona zostawiła je tam po prostu tak, jak leżały. Chodzi mi o to, że nawet jeśli mleko już się rozlało, nie można zostawiać go tak, jak jest, na samym środku salonu. Tak jak to twoje zdjęcie nad kominkiem, przez które serce mi się kraje, ilekroć na nie popatrzę i przypomnę sobie, jak skończyłeś ogólniak i wszyscy myśleliśmy, że odtąd już będzie dobrze, ponieważ ci się to udało.

Po twojej śmierci miałem taki sen: zaczynało się tak, że byłem na jakiejś wyspie. Przed sobą ledwie mogłem dostrzec zarysy innej wyspy. Wszędzie była cholernie gęsta mgła, ale wiedziałem, że muszę się na nią przedostać, więc wszedłem do wody i zacząłem płynąć. Woda była ciepła i naprawdę błękitna, a nie szara czy zielona jak w Zatoce. Kiedy dotarłem na drugi brzeg, znalazłem cię w jakiejś jaskini.

A ty miałeś tam w koszyku na zakupy mnóstwo pieprzonych szczeniąt pitbulla. Rozmnażałeś je w tym wózku. Te małe pitbulle. A potem podawałeś mi te szczeniaki od razu, jak tylko się skopiowały w tym twoim koszyku. I robiłeś wszystkie te małe pitbulle specjalnie dla mnie.

Więc jak po raz pierwszy usłyszałem o tej drukarce 3D, która jest w stanie wydrukować wersję samej siebie, pomyślałem o tobie i o tych pitbullach. Dopiero później przyszedł mi do głowy ten pomysł z pistoletem. Nauczyłem się trzymać sztamę z Octavio. On zaczął rozmawiać ze mną tak, jakbym nie był tylko twoim młodszym bratem. Spytał, czy nie potrzebuję roboty. A jak mu powiedziałem, że mama prawie nie wychodzi z łóżka, to się rozpłakał. I wcale nie był wtedy pijany. Musiałem znaleźć jakiś sposób, żeby utrzymać siebie i mamę. Wiem, że chciałeś, abym zdobył wykształcenie: poszedł do ogólniaka i dostał dobrą pracę. Ale ja chcę być w stanie pomóc mamie już teraz, a nie za cztery lata. I nie chcę pożyczać teraz mnóstwa pieniędzy, tylko po to, żeby pracować później w jakimś biurze. No to zacząłem myśleć o tym, jak mógłbym pomóc matce. Już wcześniej czytałem gdzieś o tych pistoletach, które można sobie samemu wydrukować. Wtedy jeszcze nie wiedziałem, do czego można by je wykorzystać. Załatwiłem sobie plik CAD i G code. A jak tylko dostałem drukarkę, wydrukowałem pistolet – była to pierwsza rzecz, jaką na niej wydrukowałem. Potem upewniłem się, że będzie działał. Pojechałem rowerem w okolice lotniska w Oakland, w to samo miejsce, do którego mnie kiedyś zabrałeś: to, z którego widać z bardzo bliska lądujące samoloty. Pomyślałem, że tam będę mógł go przestrzelać i nikt nie usłyszy huku. Kiedy nadleciał wielki Boeing 747 linii Southwest Airlines, wystrzeliłem jeden pocisk do wody. Skaleczyłem się przy tym w rękę, a pistolet trochę się rozgrzał, ale okazało się, że działa.

Teraz mam już sześć takich spluw. Octavio powiedział, że da mi za wszystkie pięć tysięcy. On teraz coś szykuje. A cały ten mój arsenał jest dla glin niewykrywalny. Więc nie boję się, że potem przyjdą po mnie federalni. Martwię się tylko o to, do czego posłużą te pistolety. W czyje ręce trafią. Kogo zranią, a może i zabiją. Ale przecież jesteśmy rodziną. Wiem, że Octavio potrafi być zimnym skurwysynem. Ty też umiałeś taki być. Ale cóż, jest jak jest. Manny, on mi powiedział, że chcą obrabować jakiś pieprzony zjazd plemienny. To jakieś szaleństwo, no nie? Na początku dla mnie też to brzmiało cholernie głupio. Potem ten pomysł zaczął mnie drażnić ze względu na ojca. Pamiętasz, że dawniej ciągle nam powtarzał, że jesteśmy indiańskiej krwi, ale my mu nie wierzyliśmy. Było tak, jakbyśmy czekali, żeby nam to jakoś udowodnił. Zresztą to teraz nie ma znaczenia, ze względu na to, co zrobił matce. I nam. Przez te wszystkie świństwa. Zasłużył sobie na to, co go spotkało. Należało mu się, i to już od bardzo dawna. Przecież by zabił matkę. Ciebie pewnie też, gdybyś mu wtedy nie skopał tyłka. Żałuję tylko, że nie mogłem ci wtedy dać takiego białego pistoletu. Niech więc sobie napadają na ten zjazd plemienny. Co mi tam! Ojciec nigdy tak naprawdę nie nauczył nas, co to znaczy być Indianinem. Co my mamy teraz z tym wspólnego? Octavio mówił, że mogą zgarnąć nawet pięćdziesiąt koła.

Powiedział jeszcze, że jak im się uda, da mi jeszcze pięć tysięcy.

Jeśli chodzi o mnie, to przeważnie spędzam czas w sieci. Zamierzam jednak skończyć ten ogólniak. Moje stopnie są całkiem w porządku. W szkole nie mam tylko nikogo, kogo bym jakoś bardziej lubił. Moi jedyni kumple to twoi dawni koledzy, ale im tak naprawdę na mnie nie zależy i liczy się dla nich tylko to, że teraz mogę im drukować pistolety. Tylko Octavio jest inny. Wiem, jak dużo go to wszystko kosztowało. Też powinieneś o tym wiedzieć. Nie wolno ci myśleć, że go to nie rozjebało, jasne?

W każdym razie będę tu do ciebie pisał. Na bieżąco będę cię o wszystkim informował. Nikt nie wie, co się teraz wydarzy, ale ja po raz pierwszy od dłuższego czasu mam w sercu odrobinę nadziei; nawet nie na to, że będzie lepiej: raczej na to, że po prostu coś się zmieni. Czasami to wszystko, na co można liczyć. Bo taka zmiana oznacza, że coś się dzieje, gdzieś w samym środku tego wszystkiego, w tym ciągłym obrotowym ruchu, jaki nieustannie wykonuje świat, a taka zmiana oznacza, że ten świat wcale nie miał zachowywać ciągle stałej temperatury.

Tęsknię za Tobą
Daniel

Octavio przyniósł mi te pierwsze pięć tysięcy nazajutrz po tym, jak pokazałem im wszystkie pistolety. Trzy tysiące zostawiłem w kopercie na stole w kuchni, tak jak niegdyś robił Manny. Za pozostałe dwa kupiłem sobie drona i parę gogli do wirtualnej rzeczywistości.

Chciałem mieć drona, odkąd tylko dowiedziałem się o tym skoku na zjazd plemienny. Wiedziałem, że Octavio nie pozwoliłby mi pójść tam z nimi, ale chciałem koniecznie zobaczyć całą akcję. Upewnić się, że wszystko poszło jak należy. Inaczej byłaby to moja wina. I gdyby cokolwiek się spieprzyło, to tak właśnie by było. W związku z tym, że moja mama była wciąż w takim, a nie innym stanie, znałem jedynie plan akcji Octavia. A całkiem porządne drony są już teraz w dosyć przystępnych cenach. W dodatku czytałem gdzieś, że sterowanie takim dronem z kamerą przekazującą obraz na żywo i w goglach do wirtualnej rzeczywistości bardzo przypomina latanie.

Dron, którego dostałem, miał zasięg do pięciu kilometrów i mógł przebywać w powietrzu przez 25 minut. Zamontowana w nim kamera filmowała wszystko w standardzie rozdzielczości 4K. Tymczasem stadion był niecałe dwa kilometry od naszego domu przy Siedemdziesiątej Drugiej. Sterowałem więc dronem, stojąc na podwórku z tyłu domu. Nie chciałem tracić ani chwili czasu, więc wzbiłem się od razu ponad piętnaście metrów w górę, a potem poleciałem nad stację szybkiej kolejki przy stadionie. Draństwo potrafiło latać naprawdę szybko. A ja byłem w środku. Przynajmniej oczami. Wszystko przez te gogle VR. Za linią z tyłu środka zewnętrznego pola wzbiłem się prosto w górę i zobaczyłem faceta gapiącego się na mnie z trybun. Podleciałem więc trochę bliżej. Był to jakiś pracownik obsługi technicznej: miał w ręku chwytak i worek na śmieci. Staruszek wyjął teraz lornetkę. Podleciałem jeszcze bliżej. W końcu co mi mógł zrobić? Nic. Zatrzymałem się niemal przed samym jego nosem, a wtedy on machnął ręką, usiłując dosięgnąć drona. A potem dosłownie się wściekł.

Zdałem sobie sprawę, że tylko tracę czas, drocząc się z nim w ten sposób. To było zupełnie niepotrzebne. Odleciałem stamtąd i opadłem z powrotem na płytę boiska. Skierowałem się ku ścianie przy prawej części zewnętrznego pola, a potem wzdłuż linii bocznej wróciłem na pole wewnętrzne. Będąc przy pierwszej bazie, zauważyłem, że dronowi zostało jeszcze baterii na dziesięć minut lotu. Nie miałem zamiaru stracić w taki sposób tysiąca dolarów, ale chciałem usiąść jeszcze na bazie domowej. Kiedy tam doleciałem i miałem właśnie się rozejrzeć, obracając drona dookoła, spostrzegłem, że ten starszy facet z trybun pędzi ku mnie ile sił w nogach. Był już w polu gry i wydawał się strasznie wkurzony, jakby miał zamiar chwycić drona i walnąć nim o ziemię, a potem jeszcze go podeptać. Cofnąłem się, ale zapomniałem wznieść się w górę. Na szczęście tak długo już gram w gry komputerowe, że mój spanikowany umysł ma solidnie wbudowaną funkcję działania na najwyższych obrotach także pod presją. Mimo to przez chwilę byłem tak blisko tego faceta, że mógłbym policzyć zmarszczki na jego twarzy. Udało mu się nawet uderzyć drona, przez co sprzęt omal nie spadł mi na ziemię, ale wzbiłem się w górę i szybko wzniosłem w powietrze, pokonując siedem czy nawet piętnaście metrów w ciągu paru sekund. Przeleciałem ponad ścianami stadionu i skierowałem się prosto na podwórko z tyłu domu.

Siedząc potem w domu, raz za razem puszczałem sobie nagranie wideo z drona. Szczególnie chętnie oglądałem zwłaszcza ten kawałek pod sam koniec, kiedy ten facet omal mnie nie dorwał. Scena była naprawdę ekscytująca. I taka rzeczywista. Za każdym razem czułem się tak, jakbym tam był. Miałem właśnie zadzwonić do Octavia, żeby mu o tym opowiedzieć, kiedy usłyszałem jakiś krzyk na górze. Był to głos mojej mamy.

Odkąd zastrzelili Manny'ego, nieustannie się zamartwiałem i przez cały czas tylko czekałem, że lada chwila stanie się coś złego. Pobiegłem więc teraz na schody, a kiedy dotarłem do ich szczytu, otwarłem drzwi i ujrzałem moją mamę trzymającą w ręku kopertę i przeliczającą palcem banknoty. Czyżby myślała, że to Manny zostawił tu tę forsę? Że zdołał w jakiś sposób do nas powrócić lub ciągle jeszcze gdzieś tutaj był? Czy uznała, że to jakiś znak?

Miałem jej właśnie powiedzieć, że to ja i Octavio, kiedy podeszła do mnie i mnie przytuliła. Położyła sobie moją głowę na piersi, powtarzając przy tym w kółko: „Przepraszam, tak mi przykro". Na początku myślałem, że przeprasza mnie za to, że nie wstawała z łóżka i że się poddała. Ale po chwili, gdy ona wciąż tylko powtarzała te słowa, uznałem, że chodzi jej o wszystko to, co nam się przytrafiło. O to, jak wiele utraciliśmy; o to, że kiedyś byliśmy wszyscy razem i byliśmy rodziną, i o to, jak dobrze było nam kiedyś. Próbowałem jakoś ją pocieszyć i po każdym kolejnym jej „Przepraszam" powtarzałem w kółko: „W porządku, mamo". Ale już po chwili przyłapałem się na tym, że zamiast tego sam także zacząłem mówić: „Przepraszam". I tak przepraszaliśmy się wzajemnie, aż w końcu zaczęliśmy płakać, a naszymi ciałami wstrząsał pełen rozpaczy szloch.

Błękitna

PAUL I JA WZIĘLIŚMY ŚLUB PODCZAS RYTUAŁU w namiocie. Niektórzy nazywają takie praktyki pejotyzmem lub religią Rodzimego Kościoła Amerykańskiego. My zaś nazywamy pejotl lekarstwem, gdyż on naprawdę nim jest. Chociaż sama przeważnie jestem jednak zdania, że w ten sam sposób lekarstwem może być, jak sądzę, niemal wszystko. W każdym razie przed dwoma laty ojciec Paula udzielił nam ślubu podczas takiego właśnie rytuału w namiocie. Wszystko odbyło się przed świętym ogniskiem. Wtedy też nadał mi moje nowe imię. Potrzebowałam indiańskiego imienia, ponieważ wcześniej zostałam adoptowana przez białych ludzi. W języku Czejenów brzmi ono teraz Otá'tavo'ome, ale nawet nie wiem, jak się je poprawnie wymawia. Wiem natomiast, że znaczy ono tyle, co Błękitny Opar Życia. Ojciec Paula zaczął mówić do mnie w skrócie

Błękitna i tak już zostało. Aż do tamtej chwili miałam na imię Crystal.

O mojej biologicznej matce wiem właściwie tylko tyle, że nazywa się Jacquie Czerwone Pióro. W dzień moich osiemnastych urodzin powiedziała mi to moja adopcyjna mama, dodając jeszcze, że ta biologiczna wywodzi się z plemienia Czejenów. Wiedziałam, że nie jestem biała, choć może nie od samego początku. Bo chociaż mam ciemne włosy i brązową skórę, to kiedy patrzę w lustro, widzę się niejako od środka. A w środku czuję się równie biała jak ta długa biała ozdobna poduszka w kształcie wałka, którą mama zawsze kazała mi trzymać na łóżku, chociaż nigdy jej nie używałam. Dorastałam w miejscowości Moraga, jednym z przedmieść Oakland położonym tuż po drugiej stronie okalających miasto wzgórz, co sprawia, że czuję się jeszcze bardziej dzieckiem ze wzgórz niż dzieciaki, które na nich mieszkają. Dorastałam zatem w dostatku, miałam basen na podwórku z tyłu domu, apodyktyczną matkę i wiecznie nieobecnego ojca. Ze szkoły przynosiłam do domu staromodne rasistowskie obelgi, jakbyśmy żyli wciąż w latach pięćdziesiątych XX wieku. Były to oczywiście te same zniewagi, którymi obrzucano Meksykanów, ponieważ tam, gdzie dorastałam, ludzie nie mają pojęcia, że rdzenni Amerykanie w ogóle jeszcze istnieją. Oto jak bardzo wyraźnie wzgórza Oakland oddzielają nas od miasta: jak się okazuje, na tych właśnie wzgórzach zagina się czas.

W pierwszej chwili nie zrobiłam nic z tym, co matka powiedziała mi w dniu moich osiemnastych urodzin. Zwlekałam z tym latami. Ciągle czułam się biała, podczas gdy wszędzie tam, gdzie się pojawiłam, byłam traktowana jak każda inna osoba o brązowym kolorze skóry.

W Oakland dostałam pracę w indiańskim ośrodku kultury, co pomogło mi poczuć się trochę bardziej tak, jakbym do czegoś przynależała i miała nareszcie swoje miejsce. Potem, przeglądając pewnego dnia internetowy spis drobnych ogłoszeń, zobaczyłam, że moje plemię w Oklahomie chce zatrudnić koordynatorkę do spraw młodzieży. Właśnie tym zajmowałam się w Oakland, więc zgłosiłam się, nie myśląc bynajmniej, że dostanę te posadę. A jednak ją dostałam i kilka miesięcy później przeniosłam się do Oklahomy. Paul został wtedy moim szefem. Zamieszkaliśmy razem ledwie miesiąc po tym, jak tam przyjechałam. Od samego początku była to bardzo niezdrowa relacja. Ale wszystko przebiegło tak szybko po części ze względu na ten rytuał w namiocie i to indiańskie lekarstwo.

W każdy weekend siedzieliśmy do późna. Jeśli nikt inny się nie pokazał, czasami w namiocie byłam tylko ja, Paul i jego ojciec. Paul dokładał do ognia, a ja przynosiłam wodę dla jego ojca. Człowiek nie ma pojęcia o działaniu tego lekarstwa, dopóki sam go nie pozna. Modliliśmy się za cały świat, aby stawał się lepszy, i zawsze wychodząc z namiotu następnego ranka, czuliśmy, że to możliwe. Tymczasem świat oczywiście kręci się po prostu w kółko. A jednak przez chwilę wszystko to miało dla mnie sens. Wszystko, co działo się w tym namiocie. Potrafiłam wyparować, wzbić się w powietrze i wzlecieć w górę pomiędzy skrzyżowanymi u góry żerdziami namiotu wraz z dymem i słowami modlitwy. Mogłam opuścić nasze tipi, a jednocześnie przebywać w nim przez cały czas. Kiedy jednak zmarł ojciec Paula, wszystko to, o co się modliłam przez cały ten czas, wywróciło się do góry nogami i spadło mi na głowę w formie pięści mojego męża.

Zarówno po pierwszym razie, jak i po drugim, a także wtedy, kiedy już przestałam liczyć takie incydenty, mimo wszystko ciągle uparcie z nim zostawałam. Spałam z nim w jednym łóżku i każdego ranka wstawałam do pracy, jakby nic się nie wydarzyło. A jednak nie było mnie już przy nim, odkąd po raz pierwszy podniósł na mnie rękę.

Zaczęłam starać się o pracę w tym samym ośrodku w Oakland, w którym wcześniej pracowałam. Chodziło o stanowisko koordynatora imprez i wydarzeń związanych ze zjazdem plemiennym. Nie miałam żadnego doświadczenia w koordynowaniu innych eventów niż te, które odbywały się w ramach corocznych letnich obozów dla młodzieży, ale w ośrodku już mnie znali, więc dostałam tę robotę.

Patrzyłam, jak mój cień na nawierzchni autostrady wydłuża się, a potem gwałtownie spłaszcza, podczas gdy kolejny przejeżdżający samochód przemyka obok mnie, nie zwalniając przy tym ani trochę i zdając się mnie w ogóle nie zauważać. Nie żeby mi zależało na tym, by kierowcy zwalniali i zwracali na mnie uwagę. Kopię jakiś kamyk i słyszę, jak odbija się głośno od puszki czy innego pustego w środku przedmiotu leżącego w trawie. Przyspieszam nieco kroku i w tej samej chwili czuję powiew gorącego powietrza i zapach benzyny od przejeżdżającej obok wielkiej ciężarówki.

Tego ranka, gdy Paul powiedział, że potrzebuje auta na cały dzień, postanowiłam potraktować to jako znak. Powiedziałam mu, że wrócę do domu z Geraldine. Geraldine jest doradcą do spraw nadużywania szkodliwych substancji w ośrodku, gdzie pracuję. Kiedy tylko wyszłam za drzwi, wiedziałam, że wszystko to, co za nimi zostało, pozostawiam w tym domu już na zawsze. Z większością tych rzeczy dosyć łatwo było mi się rozstać. Ale minie sporo czasu, nim nauczę się obywać jakoś bez mojej szkatułki z lekami (tej, którą przysposobił dla mnie ojciec Paula), mojego wachlarza, gurdy, szalu czy woreczka z cedrowym drewnem.

Z Geraldine nie spotkałam się przez cały dzień; nie widziałam jej też po pracy. Ale podjęłam już decyzję. Skierowałam się więc wprost na autostradę, nie mając przy sobie nic oprócz telefonu i nożyka do tektury, który zabrałam z recepcji, wychodząc z ośrodka.

Plan jest taki, że trzeba się dostać do Oklahoma City, na dworzec autobusów linii Greyhound. Robotę zaczynam dopiero za miesiąc. Na razie muszę po prostu dotrzeć z powrotem do Oakland.

Nagle jakiś samochód zwalnia i zatrzymuje się kilka metrów przede mną. Widzę, jak czerwone światła stopu przesączają się przez nocne ciemności. Odwracam się, spanikowana, po czym słyszę głos Geraldine, więc obracam się raz jeszcze i rozpoznaję już teraz wyraźnie jej sfatygowanego beżowego cadillaca, którego dostała od babci w nagrodę za ukończenie ogólniaka.

Gdy wsiadam do samochodu, Geraldine rzuca mi pytające spojrzenie w rodzaju: „O co chodzi, do cholery?". Na tylnym siedzeniu leży rozwalony jej brat Hector. Jest nieprzytomny.

– Wszystko z nim w porządku? – pytam na wszelki wypadek.

– Uważaj tylko na opary – odpowiada Geraldine, nawiązując do mojego imienia. Sama nazywa się Brown, czyli łączy nas także i to, że w naszych nazwiskach przewijają się kolory.

– Co tam? Dokąd jedziemy? – zagaduję.

– Za dużo wypił – wyjaśnia Geraldine. – A jest na lekach przeciwbólowych. Nie chcę, żeby zaczął wymiotować i umarł we śnie na podłodze u nas w salonie, więc jedzie z nami.

– Jak to „z nami"?

– Czemu nie poprosiłaś mnie po prostu, żebym cię zabrała z pracy? Powiedziałaś przecież Paulowi...

– Dzwonił do ciebie? – pytam zdumiona.

– No tak. Byłam już wtedy w domu. Musiałam wyjść wcześniej z pracy przez tego drania – tłumaczy Geraldine, wskazując kciukiem na tylne siedzenie. – Powiedziałam Paulowi, że musiałaś zostać dłużej w pracy z jakimś młodziakiem, po którego spóźnia się ciocia, ale że już niedługo wyjeżdżamy.

– Dzięki.

– No to jedziesz z nami? – pyta Geraldine.

– Tak – odpowiadam.

– Wracasz do Oakland?

– Tak.

– Czyli cel: dworzec Greyhoundów w Oklahoma City?

– Owszem.

– O kurczę! No dobra – kwituje Geraldine.

– No wiem – odpowiadam. Ostatnie słowa sprawiają, że w wozie na dłuższą chwilę zapada cisza.

Nagle spostrzegam obok autostrady coś, co wygląda jak ludzki szkielet oparty o zwieńczony drutem kolczastym drewniany płot.

– Widziałaś to? – pytam Geraldine.

– Co?

– Sama nie wiem.

– Ludziom zawsze się wydaje, że widzą tutaj coś dziwnego – wyjaśnia Geraldine. – Znasz ten odcinek autostrady, którym szłaś? Kawałek dalej na północ, tuż za Weatherford, jest miasteczko o wdzięcznej nazwie Rozstaje Martwych Kobiet.

– Dlaczego tak się nazywa?

– Jakaś obłąkana biała dama zabiła tam inną białą damę i ucięła jej głowę. Czasami nastolatki odwiedzają miejsce, w którym to się wydarzyło. Ta kobieta, która została zabita, miała wtedy ze sobą swoje czternastomiesięczne dziecko. Maluch na szczęście wyszedł z tego bez szwanku. Mówią, że nocami słychać tam wciąż, jak ona go woła.

– No jasne.

– Ale to nie duchów należy się tutaj bać – przestrzega Geraldine.

– Wzięłam z roboty nożyk do kartonu – mówię, wyciągając go z kieszeni kurtki i przesuwając plastikowy suwak, by pokazać jej ostrze, jakby nie wiedziała, jak wygląda takie narzędzie.

– To tu nas właśnie dopadają – wyjaśnia Geraldine.

– Tu i tak może być bezpieczniej niż we własnym domu – stwierdzam.

– Mogłaś trafić na kogoś gorszego niż Paul.

– Czyli powinnam do niego wrócić?

– Wiesz może, ile kobiet indiańskiej krwi uznaje się co roku za zaginione? – pyta Geraldine.

– A ty wiesz? – odpowiadam pytaniem na pytanie.

– Nie, ale kiedyś słyszałam jakieś zatrważające dane, a prawdziwa ich liczba jest pewnie jeszcze wyższa.

– Ja też coś na ten temat widziałam. Ktoś zamieścił w sieci jakiegoś posta o losie kobiet w Kanadzie.

– Nie chodzi tylko o samą Kanadę, ale o cały kontynent. Na całym świecie toczy się zresztą potajemna wojna z kobietami. Jest na tyle tajna, że nawet my same o niej nie wiemy. I wciąż pozostaje tajna, mimo iż wiemy, że trwa – oznajmia Geraldine, po czym opuszcza szybę w oknie i sięga po papierosa. Ja też zapalam jednego. – W każdym jednym miejscu na świecie zdarza nam się utknąć na drodze – kontynuuje Geraldine. – Zgarniają nas z pobocza, a później porzucają tam, na zewnątrz, i zostawiają, abyśmy zamieniły się w kupę zasuszonych kości, a potem zostały przez wszystkich zapomniane na dobre – dodaje, wyrzucając papierosa przez okno. Zwykle fajki smakują jej tylko przez kilka pierwszych buchów.

– Zawsze myślę o facetach, którzy robią takie rzeczy, mniej więcej w ten sposób, że wiem, że oni gdzieś tam są… – zaczynam.

– Facetach takich jak Paul – wtrąca Geraldine.

– Przecież wiesz, przez co on obecnie przechodzi. To nie o takich jak on teraz rozmawiamy.

– Pewnie masz rację. Ale różnica między facetami, którzy robią takie rzeczy, a twoim przeciętnym pijanym damskim bokserem wcale nie jest tak wielka, jak myślisz. A są jeszcze te obrzydliwe świnie na wysokich stanowiskach, które na czarnym rynku płacą za nasze ciała bitcoinami, i taki ktoś tam wysoko, na samym szczycie, który potrafi dojść, jedynie puszczając sobie nagrania krzyków kobiet takich jak my, które są rozrywane na żywca i miażdżone na betonowych posadzkach w sekretnych pokojach…

– Jezu, weź przestań – próbuję jej przerwać.

– Bo co? Myślisz, że to nieprawda? Ludzie, którzy kierują tym gównianym procederem, są prawdziwymi potworami. Nigdzie nie zobaczysz ich twarzy. Wciąż chcą tylko więcej i więcej, a kiedy i to przestaje im wystarczać, pragną tego, co nie tak łatwo jest dostać, czyli zarejestrowanych krzyków umierających kobiet indiańskiej krwi, a może nawet ich wypchanych torsów albo kolekcji głów takich Indianek. Pewnie mają już taką, w specjalnych podświetlanych na niebiesko zbiorniczkach, w tajemnym gabinecie na najwyższym piętrze jakiegoś biurowca w samym sercu Manhattanu.

– Długo nad tym myślałaś?

– Mam do czynienia z całym mnóstwem kobiet – wyjaśnia Geraldine. – Są uwikłane w sytuację pod tytułem „przemoc domowa". Mają dzieci i muszą przy tym myśleć także o nich. Nie mogą sobie tak po prostu odejść z dzieciakami, nie mając pieniędzy ani żadnych krewnych. Muszę rozmawiać z nimi o tym, jaki mają wobec tego wybór. Muszę je przekonywać i namawiać, by przenosiły się do schronisk dla matki z dzieckiem. Muszę wysłuchiwać ich opowieści o tym, jak to ich mężczyźni przypadkowo posuwają się za daleko. Zatem nie, nie zamierzam ci mówić, że powinnaś wracać. Zawiozę cię na ten dworzec. Mam na myśli tylko to, że nie powinnaś włóczyć się nocą poboczem autostrady. I to, że powinnaś była wysłać mi esemesa z prośbą, żebym cię podwiozła.

– Przepraszam. Myślałam, że zobaczymy się po pracy – próbuję się tłumaczyć.

Czuję się zmęczona i lekko podenerwowana. Zawsze robię się taka po papierosie. Sama nie wiem, dlaczego w ogóle palę. Ziewam przeciągle, a potem opieram głowę o szybę.

W nocnych ciemnościach budzi mnie niewyraźna zrazu świadomość, że w samochodzie trwa jakaś szamotanina. To Hector oplata ramionami Geraldine, usiłując chwycić za kierownicę. Zaczynamy niebezpiecznie zjeżdżać z drogi, przy czym nie jesteśmy już na autostradzie, tylko na Reno Avenue, po drugiej stronie mostu nad Oklahoma River, niedaleko dworca autobusów linii Greyhound. Geraldine usiłuje strząsnąć z siebie ciężkie ramiona brata. Ja zaczynam okładać go obiema rękami po głowie, starając się go powstrzymać. Hector cały czas tylko mruczy coś niewyraźnie, jakby wciąż jeszcze sam nie wiedział, gdzie jest i co robi. Albo jakby dopiero co obudził się ze złego snu; lub jakby ciągle jeszcze śnił mu się jakiś koszmar. W końcu zjeżdżamy najpierw ostro na lewą stronę, potem zarzuca nas jeszcze bardziej na prawo. Wskakujemy na krawężnik i przejeżdżamy przez kawałek trawnika, po czym wpadamy na parking Motelu nr 6, z impetem wbijając się w przód stojącej tam ciężarówki. Samochodowy schowek zapada się i przygniata mi kolana. Moje ręce wzlatują ku przedniej szybie, lecz pas szarpie mnie do tyłu, wrzynając mi się w ciało. Zatrzymujemy się na dobre i obraz nieco mi się rozmazuje. Cały świat wydaje się z lekka wirować. Zerkam w bok i widzę, że twarz Geraldine jest cała we krwi. Jej poduszka powietrzna otwarła się i możliwe, że złamała jej nos. Słyszę odgłos otwierania tylnych drzwi i widzę, jak Hector wypada przez nie z samochodu, po czym wstaje i utykając, oddala się. Włączam telefon, żeby zadzwonić po karetkę, ale wtedy orientuję się, że Paul znowu do mnie dzwoni. Na wyświetlaczu pojawia mi się jego imię i zdjęcie. Siedzi na nim w pracy przed ekranem komputera z tym swoim wyrazem twarzy w rodzaju „jestem cholernie twardym facetem indiańskiej krwi" i zadziera nosa. Odbieram tylko dlatego, że jestem już tak blisko dworca. Teraz Paul już nic nie może mi zrobić.

– Czego, czego znów, do cholery, chcesz? Właśnie mieliśmy wypadek – mówię.

– Gdzie jesteś? – pyta Paul.

– Nie mogę teraz rozmawiać. Właśnie dzwonię po pogotowie – tłumaczę.

– Co robisz w Oklahoma City? – pyta Paul, a mnie nagle ściska coś w żołądku. Geraldine patrzy na mnie i mówi bezgłośnie: „Rozłącz się".

– Nie wiem, skąd się o tym dowiedziałeś, ale teraz już się rozłączam – mówię do Paula.

– Zaraz tam będę – mówi Paul.

Rozłączam się.

– Czy ty mu, do cholery, powiedziałaś, gdzie jesteśmy? – pytam Geraldine.

– Nie, do cholery, wcale mu nie powiedziałam, gdzie jesteśmy – odpowiada Geraldine, wycierając nos koszulą.

– To skąd on wie, że jesteśmy właśnie tutaj? – mówię na głos, bardziej do siebie niż do niej.

– Niech to szlag! – przeklina Geraldine.

– Co znowu?

– Hector musiał napisać do niego esemesa. Hector jest ciągle kompletnie pijany. Muszę iść go poszukać.

– Co z twoim samochodem? A ty jesteś cała?

– Poradzę sobie. Idź na ten dworzec. Schowaj się w łazience i poczekaj, aż autobus będzie gotowy do odjazdu.

– Co masz zamiar zrobić?

– Znaleźć mojego brata i przekonać go, żeby przestał robić to, co, do cholery, właśnie robi.

– Kiedy wrócił z misji?

– Ledwie miesiąc temu – odpowiada Geraldine. – I wysyłają go tam znów w przyszłym miesiącu.

– Nawet nie sądziłam, że nasze wojsko wciąż jeszcze tam jest – mówię, obejmując ją ramieniem.

– Idź już – namawia mnie Geraldine, ale ja wciąż jej nie puszczam. – No idź – powtarza, odpychając mnie z lekka. Kolana mam sztywne i obolałe, ale zaczynam biec.

Neon linii Greyhound wznosi się w górze niczym latarnia morska. Nie jest jednak podświetlony. Czyżby było za późno? Która to w ogóle godzina? Zerkam na mój telefon. Jest dopiero dziewiąta. Wszystko w porządku. Oglądam się za siebie i widzę samochód Geraldine stojący wciąż w tym samym miejscu. Wokół nie ma jeszcze gliniarzy. Właściwie mogłabym zadzwonić i poczekać na przyjazd policji, a potem opowiedzieć im, co się wydarzyło, i powiedzieć im prawdę o Paulu.

Dworzec jest pusty. Idę prosto do damskiej ubikacji. Staję przycupnięta na toalecie w jednej z kabin i usiłuję kupić bilet przez telefon. Jednak Paul ciągle do mnie dzwoni. Nie jestem w stanie zamówić biletu, ponieważ nieustannie przerywają mi połączenia przychodzące od niego. W końcu u góry ekranu wyświetla mi się wiadomość tekstowa, którą usiłuję zignorować, ale nie mogę.

„Jesteś tam?" – brzmi esemes od Paula. Wiem, że chodzi mu o dworzec autobusowy. Musiał zobaczyć samochód Geraldine i wie, że rozbiłyśmy się bardzo blisko dworca linii Greyhound.

„Jesteśmy w barze tuż za rogiem, niedaleko miejsca wypadku" – odpowiadam.

„GÓWNO PRAWDA!" – odpisuje z kolei Paul.

Potem znowu dzwoni. Wciskam przycisk i wyciszam telefon. Paul prawdopodobnie gdzieś tutaj jest. Pewnie przechadza się po dworcu, wypatruje światła mojego telefonu i nasłuchuje jego wibracji. Do damskiej toalety jednak nie wejdzie. Wyłączam też wibracje w telefonie. Słyszę, jak otwierają się drzwi damskiej toalety. Serce wali mi tak szybko i mocno, jakby chciało wyrwać mi się z piersi. Najciszej i najwolniej, jak tylko potrafię, biorę głęboki wdech. Stojąc wciąż na muszli, pochylam głowę jeszcze niżej, starając się zorientować, kto wszedł do środka. W końcu dostrzegam damskie buty. To chyba jakaś starsza kobieta: jej wielkie, beżowe i rozczłapane buty na rzepy zatrzymują się w sąsiedniej kabinie. W tym momencie Paul dzwoni raz jeszcze. Ja znowu odrzucam połączenie. Po chwili widzę przychodzącą wiadomość tekstową.

„Daj spokój, mała. Wyjdź. Dokąd się wybierasz?" – czytam. Moje nogi są już zmęczone. Kolana mi dygocą jeszcze od wypadku. Schodzę z toalety. Sikam i usiłuję wymyślić jakiś tekst, który mógłby odciągnąć Paula od dworca i od mojej kryjówki.

„Mówiłam ci, że jesteśmy w barze za rogiem. Przyjdź do nas, napijemy się. Przegadamy to wszystko raz jeszcze, dobrze?" – wstukuję w końcu i wysyłam do niego esemesa tej treści. Wtem drzwi damskiej toalety otwierają się ponownie.

Znów pochylam nisko głowę. Niech to szlag! To jego buty! Z powrotem wdrapuję się na muszlę.

– Błękitna, jesteś tutaj? – rozlega się echem w mojej kabinie głos Paula.

– To damska toaleta, proszę pana – mówi kobieta w kabinie obok. – I nie ma tu nikogo oprócz mnie – dodaje, choć ja dobrze wiem, że musiała słyszeć, jak załatwiam się tuż obok, za wątłym przepierzeniem.

– Przepraszam – mówi Paul.

Wciąż jeszcze pozostaje aż nazbyt wiele czasu do przyjazdu autobusu. Teraz Paul pewnie poczeka, aż ta kobieta wyjdzie, i wróci tu po mnie. Słyszę, jak drzwi raz jeszcze otwierają się i zamykają.

– Proszę mi pomóc – szepczę do tej kobiety. – On właśnie mnie szuka – mówię, choć sama nie wiem, czego właściwie od niej oczekuję.

– O której odjeżdża twój autobus, kochana? – pyta mnie ta kobieta.

– Dopiero za pół godziny – mówię.

– Nic się nie martw. Kiedy dożyjesz mojego wieku, będziesz mogła bezkarnie spędzać w toalecie nawet i tyle czasu. Zostanę tu z tobą – oznajmia, a ja zaczynam płakać. Nie jest to co prawda głośny szloch, ale zdaję sobie sprawę, że ona musi mnie słyszeć. Zbiera mi się katar i mocno pociągam nosem, żeby nie zaczęło mi z niego lecieć.

– Dziękuję pani – mówię przez łzy.

– Cóż to za facet! Oni robią się coraz gorsi.

– Chyba będę musiała stąd wybiec i popędzić prosto do autobusu.

– Ja noszę przy sobie gaz łzawiący. Niejeden raz już próbowano mnie napastować lub okraść.

– Jadę do Oakland – oświadczam i w tej samej chwili zdaję sobie sprawę, że wcale nie rozmawiamy już szeptem. Zaczynam się zastanawiać, czy Paul nie stoi przypadkiem pod drzwiami. Mój telefon jednak już nie dzwoni.

– Odprowadzę cię na przystanek – oznajmia ta kobieta.

W końcu udaje mi się kupić bilet przez telefon.

Wychodzimy razem z damskiej ubikacji. Na dworcu jest pusto. Ta kobieta ma brązowy kolor skóry, lecz trudno określić jej pochodzenie etniczne. Jest też starsza, niż myślałam, patrząc na jej buty. Na twarzy ma tego rodzaju głębokie zmarszczki, które wyglądają, jakby były wyrzeźbione w drewnie. Teraz czytelnym gestem proponuje mi, abyśmy wzięły się pod ramię.

Wreszcie wchodzę po stopniach do autobusu, a starsza pani stoi za mną. Pokazuję kierowcy bilet na ekranie telefonu, po czym wyłączam aparat. Idę do tylnej części pojazdu i siadam skulona na swoim miejscu. Biorę głęboki wdech, po czym wypuszczam powietrze i czekam, aż autobus ruszy wreszcie z miejsca.

Thomas Frank

ZANIM SIĘ URODZIŁEŚ, BYŁEŚ GŁÓWKĄ I OGONKIEM w mętnej sadzawce: małym pływakiem. Byłeś wyścigiem, obumieraniem, wdzieraniem się do środka i nowym przybyszem. Zanim się urodziłeś, byłeś jajeczkiem we wnętrzu twojej matki, która też była niegdyś jajeczkiem we wnętrzu swej matki. Zanim się urodziłeś, byłeś matrioszką rozmaitych możliwości w jajnikach swej matki. Byłeś dwiema połówkami o tysiącu najprzeróżniejszych możliwych kombinacji, milionie główek i ogonków; błyskiem i refleksem światła na podrzuconej w górę obrotowym ruchem monecie. Zanim się urodziłeś, byłeś pomysłem, aby dotrzeć do Kalifornii za złotem lub zginąć, próbując osiągnąć cel. Byłeś biały, byłeś brązowy, byłeś czerwony; byłeś jak pył. Ukrywałeś się i poszukiwałeś. Zanim się urodziłeś, byłeś ścigany i bity; zostałeś pokonany, a wreszcie zamknięty na obszarze rezerwatu w Oklahomie. Zanim się urodziłeś, byłeś pomysłem, który w latach siedemdziesiątych przyszedł do głowy twojej matce: pomysłem, żeby przemierzyć autostopem cały kraj i zostać tancerką w Nowym Jorku. Byliście już w drodze, ale nie udało jej się przejechać przez całą Amerykę i zamiast tego wypięła się na to wszystko, a potem ją zakręciło i wylądowała ostatecznie w Taos, w stanie Nowy Meksyk, w komunie wyznawców pejotyzmu pod nazwą Gwiazda Zaranna. Zanim się urodziłeś, byłeś decyzją swego ojca, by przenieść się z rezerwatu aż do północnej części Nowego Meksyku, aby tam usłyszeć o świętym ognisku pewnego faceta z ludu Pueblo. Byłeś ognikami w załzawionych oczach swych rodziców, gdy poznali się przy tym właśnie ognisku w czasie rytuału w namiocie. Zanim się urodziłeś, mieszczące się wciąż w nich dwie połówki ciebie przeniosły się do Oakland. Zanim się urodziłeś, zanim twoje ciało stało się czymś więcej niż tylko sercem, kręgosłupem, kośćmi, mózgiem, skórą, krwią i żyłami, kiedy zacząłeś wyrabiać sobie dopiero mięśnie poprzez ruch, zanim zacząłeś być widoczny w formie sterczącego brzucha matki – widoczny jako ten właśnie brzuch – i zanim twój widok sprawił, że i twój ojciec mógł nadąć się z dumy, twoi rodzice siedzieli w pewnym pomieszczeniu, nasłuchując dźwięku, jaki wydawało twoje serce. Serce to biło nierówno. Lekarz powiedział jednak, że to normalne. Twoje arytmicznie bijące serce nie było więc anormalne.

– Może będzie perkusistą – stwierdził wtedy twój ojciec.

– On przecież na razie nawet nie wie, co to bęben – rzekła twoja matka.

– Teraz jego bębnem jest serce – nie dawał za wygraną ojciec.

– Lekarz mówił coś o nierównomiernym biciu serca. To znaczy, że serce nie trzyma rytmu.

– Może to znaczy tylko tyle, że on tak dobrze czuje rytm, że nie musi zawsze wybijać go akurat wtedy, kiedy się tego od niego oczekuje.

– Ale o jakim rytmie ty w ogóle mówisz? – dopytywała się matka.

Kiedy jednak zrobiłeś się na tyle duży, że matka zaczęła odczuwać twoje ruchy, nie mogła już zaprzeczyć, że czujesz rytm. Pływałeś nawet do rytmu. A kiedy ojciec przyniósł kocioł, kopałeś ją w rytm jego uderzeń albo w rytm uderzeń jej własnego serca, albo w rytm jednej z taśm ze składankami starych przebojów, jakie zrobiła sobie ze swoich ulubionych nagrań i puszczała w kółko w waszym minivanie – fordzie aerostarze.

A kiedy już przyszedłeś na świat, umiałeś biegać, skakać i wspinać się na co popadło, przez cały czas bębniłeś po wszystkim palcami u nóg i rąk. Tłukłeś nimi po stołach i blatach. Waliłeś w każdą płaską powierzchnię, jaką tylko przed sobą znalazłeś, nasłuchując przy tym dźwięków, jakie wydawały przedmioty, kiedy w nie uderzałeś. Tembru tych uderzeń, dźwięku dzwonków, podzwaniania kuchennej zastawy, pukania do drzwi, trzaskania w stawach, drapania się po głowie. Przekonywałeś się, że wszystko wydaje dźwięk. Wszystko może być grą na bębnach, bez względu na to, czy trzyma się rytm, czy też nie. Nawet wystrzały z broni palnej i strzelający gaźnik, ryk pociągów nocą, wiatr smagający twoje okna. Cały świat składa się z dźwięków. Jednak gdzieś we wnętrzu każdego rodzaju dźwięku czaił się smutek. Na przykład w ponurym milczeniu, trwającym pomiędzy twoimi rodzicami po kolejnej kłótni, w której znów oboje okazali się przegranymi. W ciszy, w jakiej ty i twoje siostry nasłuchiwaliście przez ściany mieszkania, czekając tylko na dźwięk podniesionych głosów, pierwszych symptomów nadchodzącej kłótni. A później oznak tej samej kłótni rozpalającej się na nowo. W odgłosach nabożeństwa, w tym narastającym, monotonnym głosie i zawodzeniu ewangelikalnego chrześcijaństwa, w głosie matki, w cotygodniowym niedzielnym uniesieniu klepiącej pacierze w niezrozumiałym dla niej języku; smutek wywołany tym, że ty sam, będąc w kościele, w ogóle nie podzielałeś tego uniesienia, a chciałeś, ponieważ czułeś, że jest ci to potrzebne, gdyż może ocalić cię przed snami, jakie nawiedzały cię niemal każdej nocy: snami o końcu świata i perspektywie spędzenia całej wieczności w piekle. Wizjami, w których żyłeś tam, będąc ciągle małym chłopcem i nie mogąc umrzeć ani po prostu wyjść, ani zrobić cokolwiek innego, jak tylko smażyć się w jeziorze ognia i siarki. Smutek przychodził także i wtedy, kiedy musiałeś budzić w kościele swego chrapiącego ojca, podczas gdy tuż obok niego członkowie wspólnoty i członkowie twojej rodziny padali owładnięci przez Ducha Świętego. Smutek nawiedzał cię również pod koniec lata, kiedy dni stawały się krótsze. Gdy na ulicy, na którą nie wylegały już dzieci, robiło się cicho i spokojnie. I w barwie tego gnanego jesiennym wichrem nieba także czaił się smutek. Smutek ten dopadał człowieka, wciskał się wszędzie i we wszystko, w co tylko zdołał się wedrzeć, sięgając aż do samego wnętrza dźwięku i do wnętrza ciebie.

Nie myślałeś o tym swoim stukaniu i wybijaniu rytmu jako o grze na bębnie, dopóki wiele lat później faktycznie nie zacząłeś na nim grać. Dobrze byłoby wiedzieć, że zawsze robiłeś wszystko w sposób zupełnie naturalny. Jednakże ciągle zbyt wiele działo się ze wszystkimi pozostałymi członkami twej rodziny, aby ktokolwiek z nich mógł zwrócić ci uwagę, że może powinieneś był robić co innego z palcami nóg i rąk, zamiast ciągle nimi stukać, a swój umysł i czas zająć sobie czymś innym, zamiast nieustannie pukać we wszystkie powierzchnie, na jakie tylko natrafiłeś w swym życiu, jakbyś szukał wejścia – drogi, którą mógłbyś dostać się do środka.

Zmierzasz na zjazd plemienny. Zaproszono cię tam, żebyś grał na bębnie podczas Wielkiego Zjazdu Plemiennego w Oakland, mimo że dawno temu rzuciłeś lekcje gry na perkusji. Początkowo nie miałeś zamiaru tam pójść. Nie chciałeś widywać nikogo z pracy, odkąd cię z niej wylano. A już zwłaszcza nie miałeś ochoty spotkać nikogo z komitetu organizacyjnego tej imprezy. Nigdy jednak nie doświadczyłeś niczego, co mogłoby równać się z tą chwilą, kiedy łoskot wielkiego bębna wypełnia twoje ciało tak szczelnie, że liczy się już tylko ten kocioł, jego dźwięk i pieśń.

Twoja grupa bębniarzy nazywa się Księżyc Południa. Dołączyłeś do niej rok po tym, jak zacząłeś pracować w indiańskim ośrodku kultury jako sprzątacz. Teraz mówi się „dozorca" albo „pracownik obsługi technicznej", ale ty nigdy nie myślałeś o sobie jako o kimś innym, jak tylko o sprzątaczu. Kiedy miałeś szesnaście lat, pojechałeś do Waszyngtonu, aby odwiedzić wujka, brata twej matki. To on zabrał cię do tamtejszego Muzeum Sztuki Amerykańskiej, gdzie odkryłeś Jamesa Hamptona. Był on artystą, chrześcijaninem, mistykiem, a przy tym sprzątaczem właśnie. Z czasem James Hampton miał stać się dla ciebie wszystkim. W końcu bycie sprzątaczem to tylko praca, jak każda inna. Można było dzięki niej płacić czynsz, przez cały dzień chodząc ze słuchawkami na uszach. Nikt nie chce przecież rozmawiać z facetem, który właśnie sprząta. Takie słuchawki oddają wszystkim nieocenione usługi. Dzięki nim ludzie nie muszą udawać, że się tobą interesują, tylko dlatego, że czują się niekomfortowo z tym, że wynosisz im śmieci spod biurka i wkładasz do kosza nowy worek na odpadki.

Spotkania grupy bębniarzy odbywały się we wtorek wieczorem. Mógł na nie przyjść każdy, jednak z wyjątkiem kobiet. One miały własne spotkania w czwartkowe wieczory. Ich grupa nazywała się Księżyc Północy. Pierwszy raz usłyszałeś dźwięk tego wielkiego bębna przez przypadek pewnego późnego popołudnia, już po pracy. Wróciłeś wtedy do ośrodka, ponieważ zapomniałeś zabrać swoich słuchawek. Miałeś już właśnie wsiąść do autobusu, kiedy zdałeś sobie sprawę, że nie masz ich w uszach, i to akurat w momencie, gdy najbardziej ich potrzebujesz: na początku długiej podróży autobusem z pracy do domu. Grupa bębniarzy grała na pierwszym piętrze w ośrodku kultury. Wszedłeś do tego pomieszczenia, a kiedy to zrobiłeś, oni zaczęli właśnie śpiewać. Usłyszałeś zawodzące wysokie głosy i wykrzykiwane harmonie, przebijające się nawet przez łoskot tego wielkiego bębna. Usłyszałeś stare pieśni, mówiące o dawnym smutku, który czułeś zawsze tuż pod skórą, choć wcale tego nie chciałeś. W twojej głowie rozbłysło wtedy słowo „tryumf". Skąd ono się tam wzięło? Przecież sam nigdy nawet go nie używałeś. Jednak tak właśnie brzmiało dla ciebie to, że oni zdołali przebić się przez te setki lat życia Ameryki i dotarli aż tutaj ze swym śpiewem. Był to dla ciebie głos bólu, który zatraca i zapomina się w pieśni.

Wracałeś tam później przez cały rok w każdy wtorek. Trzymanie rytmu nie stanowiło dla ciebie problemu. Problemem był natomiast śpiew. Nigdy nie byłeś gadułą, a już z pewnością nigdy wcześniej nie śpiewałeś. Nie robiłeś tego nawet w samotności. Bobby sprawił jednak, że zacząłeś śpiewać. Bobby był rosły, mierzył może nawet 190 centymetrów i ważył ze 140 kilo. Mawiał, że urósł taki duży, ponieważ jest potomkiem ośmiu różnych plemion. Potem, wskazując na swój brzuch, dodawał, że musi gdzieś wszystkie te plemiona pomieścić. Bez dwóch zdań miał przy tym najlepszy głos w całej grupie. Potrafił śpiewać zarówno nisko, jak i wysoko. I to on jako pierwszy zaproponował, żebyś dołączył do grupy. Gdyby to zależało tylko od niego, bęben byłby jeszcze większy i wszyscy mogliby się przy nim pomieścić. Gdyby tylko mógł, najchętniej wsadziłby na bęben cały świat. Taki właśnie był Bobby Wielki Uzdrowiciel – ot, czasami imię pasuje do człowieka jak ulał.

Twój głos jest niski, tak jak głos twojego ojca.

– Nawet go nie słyszysz, kiedy śpiewam – powiedziałeś kiedyś Bobby'emu po zajęciach.

– No i co z tego? Dodaje nam mocy. Harmonie basowe są naprawdę niedoceniane – odparł Bobby, podając ci kubek kawy.

– Jeśli chodzi o basy, w zupełności wystarcza wielki bęben – stwierdziłeś.

– Głos basowy to co innego niż basowy dźwięk bębna – wyjaśnił Bobby. – Ten ostatni jest zamknięty, podczas gdy ten pierwszy – otwarty.

– Sam nie wiem – powiedziałeś bez przekonania.

– Głos potrzebuje czasami dłuższego czasu, aby na dobre wydobyć się z człowieka. Bądź cierpliwy, bracie – skwitował Bobby.

Wychodzisz ze swej kawalerki prosto w skwar letniego dnia w Oakland, w tym samym Oakland, które pamiętasz jako szare i wiecznie ponure miasto. Te letnie dni w Oakland z czasów twojego dzieciństwa. Te poranki tak szare, że wypełniały całe dni mrokiem i chłodem, nawet wtedy, gdy na niebie zdołał pojawić się skrawek błękitu. A ten upał jest nieznośny. W dodatku ty łatwo się pocisz. Pocisz się, nawet idąc. Pocisz się już na samą myśl, że znów będziesz się pocił. Pocisz się tak bardzo, że aż widać plamy na ubraniu. Zdejmujesz czapkę i mrużąc oczy, spoglądasz w górę, na słońce. W tym momencie powinieneś chyba pogodzić się z tym, że globalne ocieplenie i zmiana klimatu są faktem. Warstwa ozonowa znowu robi się cienka, tak jak mówiono w latach dziewięćdziesiątych XX wieku, kiedy to twoje siostry zwykły rozpylać sobie na włosy hektolitry sprayu Aqua Net, a ty krztusiłeś się jego oparami i specjalnie bardzo głośno spluwałeś do umywalki, żeby wiedziały, że tego nie znosisz, a zarazem także i po to, żeby przypomnieć im o ozonie i o tym, że spraye do włosów przyczyniają się do tego, że świat może spłonąć tak, jak było powiedziane w Apokalipsie: nastąpi kolejny koniec świata, drugi już po potopie, i tym razem ziemię zaleje ogień z nieba, być może właśnie w wyniku braku ochrony ze strony warstwy ozonowej, być może przez to ich nadużywanie sprayu Aqua Net. A właściwie dlaczego, i po co, musiały mieć włosy sterczące na parę centymetrów w górę i podkręcone jak załamująca się fala? Nigdy nie mogłeś tego zrozumieć. No, chyba że chodziło o to, że wszystkie dziewczyny robiły wtedy tak samo. A czy sam nie słyszałeś bądź nie czytałeś gdzieś, że Ziemia każdego roku bardzo delikatnie odchyla się od własnej osi, przez co jej kąt nachylenia sprawia, że glob jest niczym kawałek metalu, kiedy promienie słoneczne padają nań dokładnie pod kątem prostym, a wówczas staje się równie jasny i rozpalony jak samo słońce? Czy nie słyszałeś, że na Ziemi robi się coraz goręcej z uwagi na to odchylenie, to powiększające się wciąż odchylenie od osi, które jest nieuniknione i nie jest wcale winą ludzkości ani nie ma nic wspólnego z naszymi samochodami, emisją gazów cieplarnianych ani sprayem Aqua Net, będąc jedynie rezultatem samej tylko czystej entropii (a może chodziło o atrofię bądź apatię?).

Jesteś blisko centrum i zmierzasz ku stacji szybkiej kolejki przy Dziewiętnastej Ulicy. Idziesz z lekko opuszczonym, jakby zapadniętym prawym barkiem, tak samo jak ojciec. Utykasz też na prawą nogę. Wiedziałeś, że to kuśtykanie można omyłkowo wziąć za swego rodzaju afektowany chód, nieudolną próbę naśladowania tego, jak różne podejrzane typy odchylają się w swoich samochodach w stronę pasażera, lewą ręką trzymając kierownicę. Lecz na pewnej płaszczyźnie, której istnienia może nawet sam głośno nie uznawałeś, wiedziałeś również, że taki właśnie chód jest jedną z metod bojkotowania dumnego, wyprostowanego i obywatelskiego stylu poruszania własnymi rękami i nogami w ramach właściwej postawy, mającej wyrażać posłuszeństwo i wierność wobec pewnego stylu życia, a także pewnego narodu i jego praw. Lewa, prawa, lewa, prawa i tak dalej. Ale czy ty naprawdę świadomie pielęgnowałeś w sobie ten przechył całego ciała, ten chód z zapadniętym barkiem, to delikatne kołysanie się na prawo, jako przejaw oporu? Czy rzeczywiście chodzi ci o jakiś typowy dla rdzennych Amerykanów kontrkulturowy protest? Jakiś bliżej nieokreślony antyamerykański ruch? Czy też może chodzisz po prostu tak samo jak twój ojciec, ponieważ geny i ból oraz sposób chodzenia czy mówienia przekazywane są z pokolenia na pokolenie, chociaż nikt świadomie się o to nie stara? Owszem, to kuśtykanie jest czymś, co sobie wyćwiczyłeś, aby wyglądało bardziej jak wyraz twojego indywidualnego stylu, a mniej jak pozostałość po starej kontuzji odniesionej przy grze w koszykówkę. Doznać kontuzji i nie wrócić do pełni formy to wszak oznaka słabości. To utykanie jest więc wyuczone. Jest przy tym niezwykle wymowne i wiele mówi o tym, jak nauczyłeś się radzić sobie z niepowodzeniami, kiedy na wszystkie sposoby cię gnojono i zwalano z nóg, i o tych wszystkich upadkach, po których jakoś się zbierałeś, albo i nie, wstając z klasą i ruszając dalej bądź kulejąc i oddalając się z trudem z miejsca swej kolejnej klęski – wszystko to po tobie widać.

Mijasz kawiarnię, której bardzo nie lubisz, ponieważ jest w niej zawsze gorąco, a na szybie od frontu nieustannie roją się muchy, gdyż padające na nią słońce podgrzewa najwyraźniej jakieś niewidoczne świństwo, które te insekty uwielbiają, a wolne jest zawsze tylko to jedno miejsce w słońcu i z muchami. Właśnie dlatego nie znosisz tego miejsca, pomijając już to, że otwierają je dopiero o dziesiątej rano, a zamykają o szóstej wieczorem, dbając o potrzeby wszystkich tych hipsterów i artystów, którzy krążą wokół Oakland, brzęcząc jak te muchy; potrzeby tej nudnej białej młodzieży z amerykańskich przedmieść, szukającej czegoś nieuchwytnego i niewidocznego, co może dać im to miasto: uznania pośród rówieśników lub natchnienia rodem z uboższej części śródmieścia.

Dochodząc do stacji przy Dziewiętnastej, mijasz grupkę białych nastolatków, którzy mierzą cię wzrokiem. Prawie zaczynasz się ich bać. Nawet nie dlatego, żebyś myślał, że ci coś zrobią. Chodzi bardziej o to, jak dalece są tutaj nie na miejscu, choć cały czas starają się sprawiać wrażenie, jakby byli u siebie. Masz ochotę im dogadać. Wykrzyczeć im coś prosto w twarz. Nastraszyć ich tak, żeby wrócili tam, skądkolwiek przybyli. Nastraszyć ich tak, żeby w ogóle uciekli z Oakland. Wypędzić z nich samych to Oakland, które zaanektowali. A mógłbyś to zrobić. W końcu jesteś jednym z tych wielkich, zwalistych Indian. Masz te 180 centymetrów wzrostu, sto kilo żywej wagi, a na prawym barku dźwigasz ciężar pretensji do całego świata, który sprawia, że aż pochylasz się na tę stronę tak mocno, że każdy się za tobą ogląda, przypatrując się temu balastowi, jaki z sobą nosisz.

Twój ojciec ma tysiąc procent indiańskiej krwi. Jest więc Indianinem powyżej normy. Jest też będącym obecnie na alkoholowym odwyku uzdrowicielem z rezerwatu, dla którego angielski to drugi język. Uwielbia uprawiać hazard i palić papierosy marki American Spirit; ma sztuczne zęby i modli się przez dwadzieścia minut przed każdym posiłkiem, prosząc Stwórcę o pomoc dla wszystkich, poczynając od osieroconych dzieci, a kończąc na służących w siłach zbrojnych mężczyznach i kobietach przebywających obecnie na misjach na całym świecie. Oto twój ojciec, na tysiąc procent Indianin, który płacze jedynie podczas rytuału w namiocie i ma chore kolana, których dolegliwości jeszcze mu się nasiliły, odkąd zrobił na podwórku za domem betonową wylewkę, żeby mieć boisko do koszykówki, kiedy miałeś dziesięć lat.

Wiesz, że kiedyś twój ojciec naprawdę umiał grać w kosza, czuł rytm odbicia piłki, potrafił wykonać zwód ruchem głowy, obrót wokół własnej osi i ten cholerny rzut z półobrotu, którego opanowanie wymaga zainwestowania ogromnej ilości czasu. Jasne, że bardzo często liczył przy tym na odbicie od tarczy, ale kiedyś tak właśnie się to robiło. Twój ojciec powiedział ci jeszcze, że w ogólniaku w Oklahomie nie wolno mu było grać w kosza, ponieważ był Indianinem. Wtedy, w 1963, był to jeszcze zupełnie wystarczający powód. Na boiskach ani w barach, ani poza rezerwatem, nie tolerowano żadnych Indian, tak jak nie tolerowano psów. Twój ojciec w ogóle bardzo rzadko o tym wspominał; o tym, jak był Indianinem dorastającym w rezerwacie, ani nie mówił, co czuje teraz, będąc mogącym się wylegitymować miejskim Indianinem. Tylko czasami. Kiedy miał na to ochotę. Tak z niczego, zupełnie niespodzianie.

Na przykład wtedy, kiedy jechaliście sobie jego czerwonym fordem pikapem po jakiś film do wypożyczalni sieci Blockbuster. Słuchaliście przy tym pejotystycznych kaset twojego ojca. Tego brzmiącego niczym zakłócenia na taśmie grzechotania i walenia w wielki bęben. Ojciec lubił puszczać takie kasety bardzo głośno, a ty nie mogłeś wprost znieść tego, jak bardzo te dźwięki zwracały na was uwagę. Jak bardzo rzucało się w oczy to, że twój ojciec jest Indianinem. Pytałeś wtedy, czy możesz to wyłączyć. Zmuszałeś go, żeby wyłączał te swoje taśmy. Zamiast nich puszczałeś radio, na przykład 106

KMEL – stację nadającą rap lub muzykę w stylu rhythm and blues. Ale wówczas on zaczynał próbować do tego tańczyć. Wydymał swoje wielkie indiańskie wargi, aby narobić ci obciachu, i trzymając płasko wyciągniętą dłoń, rytmicznie machał nią w powietrzu w takt melodii, tylko po to, żeby cię drażnić. Wtedy ty w ogóle wyłączałeś muzykę w samochodzie. I właśnie w takich chwilach mogłeś usłyszeć od ojca jakąś historię z jego dzieciństwa. O tym, jak to kiedyś ze swymi dziadkami zbierał bawełnę za dziesięć centów dziennie, albo o tym, jak to siedząca na drzewie sowa ciskała w niego i jego kumpli kamieniami, albo o tym, jak jego prababka swymi modłami rozszczepiła na dwoje nadciągające tornado.

Ten żal do całego świata, którego ciężar dźwigasz na prawym barku, ma wiele wspólnego z tym, że urodziłeś się i wychowałeś w Oakland. Jest to bardzo poważny żal, naprawdę spory, a przy tym bardziej przytłaczający z jednej strony, w jednej połowie: tej, która nie jest biała. Jeśli chodzi o twoją matkę – o tę twoją białą połowę, to jest tam tego zbyt wiele i zarazem za mało, żeby człowiek wiedział, co ma z tym począć. Wywodzisz się od ludzi, którzy wciąż tylko brali i brali, i tylko brali bez końca. A także z ludu, któremu zabierano. Byłeś i jednymi, i drugim, i żadnym z nich. Dawniej, kiedy się kąpałeś, gapiłeś się na swoje brązowe ramiona, wyraźnie odcinające się w wodzie na tle białych nóg, zastanawiając się, co te kończyny robią razem w jednym i tym samym ciele, w jednej i tej samej wannie.

Fakt, że skończyło się na tym, że wylali cię z roboty, miał związek z twoim piciem, związanym z kolei z twoimi problemami ze skórą, wiążącymi się z twoim ojcem, którego kwestia związana była z historią. Jedyną historią, którą zawsze mogłeś usłyszeć od ojca, i jedyną rzeczą, jakiej dowiedziałeś się na pewno o tym, co znaczy być Indianinem, było to, że wasz lud, plemię Czejenów, padł ofiarą masakry nad Sand Creek w dniu 29 listopada 1864 roku. Tę właśnie tragiczną historię ojciec opowiadał tobie i twoim siostrom częściej niż jakąkolwiek inną opowieść, jaką był w stanie sobie przypomnieć.

Twój ojciec należał do tego rodzaju pijaków, którzy w weekendy znikają z domu i kończą w areszcie. Był tak straszliwym pijakiem, że musiał wziąć całkowity rozbrat z alkoholem; nie mógł brać do ust ani kropli. Czyli w pewnym sensie i u ciebie się na to zanosiło: na to, że będziesz miał tę potrzebę, aby się napić; potrzebę, która tak łatwo nie odpuści; tę głęboką na wiele lat przepaść i pułapkę, którą byłeś skazany sam sobie wykopać, by potem wczołgać się do niej i wreszcie walczyć o to, aby się z niej wydostać. Być może to twoi rodzice wypalili w tobie zbyt głęboką i nazbyt obszerną dziurę, pustkę po Bogu. Próżni tej nie sposób było potem niczym wypełnić.

Dobiegając trzydziestki, zacząłeś pić co wieczór. Było ku temu wiele powodów. Robiłeś to jednak bez zastanowienia. W większość uzależnień nie popada się wszak rozmyślnie. Po alkoholu lepiej ci się zasypiało. W ogóle dobrze się czułeś z piciem. Przede wszystkim jednak, jeśli była jakaś faktyczna przyczyna, którą mógłbyś wskazać, piłeś z uwagi na swoją skórę. Problemy ze skórą miałeś zawsze, odkąd tylko sięgasz pamięcią. Twój ojciec wcierał niegdyś w twoje zmiany skórne ekstrakt z pejotlu. Przez pewien czas to nawet pomagało. Przynajmniej aż do chwili, kiedy zniknął i nie było go już przy tobie. Lekarze woleli nazywać te zmiany egzemą. Woleli, żebyś zaczął używać maści ze sterydami. Drapanie się nic nie dawało, ponieważ potem człowiek drapał się już tylko coraz mocniej, a to z kolei wywoływało częstsze krwawienia. Budziłeś się wtedy z krwią pod paznokciami i dokuczliwym bólem wszędzie tam, dokąd zawędrowała akurat ta twoja rana, ponieważ przemieszczała się wszędzie, wędrując po całym ciele. Krew plamiła wówczas także pościel, a ty budziłeś się z takim uczuciem, jakby przyśniło ci się coś równie ważnego i dołującego, coś zapomnianego zarazem na dobre. Nie było jednak żadnego snu, a jedynie otwarta, żywa rana, i przez cały czas takie czy inne miejsce na ciele niemiłosiernie cię swędziało. Wszystkie te plamy i kropki, zaczerwienienia i zaróżowienia, czasem z dodatkiem żółci; chropowate, ropiejące, wilgotne i odrażające – tak właśnie wyglądała powierzchnia twojej skóry.

Jeśli wypiłeś dostatecznie dużo, w nocy nie musiałeś się drapać. Byłeś w stanie znieczulić w ten sposób swoje ciało. Nauczyłeś się, jak rozpoczynać butelkę i jak ją kończyć. Poznałeś granice własnych możliwości. Przestałeś się na nie oglądać. Po drodze dowiedziałeś się, że jest określona ilość alkoholu, jaką potrafisz wypić, która następnego dnia może wywołać u ciebie pewien stan umysłu, jaki z czasem zacząłeś sam dla siebie nazywać Nastrojem. Ten właśnie Nastrój był jakby miejscem, do którego byłeś w stanie dotrzeć; miejscem, w którym miałeś poczucie, że wszystko, ale to dokładnie wszystko, jest tak, jak należy; że wszystko ma swój właściwy czas i jest na swoim miejscu właśnie. Ty też czułeś się w tym Nastroju na swoim miejscu i było ci zupełnie dobrze z tym wszystkim – niemal tak, jak to zwykł mawiać twój ojciec: „Nieprawdaż, że jest jak trza? No nie mam racji?".

Jednakże każda kolejna zakupiona butelka była lekarstwem lub trucizną, w zależności od tego, czy potrafiłeś odpowiednio długo zwlekać z jej opróżnieniem. Nie była to bynajmniej metoda pewna i na dłuższą metę wcale niełatwa do stosowania w praktyce. Powiedzieć pijakowi, że może wypić dość dużo, ale nie za wiele, to tak, jakby zakazać ewangelicznemu chrześcijaninowi wymawiać imienia „Jezus". Tak więc gra na bębnie i śpiew na zajęciach w ośrodku dawały ci jeszcze coś innego: sposób na to, aby dotrzeć do celu, nie musząc przy tym pić i czekać, aby się przekonać, czy następnego dnia ten twój Nastrój znów zdoła wyłonić się z popiołów poprzedniego wieczoru.

Twój Nastrój wzorowany był na czymś, co przeczytałeś o Jamesie Hamptonie wiele lat po tamtej wycieczce do Waszyngtonu. Otóż James nadał sobie taki oto tytuł: Dyrektor Specjalnych Projektów na rzecz Państwa Wieczności. James był chrześcijaninem. Ty nim nie jesteś. Ale on był wystarczająco pokręcony, aby to, co zrobił, miało dla ciebie sens. Oto zatem, co zdziałał: poświęcił czternaście lat życia na to, by zbudować ogromne dzieło sztuki z odpadków, jakie pozbierał w okolicach wynajmowanego przez siebie garażu, znajdującego się niespełna dwa kilometry od Białego Domu. Dzieło to nazywało się „Tron trzecich niebios milenijnego zgromadzenia narodów". James sporządził zatem tron na drugie przyjście Jezusa. Fakt ten mówi o Jamesie Hamptonie tyle, że był niemal bezgranicznie oddany Bogu. Gotów do poświęceń z myślą o przyjściu jego Boga. Facet zrobił z odpadków złoty tron. Tron, który budowałeś ty, składał się z momentów, z doświadczeń i przeżyć w Nastroju, po wypiciu zbyt dużej ilości alkoholu; mówiąc inaczej, ze zbywającego, niewykorzystanego pijaństwa, z utrzymujących się aż do rana, prześnionych i nasączonych księżycową poświatą alkoholowych oparów, którym swoim tchnieniem nadawałeś kształt tronu, miejsca, na którym można było zasiąść. W Nastroju byłeś wystarczająco wytrącony z równowagi, aby nikomu nie wchodzić w drogę. Problem wziął się z tego, że w ogóle musiałeś się napić.

W wieczór poprzedzający tamten dzień, kiedy wylano cię z pracy, spotkanie grupy bębniarzy zostało odwołane. Był koniec grudnia. Zbliżał się Nowy Rok. W takim piciu nie chodziło o wprowadzenie się w Nastrój. Takie picie było nierozważne i bezcelowe – stanowiło jedno z niebezpieczeństw, czy też konsekwencji, związanych z byciem tego rodzaju pijakiem, jakim jesteś. Jakim będziesz już zawsze, bez względu na to, jak dobrze się nauczysz sobie z tym radzić. Nim wieczór dobiegł końca, wypiłeś 0,7 whisky Jim Beam. Takie 0,7 to bardzo dużo, jeśli nie dochodzi się do takiej ilości stopniowo. Czasami potrzeba lat, żeby nauczyć się tak pić samemu w zupełnie przypadkowe wtorkowe wieczory. Picie w ten sposób także bardzo wiele ci odbiera. Na przykład wątrobę. Organ odwalający za ciebie najwięcej roboty, bo neutralizujący toksyny zawarte w tych wszystkich świństwach, jakimi faszerujesz swoje ciało.

Kiedy następnego dnia przyszedłeś do pracy, czułeś się całkiem w porządku. Może jeszcze trochę kręciło ci się w głowie, nadal byłeś nieco pijany, ale dzień wydawał się w miarę normalny. Wszedłeś do sali konferencyjnej. Odbywało się tam właśnie spotkanie komitetu organizacyjnego zjazdu plemiennego. Zjadłeś nawet to, co ludzie z komitetu nazywali „śniadaniowymi *enchiladas*", kiedy cię nimi poczęstowali. Poznałeś nowego członka tego grona. Potem twój kierownik, Jim, wezwał cię do swojego biura przez krótkofalówkę, którą nosiłeś za pasem.

Kiedy wszedłeś do jego gabinetu, rozmawiał właśnie przez telefon. Na twój widok przysłonił słuchawkę dłonią.

– Tam jest nietoperz – powiedział, wskazując na korytarz. – Przegoń go stąd. Nie możemy trzymać tutaj nietoperzy. W końcu to także placówka medyczna – dodał takim tonem, jakbyś to ty sam wniósł tutaj tego zwierzaka.

Wyszedłszy na korytarz, podniosłeś wzrok i rozejrzałeś się dokoła. Spostrzegłeś nietoperza na suficie w kącie, nieopodal sali konferencyjnej na końcu korytarza. Poszedłeś wtedy po miotłę i worek foliowy. Powoli i ostrożnie podszedłeś do zwierzęcia, ale kiedy byłeś już blisko, nietoperz uciekł i wpadł wprost do sali konferencyjnej. Wszyscy obecni w niej ludzie, cały komitet organizacyjny zjazdu plemiennego, kręcąc głowami na prawo i lewo, przyglądali się temu, jak wszedłeś do środka i go stamtąd przegoniłeś.

Kiedy znalazłeś się z powrotem na korytarzu, nietoperz zaczął krążyć wokół ciebie. W końcu znalazł się za twoimi plecami i usiadł ci na karku, wbijając weń zęby i pazury. Byłeś już wkurzony, a teraz spanikowałeś. Sięgnąłeś i złapałeś go ręką za skrzydło, a potem, zamiast zrobić to, czego od ciebie oczekiwano – wsadzić go do worka na śmieci, który przecież w tym celu wziąłeś ze sobą – chwyciłeś nietoperza obiema rękami i ścisnąłeś bardzo mocno, naprawdę ze wszystkich sił. Zmiażdżyłeś go gołymi rękami. W dłoniach została ci krwawa miazga, z której sterczały cieniutkie kości i zęby. Upuściłeś ją na ziemię. Chciałeś szybko zebrać ją szmatą z podłogi. Wymazać z pamięci cały ten dzień. Zacząć wszystko od początku. Ale nic z tego. Cały komitet organizacyjny zjazdu plemiennego był już na korytarzu. Wszyscy przyszli popatrzeć, jak łapiesz tego nietoperza, po tym jak przez przypadek zapędziłeś go do sali, gdzie odbywało się właśnie ich spotkanie. Wszyscy jak jeden mąż patrzyli teraz na ciebie z obrzydzeniem. I ty to doskonale wyczuwałeś. Na twoich rękach i na podłodze wciąż były szczątki tego nieszczęsnego stworzenia.

Kiedy po posprzątaniu całego tego bałaganu znalazłeś się z powrotem w biurze twojego kierownika, Jim wskazał ci gestem krzesło.

– Nie wiem, co to miało być – zaczął, trzymając ręce złożone na czubku głowy. – Wiem tylko, że nie możemy tolerować czegoś takiego w placówce medycznej.

– Ten pieprzony… Przepraszam, ale ten pieprzony zwierzak mnie ugryzł, a ja tylko się broniłem…

– I to byłoby jeszcze do przyjęcia, Thomas. Widzieli to tylko twoi koledzy z pracy. Ale jedzie od ciebie alkoholem. Przykro mi, ale stawienie się w pracy po pijanemu jest niestety przewinieniem stanowiącym podstawę do zwolnienia pracownika. Sam wiesz, że pod tym względem prowadzimy politykę zerowej tolerancji – powiedział Jim. Nie wydawał się już na ciebie wkurzony, tylko raczej zawiedziony. Omal mu nie powiedziałeś, że te opary to jeszcze po wczorajszym wieczorze, ale taka deklaracja mogłaby nie zrobić większej różnicy, gdyż nadal mogłeś mieć w wydychanym powietrzu lub we krwi zbyt wysokie stężenie alkoholu. W końcu przecież wciąż miałeś go w sobie: krążył właśnie jeszcze w twoich żyłach.

– Nic nie piłem dziś rano – powiedziałeś więc tylko. Omal nie zacząłeś przysięgać z ręką na sercu, choć nigdy tego nie robiłeś, nawet kiedy byłeś jeszcze małym dzieckiem. Jim miał w sobie właśnie coś takiego. Był jak duży dzieciak. Wcale nie chciał być zmuszony do tego, aby cię ukarać. I taka przysięga wydawała się zupełnie rozsądnym sposobem na to, by go przekonać, że mówisz prawdę.

– Przykro mi – rzekł Jim.

– Czyli to już wszystko? Zwalniasz mnie?

– Nic już nie mogę dla ciebie zrobić – stwierdził Jim, po czym wstał i pierwszy wyszedł z własnego gabinetu. – Idź już do domu, Thomas – dodał.

Schodzisz na peron i rozkoszujesz się tym chłodnym wiatrem bądź bryzą, czy jakkolwiek nazwać ten podmuch powietrza, jaki poprzedza nadjeżdżający skład, odczuwalnym, zanim jeszcze w ogóle widać pociąg lub jego światła; wtedy, kiedy tylko go słyszysz i czujesz ten właśnie podmuch zimnego powietrza, który szczególnie sobie cenisz z uwagi na to, jak wspaniale schładza twoją spoconą głowę.

Znajdujesz sobie miejsce z przodu pociągu. Głos z automatu wymawia nazwę następnej stacji; może nie tyle nawet wymawia, co podaje ją w ten typowy dla robotów sposób: „Następny przystanek: stacja przy Dwunastej Ulicy". Przypomina ci się twój pierwszy zjazd plemienny. Twój ojciec – już po rozwodzie – zabrał wtedy ciebie i twoje siostry do sali gimnastycznej ogólniaka w Berkeley, gdzie stary przyjaciel waszej rodziny, Paul, tańczył pomiędzy liniami boiska do koszykówki, wykonując ten szaleńczy taniec z niezwykłym wdziękiem, mimo że był dość tęgim facetem i nigdy wcześniej nie przyszłoby ci do głowy, że mógłby poruszać się z gracją. Jednak tamtego dnia dowiedziałeś się, czym jest zjazd plemienny i przekonałeś się na własne oczy, że Paul jest w stanie wykrzesać z siebie niemało wdzięku, a nawet pewien rodzaj typowej dla Indian lekkości. Praca jego nóg wcale nie różniła się przy tym tak bardzo od breakdance'u i przychodziła mu z pozoru naturalnie i bez wysiłku, potęgując jeszcze to wrażenie lekkości.

Pociąg rusza, a ty wciąż myślisz o swoim ojcu i o tym, jak po rozwodzie zabrał cię na ten zjazd plemienny, choć nigdy nie chodził z tobą na takie imprezy, kiedy byłeś młodszy. Zastanawiasz się też, czy to twoja matka i jej chrześcijańska religia były powodem tego, że nie bywałeś na zjazdach plemiennych ani nie robiłeś innych rzeczy, jakie robią Indianie.

Pociąg wynurza się z powrotem na powierzchnię, wyjeżdżając z podziemnego tunelu w dzielnicy Fruitvale, i mknie ponad tą restauracją sieci Burger King i okropną azjatycką knajpką, przy których Dwunasta Wschodnia i International Boulevard niemal łączą się ze sobą; w miejscu, gdzie pojawiają się upstrzone graffiti ściany, opuszczone domy, magazyny i warsztaty samochodowe, majaczące uparcie w oknach pociągu, niczym balast przeszłości pośród licznej nowej zabudowy Oakland. Tuż przed stacją Fruitvale widzisz ten stary ceglany kościół, na który zawsze zwracasz uwagę przez to, że wydaje się zrujnowany i opuszczony.

Czujesz nagły przypływ smutku na myśl o swojej matce i chrześcijańskiej wierze, która ją zawiodła; o waszej rozbitej i rozproszonej po świecie rodzinie. O tym, że każde z was mieszka teraz w innym stanie. O tym, że w ogóle się nie widujecie. Że tak wiele czasu spędzasz w samotności. Chce ci się płakać i czujesz, że nawet mógłbyś uronić łzę, ale sam wiesz, że ci nie wolno; że nie powinieneś. Płacz zupełnie cię rozbija. Wyrzekłeś się go już dawno temu. Nadal jednak nachodzą cię myśli o twojej matce i rodzinie; wspomnienia z pewnego okresu, kiedy to magiczne niebiosa i zaświaty twojej apokaliptycznej ewangelicko-chrześcijańskiej duchowości rodem z Oakland zdawały się ożywać na twoich oczach, aby pochłonąć was i zabrać, zabrać was wszystkich do siebie.

Bardzo dobrze pamiętasz tamten okres. Jego wspomnienie zawsze było ci bliskie, bez względu na to, jak bardzo oddalił cię od niego upływający czas. Kiedy w domu wszyscy jeszcze spali, twoja matka wypłakiwała się już w swój modlitewnik. Wiedziałeś o tym, ponieważ łzy zostawiają plamy, a pamiętasz ślady po łzach w jej książeczce do modlitwy. Zaglądałeś do niej niejeden raz, ponieważ chciałeś wiedzieć, jakie kwestie mogła poruszać ze swoim Bogiem twoja matka, i jakie intymne rozmowy mogła odbywać z Nim ta kobieta, która w kościele padała na kolana i posługiwała się obcą jej mową, przypominającą język obłąkanego anioła, a zakochała się w twoim ojcu podczas indiańskich obrzędów, które z czasem zaczęła nazywać satanistycznymi.

Twój pociąg opuszcza stację Fruitvale, co kieruje twoje myśli ku dzielnicy Dimond, a mówiąc ściśle, ku Vista Street. To tam bowiem wszystko to się działo: tam właśnie mieszkała i tam też przestała istnieć twoja rodzina. Twoja starsza siostra, DeLonna, brała bardzo dużo PCP, fencyklidyny, zwanej też anielskim pyłem. To właśnie wtedy przekonałeś się, że do tego, aby człowiek nagle padł opuszczony przez demony z ich niezrozumiałymi językami, wcale nie potrzeba religijnych uniesień. Pewnego dnia po szkole DeLonna wypaliła zbyt dużo PCP. Kiedy wróciła do domu, od razu było dla ciebie jasne, że zupełnie odjechała. Widziałeś to w jej oczach: stała przed tobą DeLonna, ale jej spojrzenie było zupełnie obce i nieobecne. A do tego jeszcze ten jej głos, niski, głęboki i gardłowy. Wydarła się na waszego ojca, a on nie pozostał jej dłużny, lecz wówczas ona kazała mu się zamknąć, a on usłuchał ze względu na ten właśnie głos. Wówczas powiedziała mu jeszcze, że sam nawet nie wie, którego Boga czci, a wkrótce potem upadła na podłogę w pokoju waszej siostry Christine, tocząc pianę z ust. Twoja matka zwołała nadzwyczajne spotkanie kółka modlitewnego i jego członkinie modliły się nad DeLonną, podczas gdy ona wciąż toczyła pianę i wiła się na podłodze, by wreszcie przestać, kiedy minął już ten etap jej odlotu, a działanie narkotyku nieco zelżało. Jej oczy zamknęły się i to coś, co nią owładnęło, w końcu zostawiło ją w spokoju. Kiedy się obudziła, kobiety z kółka modlitewnego podały jej szklankę mleka, a gdy już odzyskała swój normalny głos i spojrzenie, nie pamiętała zupełnie nic z tego, co się stało.

Pamiętasz jeszcze, jak później twoja matka mówiła, że branie narkotyków jest jak zakradanie się do królestwa niebieskiego wykopem wiodącym pod bramą. Tobie zaś wydawało się raczej, że chodziło o królestwo piekieł, ale być może tamto pierwsze królestwo jest większe i bardziej przerażające, niż kiedykolwiek moglibyśmy przypuszczać. Być może wszyscy mówimy skażonym językiem aniołów i demonów nazbyt długo, aby wiedzieć, że to nimi właśnie jesteśmy; by wiedzieć, kim jesteśmy i co mówimy. Być może my w ogóle nie umieramy, a jedynie przechodzimy przemianę, ciągle będąc w Nastroju, lecz prawie w ogóle nie zdając sobie sprawy z tego, że w nim jesteśmy.

Wysiadłszy na stacji przy stadionie, przechodzisz przez kładkę dla pieszych, czując lekkie mrowienie w żołądku. Chcesz, a zarazem nie chcesz być na tym zjeździe plemiennym. Chcesz walić w bęben, lecz pragniesz także, aby wszyscy słyszeli, jak grasz. Nie chodzi jednak nawet o ciebie, tylko o ten wielki bęben właśnie. O ten dźwięk kotła, wydobywany zeń po to, aby wprawić w ruch tancerzy. A przy tym nie chcesz, aby widział cię ktokolwiek z twojej pracy. Zanadto dopiekł ci wstyd związany z tym, że się upiłeś i pojawiłeś się w robocie spowity wciąż jeszcze oparami alkoholu. Nie bez znaczenia jest tutaj i to, że zostałeś zaatakowany przez nietoperza, którego później na oczach tych ludzi zmiażdżyłeś gołymi rękami.

Przechodzisz przez wykrywacz metalu w bramce przy wejściu i okazuje się, że musisz spróbować raz jeszcze przez swój pasek. Za drugim razem czujnik znowu się włącza z uwagi na jakieś drobniaki, które masz w kieszeni. Stojący obok pracownik ochrony to starszy czarnoskóry facet, sprawiający takie wrażenie, jakby zależało mu jedynie na tym, aby jego wykrywacz już więcej nie zapiszczał.

– Niech pan wyciągnie wszystko, dosłownie wszystko, co pan ma w kieszeniach. Proszę wszystko wyjąć – powtarza.

– To już wszystko, co mam – mówisz. Ale kiedy próbujesz przejść, to diabelstwo znów piszczy.

– Miał pan kiedyś jakąś operację? – dopytuje się ten facet.

– Co takiego?

– Nie wiem, może ma pan metalową płytkę w głowie albo…

– Skąd, człowieku, nie mam w sobie nic metalowego.

– No cóż, w takim razie będę musiał teraz pana przeszukać – stwierdza tamten takim tonem, jakby to była twoja wina.

– Proszę bardzo – odpowiadasz, unosząc ramiona.

Przeszukawszy cię, facet daje ci znak gestem, żebyś przeszedł jeszcze raz przez wykrywacz. Kiedy i tym razem czujnik wydaje piskliwy dźwięk, macha tylko ręką i każe ci po prostu wejść na stadion.

Będąc jakieś trzy metry dalej, spoglądasz pod nogi i nagle zdajesz sobie sprawę, o co chodziło. To twoje buty z metalowym podnoskiem. Zacząłeś je nosić, kiedy dostałeś tę pracę w ośrodku. Jim ci to doradził. Omal nie wracasz do bramek, aby powiedzieć o tym temu czarnoskóremu ochroniarzowi, choć teraz to już i tak nie ma znaczenia.

Znajdujesz Bobby'ego Wielkiego Uzdrowiciela pod przeciwsłonecznym baldachimem. Wita cię skinieniem głowy, po czym kolejnym jej ruchem wskazuje ci otwarte siedzisko wokół bębna. Wśród bębniarzy panuje cisza i nie ma żadnych pogaduszek na błahe tematy.

– Wielka pieśń na wejście – mówi teraz Bobby tylko do ciebie, ponieważ zdaje sobie sprawę, że wszyscy inni już to wiedzą. Bierzesz swoją pałeczkę i czekasz na pozostałych. Słyszysz, że konferansjer zjazdu już coś mówi i dobiega cię dźwięk jego głosu, ale nie jesteś w stanie rozróżnić słów. Czekasz teraz, kiedy pałeczka Bobby'ego uniesie się w górę. A gdy już się wznosi, masz wrażenie, że serce przestanie ci bić. Wyczekujesz pierwszego uderzenia. W głowie odmawiasz modlitwę nie wiadomo do kogo, prosząc właściwie nie wiadomo o co. Robisz w głowie miejsce dla tej modlitwy, starając się nie myśleć. Twoją modlitwą będzie wkrótce walenie w wielki bęben, pieśń i trzymanie rytmu. Twoja modlitwa rozpocznie się i zakończy wraz z tą pieśnią. Gdy widzisz, jak pałeczka Bobby'ego unosi się w górę, zaczyna kłuć cię w sercu z braku powietrza i już wiesz, że oni, ci wszyscy tancerze, wchodzą właśnie na scenę, i że nadeszła pora.

CZĘŚĆ IV

Zjazd plemienny

Trzeba długo marzyć, aby móc działać w sposób wzniosły,
*a rojenia rozkwitają w ciemnościach**.

– Jean Genet

* J. Genet, *Cud róży*, tłum. B. Szwarcman-Czarnota, Wydawnictwo Tenten, Warszawa 1994.

Orvil Czerwone Pióro

WE WNĘTRZU STADIONU plac gry jest już szczelnie wypełniony aż po same trybuny tłumem, w którym widać mnóstwo tancerzy, straganów i namiotów. Po całym boisku porozrzucane stoją składane krzesełka i leżaki. Niektóre są już zajęte, a inne jeszcze puste, co oznacza, że je zarezerwowano. Na straganach oraz na bocznych i tylnych ścianach namiotów wiszą pamiątkowe czapeczki i podkoszulki z nadrukami w rodzaju „Native Pride" wykonanymi wielkimi drukowanymi literami spiętymi szponami orła. Są też łapacze snów, flety, tomahawki oraz oczywiście łuki i strzały. Wszędzie porozkładana bądź porozwieszana jest również wszelkiego rodzaju indiańska biżuteria, zrobiona z oszałamiających ilości turkusu i srebra. Orvil i jego bracia zatrzymują się na moment przy straganie ze zdobionymi paciorkami wełnianymi czapeczkami Athletics i Raidersów, ale tak naprawdę chcą przede wszystkim sprawdzić, co słychać w całym szeregu straganów z gastronomią, znajdujących się na polu zewnętrznym.

Wydają tam wszystkie pieniądze z fontanny i wspinają się na drugi poziom trybun, żeby zjeść to, co kupili. Kawałki smażonego chleba są całkiem spore, a warstwa mięsa i smalcu naprawdę gruba.

– Wodzu, ale to być pyszne – mówi Orvil.

– Pst! – Loother na to. – Przestań gadać jak jakiś Indianin.

– Zamknij się! A jak niby mam gadać twoim zdaniem? Jak jakiś białas? – odpowiada Orvil.

– Czasami gadasz tak, jakbyś chciał uchodzić za Meksykanina – wtrąca Lony. – Na przykład wtedy, kiedy jesteś w szkole.

– Zamknij się! – strofuje go znów Orvil.

Loother szturcha Lony'ego łokciem i obaj zaczynają nabijać się z Orvila. Orvil zdejmuje czapeczkę i uderza nią obu braci po głowach. Potem bierze swoje *taco* i przechodzi ponad rzędem krzesełek, aby usiąść za ich plecami. Siedzi przez chwilę w milczeniu, po czym oddaje swoje *taco* Lony'emu.

– To ile, jak mówisz, możesz zgarnąć, jeśli wygrasz? – pyta Orvila Loother.

– Nie chcę o tym gadać. To przynosi pecha – ucina Orvil.

– No dobra, ale mówiłeś, że to jakieś pięć... – nie daje za wygraną Loother.

– Powiedziałem, że nie chcę o tym gadać – przerywa mu Orvil.

– Bo myślisz, że ci to przyniesie pecha, co? – drąży temat Loother.

– Loother, zamknij się wreszcie, do cholery.

– No dobra – rezygnuje niechętnie Loother.

– No i w porządku – kwituje całą wymianę zdań Orvil.

– Ale wyobraź sobie tylko, ile odlotowych rzeczy moglibyśmy dostać za taką kupę forsy – rzuca jeszcze Loother.

– No – potakuje Lony – na przykład Play Station 4, wielki telewizor, jakieś fajne buty do kosza...

– Całą tę kasę oddalibyśmy babce – przerywa braciom Orvil.

– O rany, to dopiero słaby pomysł – jęczy Loother.

– Daj spokój, przecież sam wiesz, że ona uwielbia pracować – dorzuca Lony, przeżuwając jeszcze ostatnie kęsy *taco*.

– Ale pewnie wolałaby robić coś innego, gdyby tylko mogła – stwierdza Orvil.

– No dobra, ale moglibyśmy chyba zatrzymać chociaż część tej forsy – sugeruje Loother.

– Niech to szlag! – krzyczy nagle Orvil, sprawdzając dokładną godzinę na wyświetlaczu telefonu. – Muszę zaraz iść tam na dół, do szatni!

– A co my mamy w tym czasie robić? – dopytuje się Loother.

– Zostańcie tutaj, na trybunach – mówi Orvil. – Potem tu po was przyjdę.

– Co takiego? Dajże spokój! – protestuje Lony.

– Przyjdę po was za chwilę. To nie potrwa długo – przekonuje Orvil.

– Ale stąd prawie nic nie widać – skarży się Loother.

– No – potakuje Lony.

Orvil zostawia braci i odchodzi. Wie, że im dłużej będzie ich przekonywał, tym bardziej staną się przekorni.

Męska szatnia rozbrzmiewa głośnym śmiechem. Początkowo Orvil myśli, że to z niego wszyscy się śmieją, ale potem orientuje się, że ktoś tuż przed jego przyjściem opowiedział jakiś kawał, ponieważ gdy siada na miejscu obok swej szafki, zaczynają się sypać kolejne dowcipy. Wokół siebie widzi przeważnie starszych już facetów, ale jest też kilku młodszych mężczyzn. Powoli i starannie zakłada strój tancerza, po czym wkłada do uszu słuchawki, ale zanim jeszcze udaje mu się puścić jakąś piosenkę, spostrzega, że facet naprzeciwko niego daje mu znak gestem, żeby je zdjął. To jakiś wielki i zwalisty Indianin. Wstaje teraz, odziany w kompletny kostium tancerza, i unosi w górę na przemian to jedną, to drugą stopę, co sprawia, że jego pióra zaczynają się trząść i szeleścić, co jakby trochę przeraża Orvila. Po chwili facet odchrząkuje.

– A teraz wy, młodziaki, posłuchajcie mnie uważnie. Jak już tam wyjdziecie, nie podniecajcie się za bardzo. Ten taniec jest waszą modlitwą. Nie spieszcie się więc za bardzo i nie tańczcie tak jak wtedy, kiedy ćwiczycie. Indianin może wyrażać siebie tylko w jeden jedyny sposób. Jest nim ten właśnie taniec, który wywodzi się z zamierzchłej przeszłości i przychodzi do nas z góry. Uczycie się go po to, aby podtrzymać tę tradycję i aby posługiwać się nim w celu wyrażania siebie. Cokolwiek dzieje się teraz właśnie w waszym życiu, nie zostawiacie tego tutaj, w szatni, tak jak robią gracze, kiedy wychodzą na boisko, tylko zabieracie to ze sobą i wyrażacie poprzez taniec. Jeśli w jakikolwiek inny sposób będziecie próbowali powiedzieć to, co naprawdę leży wam na sercu, skończy się tylko na tym, że zaczniecie płakać. I nie udawajcie, że nie płaczecie, ponieważ nam, mężczyznom indiańskiej krwi, zdarza się płakać. Tak, my, Indianie, jesteśmy mazgajami. Sami o tym wiecie. Jesteśmy beksami, ale nie tam, na tym boisku – mówi, wskazując drzwi szatni.

Kilku spośród starszych facetów wydaje z siebie niski pomruk na znak aprobaty, a kilku innych kwituje jego słowa zgodnym „aho". Orvil rozgląda się po szatni i widzi wszystkich tych mężczyzn odzianych tak jak on. Oni również musieli się przebrać, żeby wyglądać jak Indianie. Czuje coś jakby drżenie piór gdzieś pomiędzy sercem a żołądkiem. Wie, że to, co mówił tamten facet, to szczera prawda. Płakać znaczy marnować tylko emocje, które potrzebne są w tańcu. Płacz jest dobry tylko wtedy, kiedy nie pozostaje już nic innego do zrobienia. A dziś jest dobry dzień i dobre emocje, czyli coś, czego potrzebuje, aby zatańczyć w taki właśnie sposób, w jaki musi zatańczyć, aby zdobyć tę nagrodę. Chociaż nie. Nie chodzi nawet o te pieniądze. Chodzi o to, by po raz pierwszy zatańczyć tak, jak się nauczył, nie tylko podpatrując tancerzy na ekranie, lecz także ćwicząc samemu. By odtańczyć taniec wywodzący się z tańca.

Orvil widzi przed sobą setki tancerzy. Za sobą zresztą też, tak jak i po swojej prawej i lewej stronie. Otacza go istne morze kolorów i wzorów typowych dla indiańskiej kultury: wszystkie odcienie poszczególnych barw, sekwencje geometrycznych kształtów wyszywanych cekinami na lśniących i pokrytych skórą tkaninach, mnóstwo piór, paciorków, wstążek, pióropuszy z lotek sroki, jastrzębia, kruka i orła. Są wieńce i gurdy, dzwonki i pałeczki, stożkowate grzechotki z metalu, błyskotki zatknięte na kijach i strzałach, bransoletki na stopy i pasy na naboje z koralików kostnych, spinki do włosów, bransolety i pióropusze do tańca, układające się w idealne kręgi. Orvil patrzy, jak ludzie pokazują sobie wzajemnie swoje kostiumy. On sam czuje się jak stary wóz kombi na pokazie klasycznych limuzyn. Czuje się jak jakaś podróbka, jak oszust. Próbuje więc pozbyć się tego uczucia. Nie może pozwolić sobie na to, aby czuć się w ten właśnie sposób, bo wtedy prawdopodobnie zacznie tak też się zachowywać. Aby uzyskać właściwą emocję, aby odpowiednio wczuć się w tę modlitwę, musisz jakoś sobie wyperswadować, żeby przestać w ogóle myśleć, przestać grać, w ogóle przestać robić cokolwiek innego. Aby tańczyć tak, jakby czas miał znaczenie już tylko jako rytm, który musisz trzymać; tańczyć w taki sposób, by sam czas się zatrzymał, zniknął, skończył się, albo tak dalece zapomnieć się w tańcu, by mieć poczucie, że nie masz nic pod stopami, kiedy skaczesz i opuszczasz barki, jakbyś próbował oszukać to samo powietrze, w którym jesteś zawieszony, podczas gdy w twym pióropuszu rozbrzmiewają echa wielu stuleci, a cała twa istota jest swego rodzaju wzlotem ku górze. Abyś mógł tam wystąpić i wygrać, twój taniec musi być szczery i autentyczny. Ale to dopiero uroczysta inauguracja. Nie ma jeszcze żadnych jurorów. Orvil podskakuje z lekka i opuszcza ramiona. Wyciąga ręce przed siebie i stara się lekko trzymać na nogach. Kiedy zaczyna czuć się zakłopotany, zamyka po prostu oczy. Mówi sobie, że ma przestać myśleć. Raz za razem powtarza w myślach: „Nie myśl, nie myśl". Otwiera oczy i widzi otaczający go tłum tancerzy: wielkie, rozkołysane morze trzepoczących piór. Wszyscy oni są jednym tańcem.

Kiedy uroczysta inauguracja dobiega końca, tancerze rozchodzą się we wszystkich kierunkach, niczym koliste zmarszczki na wodzie, pośród odgłosów grzechotania i podzwaniania kierując się ku sprzedawcom albo krążąc w poszukiwaniu rodzin, lub po prostu kręcąc się wokół. Prawią przy tym i przyjmują komplementy i zachowują się zupełnie normalnie, jakby wcale nie wyglądali tak, jak wyglądają: jak Indianie przebrani za Indian.

Orvil czuje mrowienie i burczenie w żołądku. Spogląda w górę, na trybuny, starając się wyłowić wzrokiem swych braci.

Tony Samotnik

ABY DOTRZEĆ NA ZJAZD PLEMIENNY, Tony Samotnik musi złapać pociąg. Przebiera się jeszcze w domu i przez całą drogę ma już na sobie kostium tancerza. Jest przyzwyczajony do tego, że wszyscy się na niego gapią, ale tym razem jest inaczej. Aż ma ochotę pośmiać się z tych, którzy mu się przypatrują. Sam bawi się teraz w duchu ich kosztem. Przez całe życie wszyscy się na niego gapili. Zawsze tylko i wyłącznie przez ten jego zespół. Zawsze tylko i wyłącznie ze względu na to, że jego twarz mówiła, że przytrafiło mu się coś złego, na przykład wypadek samochodowy, który sprawił, że od jego twarzy nie można wprost oderwać wzroku, choć gapienie się na nią nie należy do dobrego tonu.

Żaden z pasażerów pociągu nic nie wie o zjeździe plemiennym. Tony jest dla nich po prostu Indianinem, który bez wyraźnego powodu jedzie sobie pociągiem ubrany jak Indianin. Ludzie uwielbiają jednak przypatrywać się barwnej i pięknej historii.

Kostium Tony'ego jest w kolorach niebieskim, czerwonym, pomarańczowym, żółtym i czarnym. Są to barwy ogniska płonącego pośród nocy. A to przecież kolejny obrazek, jaki ludzie uwielbiają oglądać oczyma wyobraźni: Indianie siedzący lub tańczący wokół ogniska. W tym przypadku jest jednak inaczej: to sam Tony jest ogniem, tańcem i nocą.

Tony stoi przed mapką tras szybkiej kolejki. Siedząca naprzeciw niego starsza biała kobieta wskazuje na mapę i pyta go, gdzie ma wysiąść, jeśli chce się dostać na lotnisko. Widać jednak, że dobrze zna odpowiedź na to pytanie. Pewnie już wielokrotnie sprawdziła to w swym telefonie, aby mieć pewność. Teraz chce się po prostu przekonać, czy ten Indianin umie w ogóle mówić. Tak naprawdę zmierza do tego, by móc zadać mu kolejne pytanie. Jej oblicze wyzierające spoza maski, jaką usiłuje przybrać, mówi to wszystko aż nazbyt wyraźnie. Tony zwleka chwilę z odpowiedzią na pytanie o dojazd do lotniska. Przypatruje jej się tylko i czeka na to, co ona zaraz powie.

– Czyli jest pan rdzennym Amerykaninem?

– Wysiadamy na tym samym przystanku – stwierdza Tony. – Przy stadionie, na którym jest dzisiaj zjazd plemienny. Powinna pani pójść to zobaczyć – mówi, po czym podchodzi do drzwi wagonu i spogląda przez szybę.

– Poszłabym, ale…

Tony słyszy, że ta kobieta wciąż coś do niego mówi, ale już jej nie słucha. Ludziom nie jest przecież potrzebne nic więcej, jak tylko krótka, banalna historyjka, jaką mogą potem podczas kolacji opowiedzieć w domu znajomym i rodzinie, chwaląc się tym, jak to widzieli w pociągu prawdziwego rdzennego Amerykanina, co oznacza, że tacy jednak nadal istnieją.

Tony spogląda w dół i patrzy, jak szyny umykają gdzieś w dal. Nagle czuje, jak pociąg zwalnia, a siła rozpędu pcha jego ciało do tyłu. Łapie więc za metalowy uchwyt, przerzuca ciężar ciała na lewą nogę, a następnie z powrotem na prawą, gdy skład wreszcie zatrzymuje się na dobre. Ta kobieta za jego plecami wciąż jeszcze coś mówi, ale na pewno nie może to być nic ważnego. Tony wysiada z pociągu, a kiedy dociera do schodów, wyraźnie przyspiesza i zlatuje aż na sam dół, przeskakując po dwa stopnie.

Błękitna

BŁĘKITNA JEDZIE SAMOCHODEM PO EDWINA. Na niebie widnieją jeszcze te przedziwne barwy z pogranicza nocy i poranka: ciemny błękit, pomarańcz i biel. Rozpoczyna się właśnie dzień, na który czekała niemal od roku.

Dobrze jest być z powrotem w Oakland. Powrócić tu na dobre. A to już właśnie rok, odkąd tu wróciła. Teraz ma już stałą pensję, mieszka we własnej kawalerce i znów, po raz pierwszy od pięciu lat, ma własny samochód. Przechyla teraz nieco wsteczne lusterko i przygląda się swemu odbiciu. Widzi taką wersję siebie, którą uważała za dawno już minioną: dostrzega w lusterku kogoś, kogo, jak sądziła, dawno już pozostawiła za sobą i porzuciła na rzecz swego autentycznego indiańskiego życia w rezerwacie. Spogląda na nią Crystal z Oakland. Więc ona nie odeszła jeszcze w przeszłość. Ukrywa się tylko gdzieś za spojrzeniem jej oczu odbitym we wstecznym lusterku.

Błękitna najbardziej lubi palić papierosy właśnie w samochodzie. Podoba jej się to, jak pęd powietrza wywiewa dym z kabiny, gdy wszystkie szyby są opuszczone. Teraz też zapala papierosa. Za każdym razem, kiedy to robi, stara się zmówić przynajmniej krótką modlitwę. Ma wtedy mniejsze poczucie winy. Zaciąga się głęboko i zatrzymuje powietrze w płucach. Wydmuchując dym, mówi: „Dzięki Ci".

A kiedyś pojechała aż do Oklahomy, żeby się dowiedzieć, skąd pochodzi, i wszystkim, co w ten sposób zyskała, stało się imię, które jest kolorem. Nikt tam nie słyszał o żadnej rodzinie Czerwone Pióro. A przecież niestrudzenie wypytywała wszystkich dookoła. Zastanawia się, czy czasem jej biologiczna matka tego wszystkiego nie zmyśliła. Może nawet sama nie wiedziała, z jakiego plemienia pochodzi. Być może ona też została adoptowana. Może skończy się na tym, że i Błękitna też będzie musiała wymyślić sobie jakieś nazwisko i plemię, z którego rzekomo pochodzi, aby móc przekazać to wszystko potem swym potencjalnym dzieciom.

Przejeżdżając obok kina Grand Lake Theatre, Błękitna wyrzuca papierosa przez okno. Przez wszystkie te lata budynek ten budził w niej wiele rozmaitych skojarzeń. Teraz jednak przychodzi jej na myśl ta dziwaczna i niezręczna randka (o której oboje wyraźnie mówili, że nie będzie wcale randką), na jaką poszła tutaj z Edwinem. Edwin przez miniony rok odbywał u niej staż i był jej asystentem do spraw koordynacji imprez w ramach zjazdu plemiennego. Okazało się, że bilety były wyprzedane, więc zamiast do kina poszli na spacer wokół jeziora. Podczas całej tej przechadzki panowała krępująca i pełna napięcia cisza. Oboje rozpoczynali jakieś zdania, po czym urywali je i mówili tylko: „Nieważne; to nic takiego". Edwin od razu przypadł jej do gustu. Polubiła go. Jest w nim coś, co sprawia, że Błękitna czuje się tak, jakby byli rodziną. Może to dlatego, że mają za sobą podobne doświadczenia. W przypadku Edwina chodzi o to, że przez wiele lat nie znał swojego ojca, który jest rdzennym Amerykaninem, i tak się składa, że będzie teraz konferansjerem na zjeździe plemiennym. Zatem to właśnie w pewnym sensie łączyło ich dwoje; to, ale niewiele ponadto. Ona zdecydowanie nie myśli o Edwinie jako o kimś więcej niż tylko współpracowniku, a w przyszłości być może przyjacielu. Z tysiąc razy już powiedziała mu wzrokiem, że nic z tego nie będzie, choćby poprzez to, czego nie robiły jej oczy, albo przez to, jak spoglądała w innym kierunku, gdy jego oczy usiłowały uchwycić jej spojrzenie.

Podjechawszy pod dom Edwina, Błękitna dzwoni do niego z samochodu. On jednak nie odbiera. Dziewczyna wychodzi więc z auta i puka do drzwi. Powinna była mu wysłać esemesa, że po niego wyjeżdża, kiedy tylko wyszła z domu. Gdy nie było większego ruchu, droga do zachodniej dzielnicy zajmowała jej około piętnastu minut. Czemu nie kazała mu pojechać szybką kolejką? Racja, jest jeszcze za wcześnie. To może autobusem? Nie, miał w autobusie jakąś niemiłą przygodę, o której nie chce jej nawet opowiedzieć. Czy ona zanadto się nad nim nie rozczula? Biedny Edwin!

Ale on naprawdę się stara. I naprawdę nie ma pojęcia, jakie wrażenie wywiera na innych. Ciągle jest aż do bólu świadomy swych fizycznych rozmiarów. W dodatku robi zbyt wiele uwag na własny temat, zwłaszcza na temat swej wagi. W ten sposób tylko sprawia, że ludzie czują się niemal tak samo zakłopotani, jak on sam wydaje się przez większość czasu.

Błękitna puka do drzwi raz jeszcze, tak mocno, że można by to uznać za niegrzeczne, gdyby nie fakt, że to w końcu Edwin każe jej czekać pod swymi drzwiami, i to akurat w ten dzień, który przez tak wiele miesięcy oboje planowali, ciężko harując z myślą o tym, żeby wszystko się udało.

Błękitna spogląda na ekran telefonu, żeby zobaczyć, która godzina, a następnie sprawdza pocztę i skrzynkę z wiadomościami. Nie znalazłszy tam niczego interesującego, loguje się do swojego konta na Facebooku. Te same nudne wiadomości, które czytała wczoraj wieczorem przed pójściem spać. Żadnych nowych zdarzeń. Stare komentarze i posty, które już widziała. Wciska więc przycisk Home i przez sekundę, przez krótki moment, myśli, że powinna otworzyć kanał wiadomości na innym swoim Facebooku. Na tym innym Facebooku znalazłaby informacje i media, których zawsze szukała. Na tym innym kanale informacyjnym Facebooka odnalazłaby autentyczne kontakty i prawdziwe znajomości. Zawsze chciała znaleźć się na takim portalu. Zawsze też miała nadzieję, że Facebook okaże się takim właśnie miejscem. Nie ma już jednak innego konta do sprawdzenia, nie ma innego Facebooka, więc wyłącza ten ekran i chowa telefon z powrotem do kieszeni. Kiedy ma już właśnie ponownie zapukać do drzwi, nagle pojawia się przed nią nalana twarz Edwina, który trzyma w rękach dwa dymiące kubki.

– Może kawy? – pyta z uśmiechem.

Dene Oxendene

DENE JEST W PROWIZORYCZNEJ KABINIE STORYTELLINGOWEJ, którą zbudował, aby nagrywać w niej historie swych rozmówców. Teraz jednak ustawia kamerę w taki sposób, aby rejestrowała jego własną twarz, i wciska przycisk nagrywania. Nie uśmiecha się przy tym ani nic nie mówi. Nagrywa własne oblicze, jakby już sam ten obraz i układający się na nim deseń świateł oraz cieni mógł znaczyć coś po drugiej stronie obiektywu. Posługuje się przy tym kamerą marki Bolex, którą dał mu jego wujek, zanim umarł. Jeden z ulubionych reżyserów Denego, Darren Aronofsky, używał bolexa w swoich filmach *Pi* i *Requiem dla snu*. Ten ostatni Dene mógłby zaliczyć do swoich ulubionych obrazów, choć jakoś trudno nazwać taki popaprany film swoim ulubionym. Jednak, zdaniem Denego, to właśnie sprawia, że ten obraz jest tak dobry: estetyczne bogactwo, dzięki któremu dobrze się go ogląda, choć raczej trudno potem stwierdzić, że człowiek cieszy się z tego, że go obejrzał, mimo iż nie chciałby zmienić w nim ani jednej klatki. Dene sądzi, że tego rodzaju autentyzm jest czymś, co jego wujek bardzo by sobie cenił. To śmiałe wejrzenie w otchłań uzależnienia i moralnego zepsucia; jest to temat, któremu tylko kamera jest w stanie przez dłuższą chwilę przypatrywać się otwartym szeroko okiem.

Dene wyłącza teraz kamerę i ustawia ją na trójnogu, wycelowaną w stojące w rogu krzesło, przygotowane zawczasu dla potencjalnych rozmówców. Pstryka jeden przełącznik swego tandetnego zestawu oświetleniowego, aby uzyskać miękkie światło z tyłu, za krzesłem, a potem drugi włącznik ostrzejszej nieco lampy, którą ma za swoimi plecami. Każdego, kto wejdzie do jego kabiny, zapyta o to, dlaczego przybył na zjazd plemienny i co znaczą dla niego takie imprezy. Każdego spyta także, gdzie mieszka i co dla niego znaczy być Indianinem. Nie potrzebuje już więcej historii do swojego projektu. Nie musi też przedstawić do końca roku gotowego produktu wykonanego za pieniądze z grantu, jaki otrzymał. Robi to z myślą o tym zjeździe plemiennym i dla jego komitetu organizacyjnego. Chodzi o dokumentację dla potomności. Być może to, co dziś nagra, znajdzie się w ostatecznej wersji materiału, jaki przygotowuje, w zależności od tego, jak wersja ta będzie wyglądać (gdyż sam Dene nie ma jeszcze co do tego pewności). Wciąż bowiem pozwala, by to treść zarejestrowanych materiałów ukierunkowywała wizję całości. I nie jest to jedynie inny sposób na to, by stwierdzić, że wymyśla jej ramy na bieżąco, w trakcie pracy nad swoim projektem. Teraz zaś Dene wychodzi przez czarne kotary na boisko, na którym odbywa się zjazd plemienny.

Opal Viola Wiktoria Niedźwiedzia Tarcza

OPAL SIEDZI SAMOTNIE NA DRUGIM POZIOMIE TRYBUN przy polu wewnętrznym. Przygląda się wszystkiemu stamtąd, z góry, aby nie być widzianą przez swoich wnuków. Zwłaszcza przez Orvila. Gdyby ją tutaj zobaczył, mógłby się jeszcze zdenerwować czy zdekoncentrować.

Od lat nie była na żadnym meczu Oakland Athletics. Dlaczego właściwie przestali na nie przychodzić? Wydaje się jedynie, że to czas przyspieszył albo błyskawicznie przemknął obok niej, kiedy patrzyła w inną stronę. A to właśnie Opal robiła już od dłuższego czasu: przymykała oczy i uszy na fakt, że sama zamyka oczy i uszy na niemal wszystko, co dzieje się wokół.

Gdy ostatni raz tutaj byli, Lony dopiero zaczynał właśnie samodzielnie chodzić. Opal nasłuchuje dźwięków wielkiego bębna. Kotła takiego jak ten nie słyszała od czasu, kiedy była młoda. Przeczesuje wzrokiem boisko w poszukiwaniu chłopców. Obraz jest jednak rozmazany. Chyba musi sprawić sobie okulary. Pewnie zresztą powinna była to zrobić już bardzo dawno temu. Za nic w świecie nikomu by się do tego nie przyznała, ale odpowiada jej, że to, co znajduje się w oddali, widzi jako rozmazaną plamę. Nie potrafi nawet stwierdzić, czy boisko tam w dole jest bardzo zatłoczone. Wie jedynie, że na pewno nie ma na stadionie takich tłumów, jak na meczu baseballu.

Spogląda w górę, na niebo, a potem na pusty trzeci poziom trybun. To stamtąd oglądali ostatnio mecz razem z chłopcami. Nagle widzi, jak coś przelatuje ponad krawędzią korony stadionu. Nie jest to jednak ptak. To coś porusza się w zupełnie nienaturalny sposób. Opal mruży oczy, aby lepiej przyjrzeć się temu obiektowi.

Edwin Black

EDWIN PODAJE BŁĘKITNEJ KUBEK KAWY, którą zrobił dla niej dosłownie na moment przed tym, jak podjechała pod jego dom i zapukała do drzwi. To mocno palona organiczna kawa z zaparzacza typu French press. Usiłując odgadnąć jej preferencje, na wyczucie wsypał tylko trochę cukru i dodał niewielką ilość mleka. Teraz, kiedy idą razem do samochodu, nie uśmiecha się do niej ani nie próbuje rozmawiać o błahostkach. Dzisiejszy dzień jest dla nich niezwykle ważny. To przecież z myślą o nim poświęcili niezliczoną liczbę godzin. Musieli obdzwonić te wszystkie zespoły bębniarzy oraz całe mnóstwo handlarzy i tancerzy, przekonując ich wszystkich, aby przybyli na ich zjazd plemienny, argumentując, że będzie można na nim zdobyć nagrody w gotówce lub po prostu zarobić pieniądze. Edwin przeprowadził w tym roku więcej rozmów telefonicznych niż w całym swoim dotychczasowym życiu. A ludzie wcale nie byli skłonni zapisywać się na kolejny zjazd plemienny, w dodatku odbywający się aż w Oakland. Jeśli impreza się nie uda, w przyszłym roku zapewne już nie będzie organizowana, a oni stracą pracę. W tej chwili jednak dla Edwina to już coś więcej niż tylko praca. Dla niego jest to nowe życie. W dodatku będzie tu dzisiaj jego ojciec. Aż trudno wszystko to ogarnąć myślą. A może po prostu Edwin wypił dziś rano za dużo kawy?

Droga na stadion strasznie się Edwinowi dłuży, a panująca w samochodzie cisza wydaje mu się pełna napięcia. Ilekroć przychodzi mu do głowy, żeby coś powiedzieć, pociąga tylko zamiast tego łyk kawy. Dopiero po raz drugi poza godzinami pracy wspólnie spędzają czas z Błękitną. W jej wozie leci National Public Radio, ale tak cicho, że nie sposób nic zrozumieć.

– Zacząłem niedawno pisać opowiadanie – przerywa w końcu milczenie Edwin.

– Naprawdę?

– Jego bohaterem jest facet indiańskiej krwi, którego nazwę Wiktor…

– Wiktor? Czyżby? – mówi Błękitna, komicznie mrużąc oczy.

– No dobra, tak naprawdę ma na imię Phil. Chcesz posłuchać, o czym jest to opowiadanie?

– No pewnie.

– Okej, w takim razie Phil mieszka sobie w fajnym apartamencie w centrum Oakland, który odziedziczył po dziadku. Jest to przestronne mieszkanie ze stałym czynszem. Phil pracuje w sklepie spożywczym sieci Whole Foods. Pewnego dnia jeden biały facet, jego kolega z pracy – powiedzmy, że będzie miał na imię John – pyta Phila, czy chce pójść z nim na miasto po pracy. Wychodzą więc razem, idą do baru i dobrze się bawią, po czym John nocuje w mieszkaniu Phila. Następnego dnia, kiedy Phil wraca z pracy do domu, John wciąż jeszcze jest u niego, a na dodatek zaprosił jeszcze paru kumpli, którzy przynieśli ze sobą trochę swojego towaru. Phil pyta więc Johna, co się tutaj dzieje, a ten mówi, że doszedł do wniosku, że nie będzie mu to chyba przeszkadzało, skoro jest tutaj tyle miejsca, z którego Phil tak naprawdę nie korzysta. Philowi wcale się to nie podoba, ale nie jest osobą konfliktową, więc odpuszcza. W ciągu kilku kolejnych tygodni, a potem miesięcy, jego dom wypełnia się szczelnie dzikimi lokatorami, hipsterami, komputerowymi maniakami z różnych korporacji i najprzeróżniejszą białą młodzieżą, jaką tylko można sobie wyobrazić. Wszyscy oni albo mieszkają w mieszkaniu Phila, albo całymi godzinami niezobowiązująco w nim przesiadują. Phil zupełnie nie potrafi zrozumieć, jak mógł dopuścić do tego, że sytuacja tak dalece wymknęła mu się spod kontroli. Potem, kiedy wreszcie zdobywa się na odwagę, żeby coś powiedzieć i wszystkich stąd wywalić, zaczyna ciężko chorować. Ktoś zwędził mu koc, a kiedy zagadnął o to Johna, ten dał mu po prostu nowy. Phil sądzi, że to właśnie przez ten nowy koc się rozchorował. Leży zatem w łóżku przez cały tydzień. Gdy wreszcie wstaje, widzi, że sytuacja się zmieniła. W pewnym sensie można nawet powiedzieć, że się rozwinęła. Otóż niektóre pokoje zostały zamienione na biura. John rozkręca jakąś nową firmę mającą siedzibę w mieszkaniu Phila. Ten każe mu się wynosić, mówi, że wszyscy mają sobie stąd pójść, i dodaje, że nigdy nie wyraził zgody na to wszystko. Wtedy właśnie John wyciąga jakieś tam papiery. Wygląda na to, że Phil coś podpisał. Być może wtedy, gdy majaczył coś w gorączce. John nie chce mu jednak pokazać tych papierów. „Zaufaj mi, brachu – mówi. – Wcale nie chcesz ich oglądać. A tak przy okazji: kojarzysz to miejsce pod schodami?" – pyta John. „Pod schodami? – pyta z kolei Phil. – Tamten maleńki pokoik?" Okazuje się, że John ma na myśli tę właśnie komórkę. Phil już wie, co się teraz stanie. „Niech zgadnę: przenosicie mnie do tej klitki pod schodami. To ma być mój nowy pokój" – mówi. „Zgadłeś" – odpowiada mu na to John. „Ale to mieszkanie jest moje. Mieszkał w nim mój dziadek i przekazał mi je, abym o nie dbał – tłumaczy Phil. – Jest przeznaczone dla mojej rodziny. Jeśli ktokolwiek z nas będzie szukał miejsca, gdzie mógłby się zatrzymać, to ono ma właśnie na niego czekać". Na te słowa John wyciąga pistolet. Celuje prosto w twarz Phila, a potem, trzymając go cały czas na muszce, odprowadza go do komórki pod schodami. „Mówiłem ci, brachu" – rzuca przy tym John. „Co takiego mi mówiłeś?" – pyta Phil. „Powinieneś był po prostu się do nas przyłączyć. Przydałby nam się ktoś taki jak ty" – stwierdza John. „Nigdy w ogóle o nic mnie nie pytałeś, przyszedłeś po prostu do mojego mieszkania i już w nim zostałeś, a potem odebrałeś mi je całe" – skarży się Phil. „No nie wiem, brachu, moi kronikarze piszą, że to wszystko przebiegało nieco inaczej" – mówi John, skinieniem głowy wskazując przy tym paru facetów siedzących na kanapie w salonie na dole i zawzięcie wystukujących na klawiaturach swych komputerów marki Apple jakiś tekst, będący zapewne – zdaniem Phila – inną wersją wydarzeń, dokonujących się właśnie w tym momencie.

Phil czuje się nagle bardzo zmęczony i głodny, więc wraca do swojej komórki pod schodami. I to tyle. To wszystko, co na razie mam.

– Całkiem zabawne – kwituje Błękitna takim tonem, jakby wcale tak nie uważała, tylko miała poczucie, że Edwin to właśnie chciałby od niej usłyszeć.

– Raczej dość naiwne. W mojej głowie brzmiało o wiele lepiej – tłumaczy się Edwin.

– Tak wiele rzeczy dzieje się w ten sposób, co? – mówi Błękitna. – Mam ważenie, że właśnie coś takiego przydarzyło się mojej znajomej. To znaczy, nie było dokładnie tak, jak w twoim opowiadaniu: odziedziczyła po wujku magazyn w zachodniej dzielnicy Oakland, który został potem przejęty przez białych dzikich lokatorów.

– Naprawdę?

– Na tym właśnie polega cała ich subkultura – wyjaśnia Błękitna.

– Na czym?

– Na przejmowaniu cudzej własności.

– No, nie wiem. Moja matka jest biała…

– Nie musisz od razu bronić wszystkich białych, którzy twoim zdaniem nie stanowią części problemu, tylko dlatego, że powiedziałam coś negatywnego o białej kulturze – mówi podenerwowana Błękitna, a Edwinowi przyspiesza puls. Słyszał już, jak ona potrafi się wściekać przez telefon na innych ludzi, ale nigdy dotąd nie zdarzyło się to w rozmowie z nim.

– Przepraszam – bąka nieśmiało.

– Przestań ciągle przepraszać! – mówi Błękitna.

– Przepraszam – powtarza Edwin.

* * *

W bladym świetle wczesnego poranka Edwin i Błękitna rozstawiają razem stoły i namiotowe zadaszenia ponad nimi. Rozpakowują też składane stoliki i krzesła. Kiedy wszystko jest już gotowe, Błękitna spogląda na Edwina.

– Może powinniśmy zostawić na razie sejf w samochodzie i dopiero później go tutaj przynieść? – proponuje. Sam sejf jest niewielki i dostali go w sklepie sieci Walmart. Nie było łatwo przekonać fundatorów grantu, aby wystawili im czek, który mogliby spieniężyć. Gotówka w ogóle stanowiła problem, jeśli chodziło o granty i o to, w jaki sposób organizacje typu non-profit zarządzały swoimi pieniędzmi. Jednakże po licznych telefonach i mailach oraz powtarzanych wielokrotnie wyjaśnieniach i rozmaitych świadectwach i zaświadczeniach na temat ludzi, którzy przyjeżdżają rywalizować na zjazdach plemiennych – ludzi, którzy chcą wygrać gotówkę, ponieważ zdecydowanie wolą żywy pieniądz, gdyż czasami nie mają nawet kont bankowych i nie chcą stracić później trzech procent wygranej (gdyż tyle wynosi opłata pobierana za spieniężanie czeku) – fundatorzy grantu zgodzili się wreszcie na karty upominkowe Visa. W sejfie jest ich teraz całe mnóstwo.

– Nie ma powodu, żeby nie zabrać go od razu – stwierdza Edwin. – Jestem pewien, że później będę strasznie podekscytowany, a w dodatku nie będzie nam się chciało stąd wychodzić i iść aż na parking, kiedy przyjdzie czas na wręczanie nagród.

– Racja – kwituje Błękitna.

Wyciągają więc sejf z bagażnika jej samochodu, a potem niosą go we dwoje, wcale nie dlatego, żeby był taki ciężki, tylko z uwagi na to, że jest szeroki i nieporęczny.

– Nigdy nie miałam w rękach tylu pieniędzy – stwierdza Błękitna.

– Wiem, że ta forsa wcale tak dużo nie waży, a jednak sejf wydaje się bardzo ciężki, co? – mówi Edwin.

– Może powinniśmy byli zastąpić gotówkę przekazami pieniężnymi dla zwycięzców? – zastanawia się Błękitna.

– Ale we wszystkich materiałach reklamowych była mowa o gotówce. To jeden ze sposobów na to, by przyciągnąć ludzi. Sama tak mówiłaś.

– Pewnie tak.

– Serio, naprawdę tak powiedziałaś. To był twój pomysł.

– Teraz wydaje mi się po prostu trochę efekciarski – mówi Błękitna, gdy zbliżają się już do swojego stolika.

– Zjazdy plemienne w ogóle są z gruntu efekciarskie, no nie?

Calvin Johnson

ŚNIADANIE NIEMAL DO KOŃCA UPŁYWA IM W MILCZENIU. Siedzą w restauracji sieci Denny's, tuż obok stadionu. Calvin wziął jajka sadzone z kiełbasą i tostem. Charles i Carlos zamówili sobie zestawy śniadaniowe „Wielki Szlem", a Octavio owsiankę, ale i tak w gruncie rzeczy popija tylko kawę. Cała ta gówniana sytuacja stawała się coraz poważniejsza, w miarę jak zbliżał się ten dzień, a im robiło się poważniej, tym mniej im wszystkim chciało się o tym gadać. Calvin bardziej martwi się jednak o to, żeby się upewnić, że ukradną tę forsę raczej na samym początku imprezy niż pod jej koniec. Bardziej obchodzi go, czy uda im się zwiać, niż to, czy w ogóle zdobędą tę forsę. Nadal jest wściekły na Charlesa za to, że wplątał go w cały ten pieprzony plan i że wypalił wtedy cały jego towar. I że to właśnie z tego powodu teraz tutaj siedzą. Do tej pory nie zdołał uporać się ze swoją złością. Ale nie był również w stanie wyplątać się z tej afery.

Calvin ściera kawałkiem tostu resztkę żółtka z talerza i popija ten kęs ostatnim łykiem soku pomarańczowego. W ustach czuje jednocześnie słodycz, gorycz i sól, a na dodatek ten specyficzny, pełny i wyrazisty smak żółtka.

– Ale chyba wszyscy jesteśmy zgodni, że to powinno stać się raczej na początku imprezy niż pod koniec, tak? – wypala nagle ni z tego, ni z owego.

– Jak to możliwe, że ona już tak długo do nas nie podchodzi, żeby zaproponować dolewkę? – mówi Charles, unosząc pusty kubek po kawie.

– Nie damy jej po prostu napiwku i będzie tak, jakbyśmy dostali naszą kawę za darmo – stwierdza Carlos.

– Chrzanić to! – rzuca Octavio.

– W końcu taki napiwek powinien coś oznaczać. Ludzie, do jasnej cholery, muszą czuć się odpowiedzialni za wypełnianie swoich obowiązków w pracy – mówi Charles.

– Racja – potakuje Carlos.

– Już ci przecież dwa razy dolewała, skurwielu – wtrąca Octavio. – A teraz przestańcie już pieprzyć o tym napiwku. Mówiłeś, że będą trzymać tę forsę w sejfie? – dodaje, zwracając się do Calvina.

– Owszem.

– Tego grubasa łatwo będzie rozpoznać, bo faktycznie jest wielki – stwierdza Octavio. – A ta druga to kobieta po czterdziestce, z długimi, czarnymi włosami, w sumie dość ładna, gdyby nie brzydka cera?

– Zgadza się – potwierdza Calvin.

– Jestem za tym, żebyśmy najpierw zwinęli po prostu ten sejf, a dopiero później kombinowali, jak to gówno otworzyć – sugeruje Charles.

– Nie będziemy się zanadto spieszyć – oponuje Octavio.

– Ale chyba lepiej zrobić to na początku imprezy niż pod koniec, no nie? – mówi Calvin.

– Będzie tam mnóstwo ludzi z komórkami, którzy mogą wezwać gliny, kiedy my będziemy czekać, aż jakiś tam grubas zdradzi nam odpowiednią kombinację cyfr. Charles ma rację – stwierdza Carlos.

– Nie będziemy się zanadto spieszyć, jeśli tylko nie będziemy musieli – powtarza Octavio. – Jeżeli zdołamy wydusić z niego ten szyfr, wydostaniemy tę forsę i nie będziemy, do cholery, uciekać ze stadionu z pieprzonym sejfem w rękach.

– Mówiłem wam już, chłopaki, że cała ta kwota jest w kartach upominkowych? To znaczy, że w tym sejfie jest całe mnóstwo kart podarunkowych Visa – wtrąca Calvin.

– To to samo co gotówka – kwituje krótko Octavio.

– Dlaczego, do cholery, wszystko jest w kartach podarunkowych? – pyta zdziwiony Charles.

– No właśnie? Dlaczego, do cholery, wszystko... – powtarza jak echo Carlos.

– Czy moglibyście się już, do cholery, zamknąć, Charlos? Trzymajcie gęby na kłódkę i pomyślcie, zanim coś powiecie. Takie karty to dokładnie to samo, co pieprzona gotówka – ucina Octavio.

– Potrzebne im były potwierdzenia odbioru w związku z tym grantem – wyjaśnia Calvin, po czym zjada ostatni kęs i zerka na Charlesa, aby się przekonać, jak jego brat przyjął ostatnią uwagę Otavia. Charles, ze wzrokiem utkwionym gdzieś w oddali, spogląda przez okno. Wydaje się strasznie wkurzony.

Daniel Gonzales

DANIEL BŁAGA, ŻEBY MÓGŁ PÓJŚĆ Z NIMI. Chce zobaczyć wszystko z bliska. Nigdy przecież o nic nie prosił. Octavio jednak się nie zgadza. Potem też za każdym razem powtarza tylko w kółko: „Nic z tego". Aż do wieczora poprzedzającego zjazd plemienny. Siedzą wtedy tylko we dwóch u Daniela w piwnicy.

– Przecież wiesz, że musisz mi pozwolić tam pójść – mówi Daniel znad swego komputera. Octavio siedzi na kanapie i gapi się w stół.

– Muszę jedynie zadbać o to, żeby cała ta chryja się udała. I żebyśmy zdobyli tę forsę – mówi, podchodząc do Daniela.

– Nie mówię już nawet o tym, żebym miał tam iść. Zostanę sobie tutaj. Mogę przecież wysłać stąd drona nad sam stadion. Albo może pozwól mi jednak pójść…

– Do diabła! Nic z tego, nigdzie nie pójdziesz – mówi Octavio.

– To przynajmniej pozwól mi wysłać tam drona.

– Sam nie wiem, chłopie, czy to dobry pomysł – zastanawia się Octavio.

– No zgódź się. Przecież jesteś mi chyba coś winien – prosi Daniel.

– Tylko nie wciskaj mi tu tych kitów o…

– Nie wciskam ci żadnych kitów – mówi Daniel, odwracając się od Octavia. – Zawsze chodzi o to samo. To w końcu ty rozpierdoliłeś tę rodzinę.

Octavio podchodzi z powrotem do kanapy.

– Niech to szlag! – klnie, kopiąc przy tym w stół. Daniel wraca do partii szachów, którą rozgrywa dosyć machinalnie na ekranie swego komputera. Poświęca gońca w zamian za konia przeciwnika, aby namieszać mu w ustawieniu.

– Ty musisz zostać tutaj. A potem musisz wydostać stamtąd tego pieprzonego drona i nie dać się złapać, bo jak to gówno spadnie tam na ziemię, gliny mogą przez nie do nas dotrzeć.

– Rozumiem. Zostanę tutaj. To jak, między nami w porządku? – pyta Daniel.

– A będzie w porządku? – upewnia się Octavio. Daniel wstaje i podchodzi do niego, wyciągając rękę.

– Serio? Chcesz mi, do cholery, dać grabę na zgodę? – pyta Octavio, uśmiechając się z lekka. Daniel nie cofa jednak wyciągniętej dłoni.

– No dobra – mówi Octavio, ściskając rękę Daniela.

Jacquie Czerwone Pióro

JACQUIE I HARVEY WJEŻDŻAJĄ DO OAKLAND w noc poprzedzającą zjazd plemienny. Harvey proponuje Jacquie nocleg w swym hotelowym pokoju, bąkając przy tym coś o tym, że w razie czego są w nim dwa osobne miejsca do spania.

– Nie trzeba tego w żaden sposób zgłaszać. Drugie łóżko jest po prostu wolne, i to za darmo – mówi.

– Stać mnie, jakby co – stwierdza Jacquie.

– Jak sobie chcesz – odpowiada Harvey. Na tym właśnie polega problem z facetami pokroju Harveya. Choćby nie wiem jak bardzo wydawało się, że zmienili się na lepsze, nigdy już tak całkiem nie przestaną być w duchu obleśnymi świniami. Jacquie zupełnie nie dba o to, co on może sobie myśleć o tym, co było kiedyś między nimi, czy też wyobrażać na temat tego, jak będzie teraz. To już wyłącznie jego problem.

W końcu to ona nosiła w brzuchu ich dziecko, urodziła je, a potem oddała do adopcji ich maleńką córeczkę. Harveyowi może być teraz trochę przykro i może czuć się niezręcznie. Nawet powinien.

Budząc się, Jacquie ma wrażenie, że wstała zdecydowanie za wcześnie, ale nie może z powrotem zasnąć. Gdy rozsuwa zasłony, widzi, że słońce wzejdzie dopiero za chwilę. Widać to po tym, jak ciemny i jasny błękit spotykają się gdzieś w połowie nieboskłonu. Zawsze uwielbiała ten właśnie błękit. Powinna popatrzeć sobie na wschód słońca. Ile to czasu minęło, odkąd robiła to po raz ostatni? Zamiast tego zasuwa jednak zasłony i włącza telewizor.

W pewnym momencie, kilka godzin później, przychodzi esemes od Harveya o tym, że można by zjeść jakieś śniadanie.

– Denerwujesz się? – pyta Jacquie, nabijając na widelec kawałek kiełbaski i zanurzając go w sosie.

– Od dawna już nie miewam tremy – odpowiada Harvey, pociągając łyk kawy. – Tak właśnie najlepiej mi się myśli – na głos. Opowiadam tylko o tym, co widzę, i przychodzi mi to łatwo z uwagi na to, że byłem już konferansjerem na mnóstwie zjazdów plemiennych. To tak jak z komentatorami sportowymi, którzy przez cały czas trwania zawodów paplają coś na antenie. Tu jest dokładnie tak samo, jeśli nie liczyć tego, że kiedy nawijam o tym, co dzieje się na scenie, bywają takie momenty po wejściu tancerzy, że czasami moja gadanina może brzmieć prawie jak modlitwa. No, ale nie można gadać zbyt poważnie. Konferansjer zjazdu plemiennego ma z założenia nabijać się ze wszystkich i wszystkiego. To ważne wydarzenie dla mnóstwa ludzi, chcących wygrać kupę forsy. To także w końcu zawody, konkurs z nagrodami. Muszę więc starać się wypowiadać swobodnie i w dosyć lekkim tonie, właśnie tak, jak sprawozdawca sportowy – mówi Harvey, mieszając ze sobą jednocześnie wszystko to, co ma na talerzu: jajka, tosty, sos i kawałki kiełbaski. Potem pakuje do ust pełne widelce tej mieszanki. Skończywszy, wyciera resztki kawałkiem tostu. Popijając kawę, Jacquie patrzy, jak Harvey zjada swój przesiąknięty sosem tost.

Na zjeździe plemiennym Jacquie siedzi obok Harveya pod płóciennym baldachimem ze sprzętem nagłaśniającym i mikserem dźwięku, z którego wystaje wijący się niczym wąż kabel od mikrofonu.

– Będziesz miał na jakimś skrawku papieru gdzieś przed oczami zanotowane wszystkie te nazwiska i numery tancerzy czy uczysz się ich na pamięć? – pyta Jacquie.

– Na pamięć? Chyba żartujesz! Zobacz – mówi Harvey, wręczając jej podkładkę z klipsem, na której widnieje długa lista nazwisk i numerów uczestników konkursu. Jacquie przebiega ją roztargnionym wzrokiem.

– Nie mam do ciebie żalu, Harvey – mówi nagle Jacquie.

– Wiem – odpowiada Harvey.

– No cóż, nie powinieneś być tego taki pewien – stwierdza Jacquie.

– Przecież to było ponad czterdzieści lat temu – mówi Harvey.

– Dokładnie czterdzieści dwa – precyzuje Jacquie. – Nasza córka ma teraz czterdzieści dwa lata.

Jacquie już ma właśnie oddać Harveyowi podkładkę, gdy dostrzega nagle na liście tancerzy nazwisko Orvila. Przysuwa ją więc sobie nieco bliżej oczu, aby się upewnić. Raz za razem odczytuje nazwisko: „Orvil Czerwone Pióro". A więc to na pewno on. Jacquie wyciąga telefon, aby wysłać esemesa do swojej siostry.

Octavio Gomez

MIMO ŻE PISTOLETY SĄ Z PLASTIKU, Octavio i tak aż poci się ze zdenerwowania, przechodząc przez bramkę z wykrywaczem metalu. Czujnik jednak milczy. Będąc już po drugiej stronie, Octavio ogląda się jeszcze za siebie, aby sprawdzić, czy nikt nie zwrócił na nich uwagi, lecz pracownik ochrony czyta sobie spokojnie gazetę, stojąc obok wykrywacza. Octavio podchodzi do umówionej kępki krzaków i znajduje w niej parę czarnych skarpetek. Zabiera je i chowa do kieszeni.

Potem w toalecie sięga dłonią do jednej z nich i wyciąga garść naboi, po czym dołem, pod ścianką kabiny, podaje skarpetki Charlesowi, który również wyjmuje kilka pocisków i w ten sam sposób przekazuje skarpetki Carlosowi, a ten z kolei zajmującemu ostatnią kabinę Calvinowi. Wypełniając nabojami magazynek swojego pistoletu, Octavio czuje, jak strach pełznie mu od palców stóp aż na czubek głowy. Potem ta fala lodowatego przerażenia podąża widocznie dalej i wychodzi z niego, jak gdyby Octavio miał już swoją szansę zrobić coś z tym, co ten strach mu podpowiadał, ale z niej nie skorzystał, ponieważ zaraz po jej przejściu jeden z pocisków wypada mu z drżących palców, upada na podłogę w toalecie i zaczyna turlać się przed siebie, wytaczając się w końcu z kabiny, nim Octavio jest w stanie zareagować. Teraz na dodatek w toalecie słychać skrzypienie czyichś butów. To musi być Tony, który też pewnie przyszedł po swoje naboje. Jednak na dźwięk toczącego się po podłodze pocisku wszyscy czterej zamierają w swych kabinach.

Edwin Black

BŁĘKITNA I EDWIN SIEDZĄ PRZY STOLE pod baldachimem, który wcześniej rozłożyli. Przypatrują się tancerzom wychodzącym na scenę na uroczystą inaugurację zjazdu. Błękitna wskazuje ich skinieniem głowy, mówiąc:

– Znasz kogoś z nich?

– Nie. Ale posłuchaj tego – mówi Edwin, wskazując palcem w górę, skąd dochodzi głos konferansjera zjazdu plemiennego.

– To twój ojciec – stwierdza Błękitna, po czym przysłuchują mu się przez krótką chwilę.

– Dziwnie poznać w ten sposób własnego ojca, co? – pyta Edwin.

– Jeszcze jak! Ale czekaj: dowiedziałeś się, że on tu będzie, zanim dostałeś u nas ten staż, czy… mam na myśli te pracę… czy dopiero potem…?

– Nie. Wiedziałem już wtedy, że przyjeżdża. To, że wziąłem tę robotę, wiązało się po części z tym, że chciałem się dowiedzieć, kim on jest.

Przez chwilę obserwują wychodzących na scenę wykonawców. Najpierw pojawiają się weterani wojenni z flagami i sztandarami. Za nimi podąża długi korowód podrygujących tancerzy. Czekając na ten moment, Edwin specjalnie unikał oglądania materiałów wideo ze zjazdów plemiennych. Chciał, aby było to dlań nowe doświadczenie, nawet wtedy, kiedy Błękitna zaczęła nalegać, aby zobaczył kilka filmików na kanale YouTube, żeby wiedział, w co się angażuje.

– A ty znasz kogoś spośród nich? – pyta z kolei Edwin.

– Dorosło już całe mnóstwo dzieciaków, które znałam, kiedy tu wcześniej pracowałam, ale nie widziałam tu dziś jak dotąd żadnego z nich – odpowiada Błękitna, po czym spogląda pytająco na Edwina, który właśnie wstaje. – A ty dokąd się wybierasz?

– Idę po *taco* – wyjaśnia Edwin. – Wziąć ci jedno?

– Chcesz jeszcze raz przejść obok twojego ojca, prawda?

– Owszem, ale tym razem naprawdę chcę sobie kupić *taco*.

– Ostatnim razem też kupiłeś.

– Naprawdę? – pyta zdziwiony Edwin.

– Może pójdź tam po prostu i z nim porozmawiaj.

– To nie takie proste – mówi z uśmiechem Edwin.

– Pójdę z tobą – proponuje Błękitna. – Ale musisz rzeczywiście z nim porozmawiać.

– W porządku.

– No to chodźmy – mówi Błękitna, wstając z krzesła. – A czy wy dwaj czasami nie planowaliście się tutaj spotkać?

– Owszem, ale potem już ze sobą nie rozmawialiśmy – wyjaśnia Edwin.

– Aha – kwituje Błękitna.

– To nie moja wina. Wyobraź sobie tylko: kontaktuje się z tobą twój syn; syn, o którego istnieniu w ogóle nie miałaś nawet pojęcia, a ty potem tak po prostu przestajesz się do niego odzywać? Nie można ot, tak sobie, powiedzieć: „Cześć, hej, no tak, spotkajmy się", a potem nie zrobić żadnych konkretnych planów.

– Może sobie pomyślał, że zaczeka, aż będziecie mogli spotkać się osobiście, a nie przez Internet? – sugeruje Błękitna.

– Przecież już się tam do niego wybieramy, prawda? – ucina Edwin. – Przestańmy więc może o tym gadać. Lepiej udawajmy, że rozmawiamy o czymś innym.

– Chyba nie powinniśmy udawać, że rozmawiamy o czymś innym, tylko po prostu rzeczywiście zacząć rozmawiać na jakiś inny temat – stwierdza Błękitna. Jej uwaga sprawia jednak, że obojgu nie przychodzi do głowy nic innego, o czym mogliby akurat teraz porozmawiać.

Idą więc w milczeniu, mijając kolejne stoły i baldachimy. Kiedy zbliżają się do tego, pod którym siedzi ojciec Edwina, chłopak nagle zwraca się do Błękitnej:

– Czyli zwycięscy tancerze odbierają po prostu gotówkę, bez żadnych podatków czy ukrytych opłat? – mówi, jakby byli w środku rozmowy na ten właśnie temat.

– W porządku, czyli udajesz, że właśnie o tym rozmawiamy – stwierdza Błękitna. – No cóż, skoro udajemy, to chyba nie ma żadnego znaczenia, co teraz powiem. Czyli to, że poruszam ustami i to, co mówię teraz, prawdopodobnie wystarczy, prawda? – pyta, nie patrząc nawet na Edwina.

– Jasne, w zupełności wystarczy. Zresztą już więcej nie trzeba. Okej, zaczekaj na mnie tutaj – mówi Edwin.

– Okej – odpowiada Błękitna głosem posłusznego robota.

Edwin podchodzi do Harveya, który właśnie odłożył mikrofon. Harvey odwraca się ku niemu i na sam jego widok od razu odgaduje, z kim ma do czynienia. Daje temu wyraz, zdejmując czapeczkę. Edwin wyciąga rękę, aby się przywitać, ale Harvey obejmuje go ramieniem i przyciąga ku sobie, po czym zatapia w długim uścisku. Ten gest trwa tak długo, że Edwin zaczyna już czuć się nieswojo, ale jednak nie stara się wyrwać z ramion ojca, który pachnie skórą i bekonem.

– Kiedy przyszedłeś? – pyta go Harvey.

– Byłem tutaj pierwszy. No, właściwie byłem jedną z dwóch pierwszych osób na stadionie – wyjaśnia Edwin.

– Poważnie podchodzisz do zjazdów plemiennych, co? – pyta Harvey.

– Tym razem pomagałem to wszystko zorganizować, pamiętasz?

– Racja, zapomniałem. O, poznaj Jacquie Czerwone Pióro – mówi Harvey, wskazując kobietę siedzącą na krześle obok pustego miejsca, które sam przed chwilą zajmował, zanim wstał, by przywitać się z Edwinem.

– Mam na imię Edwin – mówi chłopak, wyciągając do niej rękę.

– Jestem Jacquie – przedstawia się znajoma jego ojca.

– Błękitna! – mówi Edwin, przykładając do ust zwiniętą w muszlę dłoń, jakby jego koleżanka z pracy była gdzieś daleko, a on sam wykrzykiwał na głos jej imię.

Błękitna podchodzi do całej trójki. Wydaje się zestresowana.

– Poznaj mojego ojca, Harveya; a to jest jego… jego przyjaciółka Jacquie… jak nazwisko, przepraszam?

– Czerwone Pióro – powtarza Jacquie.

– Racja; a to jest Błękitna – mówi Edwin.

Twarz Błękitnej robi się biała jak płótno. Wyciąga rękę na powitanie, usiłując zdobyć się na uśmiech, ale wygląda to raczej tak, jakby za wszelką cenę starała się nie zwymiotować.

– Bardzo miło was oboje poznać, ale powinniśmy już wracać, Edwinie…

– Daj spokój, dopiero co tu przyszliśmy – protestuje Edwin, rzucając ojcu pytające spojrzenie w rodzaju „Mam rację?".

– Wiem, ale przecież możemy tu jeszcze wrócić, mamy przed sobą cały dzień. Będziemy zresztą bardzo niedaleko, o tam – mówi Błękitna, wskazując stoisko, z którego przyszli.

– W porządku – daje za wygraną Edwin i raz jeszcze wyciąga rękę, aby uścisnąć dłoń swojemu ojcu. Potem oboje z Błękitną machają jeszcze Harveyowi i Jacquie na pożegnanie i odchodzą.

– No dobra, są dwie sprawy – mówi Błękitna, kiedy idą z powrotem do swojego stolika.

– Ale odjazd! – podsumowuje spotkanie sprzed chwili Edwin. Na jego twarzy wciąż maluje się uśmiech, którego po prostu nie potrafi powstrzymać.

– Myślę, że ta kobieta to moja matka – wypala nagle Błękitna.

– Co takiego?

– No, ta Jacquie.

– Kto? – Edwin wprost nie posiada się ze zdumienia.

– Ta znajoma twojego ojca, którą właśnie poznaliśmy…

– No nie! Moment. Jeszcze raz: co ty próbujesz mi właśnie powiedzieć?

– No wiem, jak to brzmi. Ale sama już nie wiem. Nie wiem, co się we mnie, do cholery, dzieje w tej właśnie chwili, Ed.

Wracają do swojego stołu. Edwin spogląda na Błękitną i usiłuje zdobyć się na uśmiech, ale ona wciąż jest blada jak upiór.

Thomas Frank

– WSZYSTKO W PORZĄDKU? – pyta Bobby Wielki Uzdrowiciel, gdy pieśń dobiega końca. Thomas od pewnego czasu spogląda bowiem w dal, a może właściwie nie w dal, tylko raczej w dół, i to takim wzrokiem, jakby był w stanie przeniknąć wzrokiem ziemię pod swymi nogami i widział tam coś niezwykłego.

– Chyba tak. Próbuję do czegoś dojść – odpowiada Thomas.

– Ciągle jeszcze pijesz? – pyta Bobby.

– Ostatnio jest z tym trochę lepiej – mówi Thomas.

– W ciągu najbliższego kawałka wypoć z siebie całe to świństwo – sugeruje Bobby, zataczając krąg swoją pałeczką.

– Czuję się całkiem dobrze – oponuje Thomas.

– Nie wystarczy dobrze się czuć. Musisz też dobrze bębnić, z myślą o nich – stwierdza Bobby, wskazując pałeczką boisko.

– Czy znam wszystkie pieśni, jakie będziemy dziś śpiewać?

– Większość. Ale nadrobisz zaległości – zapewnia go Bobby.

– Dzięki, brachu – mówi Thomas.

– Wpakuj te podziękowania tutaj – proponuje Bobby, wskazując na sam środek wielkiego kotła.

– Chodziło mi o to, że jestem ci wdzięczny za to, że mnie tutaj zaprosiłeś – wyjaśnia Thomas, ale Bobby już go nie słyszy, zajęty rozmową z innym spośród bębniarzy. Bobby taki już właśnie jest. Jest z tobą przez cały czas, a potem nagle znika. Wcale nie myśli o tym zaproszeniu jako o osobistej przysłudze. Potrzebował po prostu jeszcze jednego bębniarza, a przy tym podoba mu się to, jak Thomas bębni i śpiewa. Thomas wstaje teraz, aby się przeciągnąć. Czuje się dziś naprawdę dobrze. To przez ten śpiew i bębnienie; to im właśnie zawdzięcza to wyraziste i tak bardzo mu potrzebne uczucie pełni i świadomość, że jest dokładnie tam, gdzie powinien być w tej właśnie chwili: zatopiony w pieśni i w tym, o czym pieśń ta opowiada.

Thomas podchodzi do straganów różnych sprzedawców, do stoisk z biżuterią i kocami. Wypatruje przy tym kogoś z indiańskiego ośrodka kultury. Powinien po prostu znaleźć Błękitną i przeprosić za swoje zachowanie. Wtedy przez resztę dnia bębniłoby mu się lepiej. Jego gra byłaby wówczas lepsza, bardziej szczera i autentyczna. Wreszcie dostrzega Błękitną. Jednak wtedy właśnie na boisku rozlega się przeraźliwy krzyk. Thomas nie jest w stanie stwierdzić, z jakiego kierunku ten wrzask dobiega.

Loother i Lony

SŁOŃCE SOLIDNIE DAWAŁO SIĘ WE ZNAKI siedzącym na trybunach Lootherowi i Lony'emu. Wkrótce skończyły im się rzeczy, na które mogli się sobie wzajemnie pouskarżać, i zaczęło ich wkurzać narastające z wolna pomiędzy nimi milczenie. Po chwili bez słowa obaj wstają więc i schodzą na dół, na płytę boiska, aby odszukać Orvila. Lony mówił wcześniej, że chciałby podejść do wielkiego bębna i przekonać się, jak jego dźwięk brzmi z bliska.

– Jest po prostu piekielnie głośny – rzekł mu wtedy Loother.

– Pewnie tak, ale chcę sam zobaczyć – upierał się Lony.

– Chyba raczej usłyszeć – poprawił go Loother.

– Przecież wiesz, o co mi chodzi.

Zmierzają więc w stronę bębna, a Loother przez cały czas rozgląda się na prawo i lewo w poszukiwaniu Orvila. Powiedział

Lony'emu, że będą mogli pójść posłuchać bębna, jeśli najpierw zatrzymają się gdzieś po drodze, aby napić się lemoniady. Aż do tej chwili Lony nie wykazywał większego zainteresowania żadnymi sprawami związanymi ze zjazdem plemiennym, które tak pochłaniały Orvila. Jak powiedział, interesowało go jedynie coś związanego z tym wielkim bębnem. Nie zdawał sobie jednak sprawy, że jego dźwięk będzie tak głośny i donośny, ani że na żywo głosy śpiewających mężczyzn będą robiły tak wielkie wrażenie.

– To ten śpiew, słyszysz? – powiedział do Loothera, zanim jeszcze zeszli na dół.

– Jasne, że słyszę. Brzmi to tak, jak to, co słyszeliśmy już ze sto razy ze słuchawek Orvila – odparł wówczas Loother.

Mijając tancerzy, podnoszą wzrok, niemal robiąc przy tym uniki. Dorośli ich nie zauważają, przez co chłopcy zmuszeni są schodzić z drogi nadchodzącym z przeciwka tancerzom. Lony przez cały czas zmierza w kierunku wielkiego kotła, a Loother ciągle trzyma go za koszulę, usiłując ściągnąć brata w stronę stoiska z lemoniadą. Są już bardzo blisko tego właśnie straganu, kiedy nagle obaj odwracają się na dźwięk czegoś, co wydaje im się przeraźliwym krzykiem dobywającym się z wielu ludzkich gardeł.

Daniel Gonzales

DANIEL MA ZAŁOŻONE GOGLE do wirtualnej rzeczywistości. Są dosyć ciężkie i sprawiają, że głowa leci mu nieco do przodu. Jej kąt nachylenia jest jednak taki sam, co u latającego drona, który też ma trochę przeciążony przód. W ten sposób Daniel, wysyłając go w kierunku stadionu, będzie czuł się tak, jakby sam w nim leciał.

Daniel zwleka jednak z wypuszczeniem drona ponad stadion. Czeka ze względu na ograniczoną żywotność baterii. Nie chciałby później niczego przegapić. Chce, żeby wszystko poszło jak należy. Chce, żeby im się udało, ale jeszcze bardziej zależy mu na tym, żeby nie musieli używać pistoletów. Przez cały tydzień poprzedzający zjazd plemienny budził się przez to w środku nocy. Ciągle śniły mu się koszmary, w których ludzie miotali się w panice po ulicach pośród dobiegających zewsząd odgłosów strzelaniny. Na początku myślał, że to typowe dla niego sny o zombie i końcu świata, jakie miewał od zawsze, dopóki nie zauważył, że ci spanikowani ludzie są indiańskiej krwi. Nie byli, co prawda, ubrani jak Indianie, ale on po prostu wiedział, kim są, tak jak człowiek jest czasami pewien różnych rzeczy we własnym śnie. Wszystkie te koszmarne wizje kończyły się przy tym w jeden i ten sam sposób: ponad porozrzucanymi bezładnie na ziemi ciałami panowała martwa cisza, i w tym bezruchu żarzyły się jedynie rozpalone jeszcze pociski tkwiące w ludzkich zwłokach.

Dzień jest jasny i pogodny, a kiedy Daniel przelatuje właśnie ponad koroną stadionu, słyszy, jak jego matka zaczyna schodzić po schodach do piwnicy. Zupełnie nie rozumie, o co może jej chodzić, ponieważ nie była na dole od śmierci Manny'ego.

– Nie teraz, mamo! – krzyczy do niej Daniel. Potem jednak reflektuje się i dodaje: – Zaczekaj sekundkę!

Sadza drona na górnym poziomie trybun, który jest zupełnie pusty, jeśli nie liczyć mew. Nie chce, żeby matka zobaczyła gogle, ponieważ wie, że od razu pomyśli, że wyglądają na bardzo drogi sprzęt.

– Wszystko w porządku, mamo? – woła spod schodów. Kobieta jest już w połowie drogi na dół.

– Co ty robisz tam na dole?

– To samo co zawsze, mamo. Nic takiego – mówi Daniel.

– To przyjdź na górę i zjedz coś ze mną. Zaraz coś ci przyszykuję.

– Możesz chwilkę poczekać? – pyta Daniel, zdając sobie sprawę, że mówi to tonem pełnym zniecierpliwienia. Bardzo chce już wrócić do drona, który siedzi sobie zupełnie sam na trzecim poziomie trybun stadionu, zużywając na darmo baterię.

– Dobrze, Danielu – odpowiada matka, głosem, w którym pobrzmiewa tak dojmująca nuta smutku, że chłopak niemalże ma ochotę zostawić tam tego drona, zostawić go na dobre, i po prostu pójść na górę, żeby zjeść z nią jakiś posiłek.

– Niedługo przyjdę na górę, mamo. Dobrze?

Matka jednak nie odpowiada.

Błękitna

BŁĘKITNA SAMA NIE WIEDZIAŁA, dlaczego nagle zaczęła sobie uświadamiać, że mają tutaj ten sejf. A może raczej wiedziała, ale nie chciała dopuścić do świadomości tego, dlaczego w ogóle zaczęła o nim myśleć. Wszystko przez tę forsę. Przez cały ranek to do niej nie docierało. Nie było też problemem w trakcie przygotowań do samej imprezy. W końcu były to tylko karty podarunkowe, sam sejf był bardzo ciężki, no a poza tym, któż mógłby chcieć obrabować zjazd plemienny? I tak miała przecież o czym myśleć. Możliwe, że właśnie przed chwilą pierwszy raz ujrzała swoją biologiczną matkę. Nieopodal stoi jednak kilku facetów o dość podejrzanym wyglądzie. Błękitnej zaczyna przeszkadzać fakt, że niepokoi ją ich obecność.

Obok niej siedzi Edwin, który przeżuwa i połyka ziarna słonecznika. Denerwuje ją to niemal bardziej niż wszystko inne, ponieważ powinno się przecież pracowicie rozdzielać te łupinki, aby dobrać się do nasion, a on po prostu pakuje ziarna pełnymi garściami do ust i przeżuwa tak długo, aż wreszcie jest w stanie połknąć je w całości, wraz z łupinami.

Ci faceci coraz bardziej przysuwają się w stronę ich stolika. Jakby podkradali się w ich kierunku. Błękitna raz jeszcze zadaje sobie pytanie: Kto chciałby obrabować zjazd plemienny? I któż mógłby być na tyle dobrze poinformowany, żeby wiedzieć, że w ogóle warto? Porzuca więc w końcu tę niedorzeczną myśl, ale zerka jeszcze pod stolik, aby się upewnić, że sejf jest nadal przykryty tym małym czerwono-żółto-turkusowym kocem firmy Pendleton. Edwin spogląda na nią i rzuca jej rzadki u niego szeroki uśmiech. Całe zęby ma pokryte przeżutymi łupinami ziaren słonecznika. Błękitna uwielbia go i zarazem nienawidzi za ten promienny uśmiech.

Dene Oxendene

DENE JEST W SWOJEJ KABINIE STORYTELLINGOWEJ, gdy słyszy pierwsze strzały. Przez jego budkę przelatuje ze świstem jakiś pocisk. Dene wciska się w kąt i opiera plecami o znajdujący się tam drewniany słup. Nagle czuje gwałtowne uderzenie w plecy, a potem zwalają się na niego ze wszystkich stron czarne kotary – ściany jego budki.

Cała naprędce sklecona konstrukcja ląduje na jego grzbiecie. Dene zastyga w bezruchu. Czy w ogóle jest w stanie się poruszyć? Na razie nawet nie próbuje. Wie – a przynajmniej wydaje mu się, że wie – że nie umrze od tego uderzenia w plecy, które poczuł przed chwilą. Sięga ręką za siebie i natrafia na kawał drewna, jeden z czterech grubszych pali, które podtrzymywały całą konstrukcję budki. Próbując odepchnąć od siebie pal, wyczuwa pod palcami coś bardzo ciepłego. To pocisk.

Utkwił bardzo głęboko w drewnie i niemal przebił pal na wylot, gotów wbić się w jego ciało. A jednak się zatrzymał. Zatem to ten drewniany słup go ocalił. Ta właśnie budka storytellingowa, którą sobie zbudował, okazała się tym, co stanęło teraz pomiędzy nim a tą kulą. Wciąż jednak słychać strzały. Dene wyczołguje się spod czarnych kotar. Jasne światło dnia oślepia go na ułamek sekundy. Przeciera oczy i widzi naprzeciwko siebie zupełnie niezrozumiałą scenę, obrazek, którego nie jest w stanie pojąć, i to z kilku powodów. Oto Calvin Johnson z komitetu organizacyjnego zjazdu plemiennego strzela z białego pistoletu do jakiegoś leżącego już i tak na ziemi faceta, a po obu jego stronach stoją i strzelają jeszcze dwaj inni mężczyźni. Jeden z nich ma nawet na sobie strój tancerza. Dene przywiera płasko do ziemi. Powinien był pozostać pod gruzami swej budki.

Orvil Czerwone Pióro

ORVIL WYCHODZI WŁAŚNIE Z POWROTEM z szatni na boisko, kiedy słyszy strzały. Natychmiast na myśl przychodzą mu jego bracia. Babcia by go chyba zabiła, gdyby on przeżył, a oni nie. Zrywa się więc do biegu, gdy nagle rozlega się straszliwy huk, który wypełnia całe jego ciało dźwiękiem tak niskim, że aż ściąga go na ziemię. Czuje zapach trawy rosnącej o kilka cali od swojego nosa, i już wie. Wcale nie chce wiedzieć tego, co wie, ale już wie. Sięgając ręką w stronę brzucha, czuje na palcach wilgotną, ciepłą krew. Nie może się poruszyć. Zaczyna kaszleć, ale sam nie jest pewien, czy to, co wydobywa się z jego ust, to krew czy tylko ślina. Chce jeszcze jeden jedyny raz usłyszeć wielki bęben. Chce wstać i odlecieć stąd na skrzydłach z tych wszystkich skrwawionych piór swego kostiumu. Chce cofnąć wszystko to, co dotąd w życiu zrobił.

Chce wierzyć w to, że wie, jak odtańczyć modlitwę i modlić się o nowy świat. Nie chce przestać oddychać. Nie wolno mu przestać oddychać. Musi pamiętać o tym, że nie wolno mu przestać oddychać.

Calvin Johnson

CALVIN STOI Z GŁOWĄ POCHYLONĄ nieco nad ekranem telefonu, znad którego jego oczy patrzą jednak cały czas w górę. Czapkę ma mocno nasuniętą na oczy i czai się za stolikiem, przy którym siedzą Błękitna i Edwin, tak żeby go nie zobaczyli. Zerka teraz na Tony'ego, który podskakuje trochę i lekko trzyma się na nogach, jakby był gotów do tańca. To on właśnie ma dokonać rabunku. Pozostali są w pobliżu na wypadek, gdyby coś poszło nie tak. Octavio nigdy im nie wyjaśnił, dlaczego chce, żeby Tony był w stroju tancerza, ani czemu to właśnie on ma być tym, kto ukradnie tę forsę. Calvin przypuszcza, że chodzi o to, że człowieka w takim kostiumie trudniej będzie potem rozpoznać, a co za tym idzie, glinom trudniej będzie później go namierzyć.

Octavio, Charles i Carlos stoją obok stolika i wydają się podenerwowani. Calvin dostaje esemesa wysłanego do wszystkich przez Octavia. Wiadomość brzmi po prostu: „Wszystko w porządku, Tony?". Widząc, że Tony rusza w stronę stolika, Calvin nie może się powstrzymać i robi to samo. Tony jednak się zatrzymuje. Octavio, Charles i Carlos patrzą, jak przystaje i stoi tam przez chwilę, przeskakując z lekka z nogi na nogę. Calvina wierci już w brzuchu ze zdenerwowania. Wtem Tony zaczyna się cofać, wciąż patrząc w ich stronę, po czym odwraca się i odchodzi w przeciwnym kierunku.

Octavio nie zastanawia się zbyt długo nad następnym posunięciem. Calvin nigdy wcześniej nie miał w ręku gnata. A to wielki ciężar. Ciężar, który przyciąga go teraz bliżej Octavia, który w tej właśnie chwili mierzy już z pistoletu do Edwina i Błękitnej. Potem wskazuje lufą stojący pod ich stolikiem sejf. Robi to wszystko z całkowitym spokojem. Calvin trzyma rękę na broni pod koszulą. Edwin kuca i wczołguje się pod stolik, aby otworzyć sejf.

Po chwili Octavio rozgląda się na prawo i lewo, trzymając już w ręku worek z kartami podarunkowymi, gdy nagle ten dupek Carlos zaczyna mierzyć do niego ze swego pistoletu. Calvin dostrzega to szybciej niż sam Octavio. Charles też celuje już zresztą do Octavia. Wrzeszczy, żeby rzucił broń i oddał mu ten worek. To samo wykrzykuje oczywiście stojący za plecami Octavia Carlos. Charlos! Pieprzone papużki nierozłączki!

Wtem Octavio ciska workiem z kartami podarunkowymi w Charlesa, strzelając jednocześnie kilkakrotnie w jego kierunku. Charles cofa się chwiejnym krokiem i też zaczyna strzelać. Octavio dostaje, ale oddaje jeszcze kilka strzałów w stronę Charlesa. Calvin widzi, jak kilka metrów za plecami Charlesa pada nagle jakiś dzieciak w stroju tancerza. Wszystko się spierdoliło, ale Calvin nawet nie ma czasu, żeby się nad tym zastanawiać, ponieważ teraz Carlos pakuje trzy albo cztery kulki w plecy Octavia. Mógłby pewnie wystrzelić jeszcze więcej razy, ale w tej właśnie chwili spada nań i roztrzaskuje mu się na głowie dron Daniela i Carlos pada na ziemię. Calvin trzyma swój rewolwer gotowy do strzału, z palcem na spuście, do nikogo jednak nie celując, gdy nagle czuje, jak pierwsza kula trafia go w biodro, i to prosto w samą kość. Klęcząc już na jedno kolano, dostaje jeszcze jedną, tym razem w brzuch, i czuje tam straszny ciężar, jakby połknął za dużo wody naraz. Jak to możliwe, że ciało przedziurawione kulą wydaje się takie pełne i nabrzmiałe? Upadając, Calvin spostrzega jeszcze, jak Carlosa trafiają kule nadlatujące z tej strony, gdzie znajdował się Tony.

Leżąc już na ziemi, Calvin widzi, jak jego brat strzela do Tony'ego. Czuje przy tym, jak każde źdźbło trawy z osobna wbija mu się w twarz. To wszystko, co w ogóle jeszcze czuje: te ostre źdźbła trawy. A potem nie słyszy już więcej strzałów. Nie słyszy już zresztą niczego.

Thomas Frank

THOMAS NIE SĄDZI, by dochodzący doń huk wystrzałów miał rzeczywiście okazać się odgłosami strzelaniny. Czeka więc, aż się wyjaśni, że chodzi o coś zupełnie innego. Po chwili jednak widzi, jak ludzie wokół zaczynają biegać w tę i z powrotem, potykać się i padać na ziemię, krzycząc przy tym przeraźliwie i panikując, i już niebawem, ułamek sekundy po tym, jak uznał, że to z pewnością nie są odgłosy wystrzałów, staje się dlań jasne i aż nadto oczywiste, że to właśnie nic innego, jak tylko strzelanina. Nie rozumiejąc jeszcze, co się właściwie dzieje, Thomas pochyla głowę, po czym przykuca i przypatruje się wszystkiemu w niemym osłupieniu. Nie jest jednak w stanie odnaleźć w tłumie strzelca czy też strzelców. Jest tak ogłupiały, że w końcu wstaje, aby lepiej widzieć, co się dzieje. Nagle słyszy ostry świst tuż obok i kiedy właśnie uświadamia sobie, że był to dźwięk kul, które go minęły, jedna trafia go w samo gardło. Powinien był trzymać się nisko przy ziemi, powinien był paść płasko na trawę i udawać martwego, ale tego nie zrobił, a teraz i tak leży na ziemi, trzymając się za szyję w miejscu, w które wbił się pocisk. Nie potrafi dojść do tego, skąd nadleciała ta kula, ale to już teraz bez znaczenia, bo Thomas czuje, że obficie krwawi prosto na dłoń, którą trzyma się za rozerwany pociskiem kark.

Dociera doń jeszcze tylko to, że pociski wciąż świszczą w powietrzu, a ludzie nadal krzyczą, i to, że za nim pojawia się ktoś, kto kładzie sobie jego głowę na kolanach, ale Thomas nie może otworzyć oczu i pali go piekielnie w miejscu, przez które, jak wie – a przynajmniej tak mu się wydaje – wyszła kula. A ten ktoś, na czyich kolanach leży jego głowa, owija mu chyba czymś szyję i coś na niej zaciska – coś, co może być koszulą albo szalem – usiłując powstrzymać krwawienie. Thomas sam nie wie, czy ma po prostu zamknięte oczy, czy też wszystko to, co się właśnie wydarzyło, sprawiło, że nagle oślepł. Wie jedynie, że nie widzi nic, a sen wydaje mu się najlepszym pomysłem, jaki kiedykolwiek przyszedł mu do głowy, jakby nie było ważne, co ten sen może oznaczać i nawet gdyby miał oznaczać po prostu tylko sen, sen bez marzeń, od teraz już na zawsze. Jednak jakaś dłoń poklepuje go po policzkach i otwierają mu się oczy. Aż do tej chwili nigdy nie wierzył w Boga, ale teraz ma wrażenie, że Bóg jest w tym, co czuje, gdy ktoś poklepuje go po twarzy. Oto ktoś lub coś usiłuje sprawić, aby tutaj został. Thomas próbuje unieść w górę całe swe ciało, ale nie jest w stanie. Sen rozlewa się gdzieś pod nim, przesączając się przez jego skórę, i Thomas gubi rytm oddechu – oddycha rzadziej – i rytm uderzeń serca, tego serca, które biło dla niego przez cały ten czas, przez całe jego życie, choć nawet nie musiał się o to starać, ale teraz nie może, po prostu nie jest w stanie zrobić nic innego, jak tylko czekać, aż przyjdzie kolejny oddech. Czekać i mieć nadzieję, że w ogóle nadejdzie. Nigdy w całym swoim życiu nie czuł się taki ociężały, a kark pali go tak, jak nie paliło go żadne oparzenie, jakiego kiedykolwiek doznał. Powraca doń ten jego dziecięcy strach przed wiecznością w piekle i zagnieżdża się teraz właśnie w tej palącej, a zarazem chłodnej wyrwie w jego karku. Ale właśnie wtedy, kiedy strach ten go ogarnia, zaraz odchodzi, a on dociera do celu. Jest w Nastroju. Nieważne, jak się tutaj dostał ani dlaczego w nim jest. Nie ma też znaczenia, jak długo w nim pozostanie. Nastrój jest czymś idealnym; jest spełnieniem wszystkich jego życzeń i pragnień, choćby na sekundę, minutę czy ten właśnie moment. Mieć takie poczucie zespolenia i przynależności, to jakby umrzeć i żyć wiecznie. Zatem Thomas ani nie usiłuje się już unieść, ani się nie zapada, i wcale nie martwi się o to, co będzie. Jest tu, gdzie jest, i właśnie umiera, ale wszystko jest w jak najlepszym porządku.

Bill Davis

BILL SŁYSZY PRZYTŁUMIONE ODGŁOSY WYSTRZAŁÓW poprzez grube betonowe ściany oddzielające wszystkich, którzy są na stadionie, od pomieszczeń obsługi. Zanim jeszcze uświadamia sobie dokładnie, co może znaczyć ten przytłumiony huk, na myśl przychodzi mu Edwin. Coś jednak sprawia, że natychmiast wstaje i rusza w stronę, skąd dochodzą te niepokojące odgłosy. Wybiega przez drzwi wiodące ku stoiskom gastronomicznym. Biegnąc, czuje zapach prochu, trawy i ziemi. Po powierzchni jego skóry, niczym wywołany zdenerwowaniem pot, pełza pomieszanie strachu i dawno uśpionej odwagi w obliczu zagrożenia. Bill zaczyna biec. Serce wali mu tak, że jego bicie czuje aż w skroniach. Skacze po dwa schody, aby jak najszybciej znaleźć się na boisku. Kiedy zbliża się do muru przy polu wewnętrznym, w kieszeni zaczyna mu wibrować telefon.

Zwalnia więc, bo to może być Karen. Może Edwin już do niej dzwonił. A może to właśnie Edwin dzwoni teraz do niego. Bill pada na kolana i wczołguje się pomiędzy pierwszy i drugi rząd krzesełek. Spogląda na wyświetlacz telefonu. To jednak Karen.

– O co chodzi, Karen?

– Już tam do was jadę, kochanie – zaczyna Karen.

– Nie, Karen! Zatrzymaj się i zawracaj! – mówi Bill.

– Dlaczego? Co się...

– Tu jest strzelanina. Wezwij policję. Zjedź gdzieś na pobocze i wezwij gliny – przerywa jej Bill.

Bill przykłada telefon do brzucha i podnosi nieco głowę, aby się rozejrzeć. Nagle czuje, jak po prawej stronie jego głowy eksploduje potworny, palący ból. Przykłada rękę do ucha. Jest spłaszczone, wilgotne i gorące. Nie przychodzi mu do głowy, by przełożyć telefon do drugiej ręki, więc przykłada go po prostu do miejsca, w którym jeszcze przed chwilą było jego prawe ucho.

– Kar... – zaczyna, ale nie jest w stanie dokończyć słowa. Trafia go kolejna kula – tym razem tuż powyżej prawego oka – i przechodzi na wylot. Cały świat przechyla się na bok, a głowa Billa uderza o beton. Telefon leży przed nim na ziemi. Bill patrzy jeszcze, jak zmieniają się na ekranie cyferki naliczające czas trwania ich rozmowy. Głowa zaczyna mu dygotać, nawet nie z bólu. Ogarnia ją tylko takie niepowstrzymane drżenie, od którego zaczyna puchnąć na całego. Jego głowa jest jak powiększający się wciąż balon. Przez myśl przebiega mu nawet fraza „przebić ten balon". W głowie dzwoni mu niemiłosiernie. Gdzieś spod niego rozlega się wciąż niski, głęboki świst; dochodzi go poszum fal, a może szum biały: buczenie, które czuje w drżeniu zębów. Patrzy, jak spod jego głowy sączy się krew, tworząc półkole. Nie jest w stanie się poruszyć. Zastanawia się, czym jego koledzy to potem zmyją. Do usuwania plam na betonie najlepszy jest proszek z nadtlenkiem sodu. Bill myśli: „Proszę, tylko nie to". Karen ciągle tam jest, jest po drugiej stronie słuchawki i wciąż naliczają się kolejne sekundy ich połączenia. Bill zamyka oczy. Widzi wszystko na zielono lub wszystko, co widzi, to jedna rozmazana zielona plama, i przez myśl przechodzi mu nawet, że po prostu znów spogląda w dół, na boisko. Jego oczy są jednak zamknięte. Przypomina mu się, jak przy innej okazji widział już takie zielone plamy. Gdzieś nieopodal upadł wtedy granat. Ktoś wrzasnął do niego, aby się ukrył, ale on zamarł tylko w bezruchu. Wtedy też skończyło się na tym, że wylądował na ziemi. I tak samo huczało mu w głowie. Zęby też dzwoniły mu w taki sam sposób. Zaczyna się zastanawiać, czy w ogóle kiedyś zdołał się stamtąd wydostać. Teraz to już jednak bez znaczenia. Bill gaśnie, opuszcza ten świat i odchodzi.

Opal Viola Wiktoria Niedźwiedzia Tarcza

CAŁY STADION ROZBRZMIEWA ODGŁOSAMI STRZELANINY. Powietrze wypełniają przeraźliwe krzyki. Opal schodzi już właśnie, najszybciej jak tylko potrafi, schodami wiodącymi na pierwszy poziom trybun. Posuwa się naprzód w zdjętym paniką tłumie i ktoś ciągle na nią napiera i ją popycha. Sama nie wie, jak mogła dotąd nie wpaść na to, żeby sięgnąć po telefon, ale kiedy tylko wreszcie przychodzi jej do głowy ta myśl, natychmiast wyciąga z kieszeni komórkę. Dzwoni najpierw do Orvila, ale ten po prostu nie odbiera przez wiele, wiele sygnałów. W następnej kolejności Opal dzwoni do Loothera. Udaje jej się dodzwonić, ale połączenie się rwie. Słyszy tylko fragmenty słów i jakieś urywane dźwięki. Słyszy jeszcze, jak Loother mówi do niej „Babciu". Zakrywa dłonią usta i nos i zaczyna szlochać w kułak. Ciągle nasłuchuje, licząc, że poprawi się jakość połączenia.

Cały czas zastanawia się przy tym nad czymś, co nie daje jej spokoju: „Czyżby ktoś rzeczywiście dostał się na stadion, żeby się do nas dobrać? W dzisiejszych czasach?". Sama nie bardzo wie, co właściwie ma na myśli.

Kiedy tylko udaje jej się wydostać ze stadionu przez główne wejście, Opal dostrzega chłopców. Są tu jednak tylko Loother i Lony. Opal podbiega do nich. Loother wciąż jeszcze trzyma w ręku telefon. Wskazuje go teraz palcem drugiej ręki. W panującym wokół zgiełku Opal nie słyszy, co chłopak mówi, ale z ruchu jego warg odczytuje zdanie: „Ciągle próbujemy się do niego dodzwonić".

Jacquie Czerwone Pióro

DŁOŃ HARVEYA LĄDUJE NA RAMIENIU JACQUIE i zaczyna cisnąć ją ku dołowi. Harvey usiłuje w ten sposób skłonić Jacquie, aby padła na ziemię wraz z nim. Ona jednak tylko spogląda na niego. Mężczyzna, z napiętym wyrazem twarzy, marszczy brew, aby pokazać, jak bardzo serio traktuje ten gest. Jacquie rusza jednak w kierunku, skąd dochodzi ten dziwny dźwięk, a jego dłoń ześlizguje się z jej ramienia.

– Nie idź tam, Jacquie! – rozlega się jeszcze za jej plecami jego ni to szept, ni to krzyk. Jacquie słyszy huk wystrzałów i świst kul. To musi dziać się już gdzieś blisko. Kuli się nieco, ale idzie dalej. Na ziemi leży już sporo ludzi, którzy wydają się martwi. Na myśl przychodzi jej Orvil. A przecież nie tak dawno widziała, jak przechodził obok w drodze na uroczystą inaugurację zjazdu.

Przez ułamek sekundy Jacquie myśli sobie, że może to jakiś rodzaj performansu i że wszyscy ci ludzie leżący na ziemi w tradycyjnych strojach tancerzy udają ofiary jakiejś masakry Indian sprzed lat. Przypomina sobie też, co matka opowiadała jej i Opal o Alcatraz: że najpierw, na pięć lat przed faktycznym rozpoczęciem indiańskiej okupacji wyspy, zajęła ją niewielka grupka Indian, złożona początkowo z pięciu czy sześciu osób, która dokonała tego w ramach swego rodzaju performansu. Zawsze fascynowało ją zresztą, że to wszystko zaczęło się właśnie w taki sposób.

Jacquie dostrzega w końcu napastników, po czym zaczyna przeczesywać wzrokiem usłane ciałami pole gry w poszukiwaniu dość nietypowych barw stroju Orvila. Kolory, jakie miał na sobie, wyróżniają się, ponieważ jest wśród nich jasny pomarańcz, taki szczególny, różowy niemal odcień, którego normalnie nie spotyka się w tradycyjnych kostiumach tancerzy. Sama nie lubi tego koloru, co sprawia, że tym łatwiej jest jej go wypatrzeć.

Zanim jeszcze przyznaje się przed samą sobą, że jedno z leżących na ziemi ciał to jej wnuk, zanim jest w stanie cokolwiek poczuć lub pomyśleć, albo cokolwiek postanowić, już zmierza w jego kierunku. Wie, co w ten sposób ryzykuje: idzie przecież w tę dokładnie stronę, gdzie trwa strzelanina. Ale to nieważne. Nie zwalnia kroku i stara się nie rozglądać na boki, wzrok mając utkwiony w ciele Orvila.

Kiedy do niego dociera, chłopak ma zamknięte oczy. Jacquie przykłada dwa palce do jego szyi. Wyczuwa puls. Krzyczy więc wniebogłosy, aby ktoś mu pomógł. Dźwięk, który z siebie wydaje, nie jest jednak żadnym artykułowanym słowem. Dobywa się raczej gdzieś spod jej stóp, z ziemi, i z tym właśnie krzykiem na ustach Jacquie sama podnosi w końcu z ziemi ciało Orvila. Przeciskając się przez tłum i niosąc wnuka w kierunku wyjścia, wciąż jeszcze słyszy strzały za swymi plecami.

– Przepraszam! – powtarza, przepychając się przez ludzką ciżbę. – Przepraszam! Proszę mnie przepuścić! – krzyczy.

– Ratunku! – słyszy własny krzyk, kiedy już udaje jej się wyjść przed stadion. I właśnie wtedy spostrzega chłopców. Loother i Lony stoją tuż przed wyjściem.

– Gdzie jest Opal? – pyta ich Jacquie. Nie przestając płakać, Lony wskazuję ręką w kierunku parkingu. Jacquie spogląda na Orvila. Z wysiłku drżą jej już ramiona. Loother podchodzi do niej i obejmuje ją ramieniem, patrząc na swego starszego brata.

– Ale on jest biały! – mówi.

Kiedy Opal podjeżdża pod stadion, Jacquie widzi, jak z głównego wyjścia wybiega Harvey i pędzi w ich stronę. Sama nie wie, czemu niby tu za nią przyszedł ani dlaczego ona wykrzykuje teraz na głos jego imię i macha ręką, żeby się upewnić, że Harvey ich nie przeoczy. Wszyscy pospiesznie pakują się na tył forda bronco, a Opal, nie zwlekając ani chwili, wciska pedał gazu.

Błękitna

EDWINOWI I BŁĘKITNEJ UDAJE SIĘ WYDOSTAĆ ze stadionu i wsiąść do jej samochodu, nie musząc po drodze ani razu się zatrzymywać. Chłopakowi brak jednak tchu i zaczyna wyglądać bardzo blado. Błękitna zapina mu pasy, uruchamia silnik i kieruje się do szpitala. Jedzie, ponieważ jak dotąd nie słyszała jeszcze nawet żadnych syren. Jedzie, ponieważ Edwin siedzi skulony na tylnym siedzeniu, z na wpół przymkniętymi powiekami. Jedzie, ponieważ zna drogę i bez wątpienia jest w stanie dotrzeć do szpitala wcześniej niż karetka, której jeszcze nawet tutaj nie ma.

Kiedy strzelanina już ucichła, Błękitna nie bardzo była w stanie zrozumieć, co właściwie krzyczał do niej leżący wciąż na ziemi Edwin.

– Musimy jechać! – powtarzał chłopak, mając na myśli szpital. Chciał, żeby go tam zawiozła. Miał słuszność. Nie zdążą w porę przysłać tutaj wystarczającej ilości karetek. Kto wie, ile osób zostało rannych w wyniku strzelaniny. W przypadku Edwina był to tylko jeden postrzał – prosto w brzuch.

– W porządku – powiedziała w końcu Błękitna, próbując jednocześnie pomóc mu wstać. Zarzuciła sobie jego rękę na ramiona i szarpnęła ku górze. Edwin skrzywił się tylko z bólu, ale właściwie wcale się nie poruszył.

– Przyciskaj je do rany, żeby za bardzo nie krwawiła – poradziła mu Błękitna. Edwin przytrzymywał na brzuchu kilka podkoszulków z nadrukiem „Wielki zjazd plemienny w Oakland". Teraz sięgnął ręką za plecy i zauważalnie przy tym pobladł.

– Przeszło na wylot – powiedział. – Mam dziurę w plecach.

– Niech to szlag! – zaklęła Błękitna. – A zresztą może to nawet lepiej? Cholera, sama już nie wiem – dodała, obejmując go ramieniem i pozwalając mu chwycić się jej drugą ręką. W ten sposób zdołali jakoś opuścić stadion i dokuśtykać aż do auta Błękitnej.

Gdy Błękitna podjeżdża pod szpital, Edwin jest już nieprzytomny. A mówiła mu, powtarzała, wrzeszczała na niego, żeby tylko nie zasypiał. Być może jest jakiś szpital bliżej stadionu, ale ona znała drogę właśnie do Highland. Teraz wciska klakson i przytrzymuje go przez dłuższą chwilę, usiłując zmusić Edwina, aby się przebudził, albo skłonić kogoś z personelu, żeby wyszedł jej pomóc. W końcu wyciąga rękę i kilka razy uderza Edwina w policzek. Chłopak potrząsa tylko z lekka głową.

– Musisz się ocknąć, Edwin! – krzyczy. – Jesteśmy na miejscu.

Edwin jednak nie reaguje.

Błękitna wbiega do budynku, aby ściągnąć kogoś z noszami, kto mógłby im pomóc.

Kiedy wychodzi przez automatyczne podwójne drzwi oddziału ratunkowego, widzi, jak pod szpital podjeżdża ford bronco. Wszystkie drzwi samochodu otwierają się niemal jednocześnie i wysiada z niego Harvey i Jacquie, trzymająca na rękach jakiegoś chłopca, nastolatka w stroju tancerza. Gdy mija Błękitną, z izby przyjęć wychodzą właśnie dwie pielęgniarki z noszami dla Edwina. Błękitna od razu wie, że pomylą pacjentów. Czy ma zatem pozwolić, aby zamiast Edwina to właśnie Jacquie i ten chłopak skorzystali z ich pomocy? Okazuje się jednak, że nie ma znaczenia, jaką decyzję by podjęła. Po chwili patrzy już tylko, jak siostry układają tego nastolatka na noszach i zabierają go do szpitala. Harvey natomiast podchodzi do Błękitnej i spogląda na skulonego wciąż w samochodzie Edwina. Wskazuje go skinieniem głowy, jakby chciał powiedzieć: „Zabierzmy go stąd".

Harvey kilka razy klepie Edwina po policzku. Chłopak wydaje z siebie jakiś niewyraźny pomruk, ale nie jest w stanie unieść głowy. Harvey wykrzykuje coś niezrozumiale o tym, że ktoś z personelu mógłby wyjść i mu pomóc, po czym zaczyna wyciągać Edwina z samochodu i zarzuca sobie jego rękę na ramiona. Jednocześnie Błękitna wciska się z trudem pomiędzy wóz i Edwina i zakłada sobie jego drugą rękę na szyję.

Dwaj sanitariusze układają Edwina na szpitalnym łóżku na kółkach. Błękitna i Harvey biegną obok łóżka, gdy tamci dwaj wiozą go poprzez kolejne korytarze, a potem oboje patrzą, jak chłopak znika za wahadłowymi drzwiami.

* * *

Błękitna zajmuje miejsce tuż obok Jacquie, która spogląda w ziemię, siedząc z łokciami na kolanach, w tej właśnie pozycji, jaką człowiek przyjmuje, gdy czeka, żeby śmierć poszła sobie precz z budynku, a jego bliski, z niepewnym uśmiechem na ustach, wyłonił się zza wahadłowych drzwi na inwalidzkim wózku, i aby jakiś lekarz pewnym krokiem podszedł do czekającego z dobrymi wiadomościami. Błękitna ma ochotę coś powiedzieć do Jacquie. Tylko co? Zamiast tego spogląda na Harveya. Ten facet naprawdę wygląda jak Edwin. A jeśli Harvey i Jacquie są razem, czy to oznacza że...? Nie. Błękitna nie pozwala sobie dokończyć tej myśli. Patrzy przed siebie i widzi dwóch młodych chłopców i kobietę, która jest trochę podobna do Jacquie, tylko grubsza. Tamta spogląda teraz na nią, lecz Błękitna odwraca wzrok, choć ma ochotę zapytać ją, dlaczego tutaj jest. Wie, że ma to coś wspólnego ze zjazdem plemiennym i strzelaniną. Nie ma tu już jednak nic do powiedzenia. Pozostaje tylko czekać.

Opal Viola Wiktoria Niedźwiedzia Tarcza

OPAL WIE, ŻE ORVIL SIĘ Z TEGO WYLIŻE, a przynajmniej powtarza to sobie wciąż w głowie. Wykrzykiwałaby sobie w głowie tę myśl, gdyby tylko można było wykrzykiwać myśli. Może zresztą się da. Może ona już właśnie to robi, aby przekonać samą siebie, że istnieją podstawy ku temu, aby mieć nadzieję, mimo iż, być może, nie ma ku temu żadnych podstaw. Opal chce także, aby Jacquie i chłopcy widzieli na jej twarzy to przekonanie, tę nadzieję wbrew wszystkiemu, która jest przecież chyba kwintesencją wiary. Jacquie wcale nie wygląda dobrze. Wygląda raczej tak, jakby sama miała już nigdy się z tego nie otrząsnąć, gdyby Orvil nie przeżył. Opal sądzi, że jej siostra ma tutaj słuszność. Żadne z nich już się po tym nigdy nie pozbiera, jeśli on się z tego nie wyliże. Nic już nie będzie tak, jak być powinno.

Opal rozgląda się po pomieszczeniu i widzi, że wszyscy, ale to dokładnie wszyscy w poczekalni siedzą z pospuszczanymi głowami. Nawet Loother i Lony nie wyjęli swoich komórek. Spostrzeżenie to sprawia, że robi jej się smutno. Niemalże chciałaby, aby obaj, jak zwykle, siedzieli wpatrzeni w ekrany swoich telefonów.

Opal jednak wie również, że jeśli kiedykolwiek, to właśnie teraz jest pora na to, by wierzyć, modlić się i prosić o pomoc, mimo że sama dawno temu porzuciła wszelką nadzieję na pomoc z zewnątrz: jeszcze na tamtej wyspie z więzieniem, gdy miała zaledwie jedenaście lat. Ze wszystkich sił stara się zachować milczenie i zamknąć oczy. Słyszy jakiś dźwięk dochodzący z pewnego miejsca w jej wnętrzu, które, jak sądziła, zamknęła na zawsze już bardzo dawno temu: z tego miejsca, z którego zwykł przemawiać do niej jej stary pluszowy miś, Dwa Buciki. Z tego miejsca, którym myślała i wprawiała w ruch swą wyobraźnię od czasu, kiedy była jeszcze za mała, by pomyśleć, że nie powinna tak robić. Głos ten był jakby jej, a jednocześnie obcy. A jednak ostatecznie jej. Przecież nie mógł dochodzić z żadnego innego miejsca. Tu jest tylko Opal. Opal musi poprosić o ocalenie Orvila. Zanim będzie mogła choćby pomyśleć o modlitwie, musi uwierzyć w to, że jest w stanie uwierzyć. To ona sama sprawia, że słychać ten głos, lecz zarazem ona również pozwala mu być słyszalnym. Głos ten w końcu dociera do niej i Opal myśli: „Proszę, wstań". Tylko że tym razem mówi to na głos. Przemawia do Orvila. Usiłuje sprawić, by jej myśli i jej głos przedostały się do tego pomieszczenia, w którym on leży. „Nie odchodź" – błaga Opal. „Zostań, proszę" – mówi to wszystko na głos. „Zostań". Sama musi przyznać, że taka modlitwa wypowiadana na głos ma w sobie szczególną moc. Krzyczy więc teraz z mocno zaciśniętymi powiekami: „Nie odchodź! Nie wolno ci!".

Nagle z wahadłowych drzwi wyłania się jakiś lekarz. Jest sam. Opal myśli, że może to dobry znak, gdyż prawdopodobnie o czyjejś śmierci zawiadamiają parami, żeby zapewnić krewnym ofiary wsparcie moralne. Nie chce jednak podnieść wzroku i spojrzeć mu w twarz. Chce i zarazem nie chce znać prawdy. Pragnie zatrzymać czas, by mieć go więcej na modlitwę; na to, by się przygotować. Czas jednak od zawsze ciągle tylko mknie naprzód, nie zważając przy tym na nic. Nim jest w stanie w ogóle o tym pomyśleć, Opal zaczyna już liczyć, ile razy zakołyszą się podwójne wahadłowe drzwi, przy czym każde wychylenie do środka liczy się jako jeden ruch. Doktor już właśnie coś mówi. Ona jednak nie jest w stanie podnieść nań wzroku ani słuchać jego słów. Musi poczekać i przekonać się, co powie jej liczba wychyleń tych drzwi. Te zaś zatrzymują się na cyfrze osiem, więc Opal bierze głęboki wdech, po czym wydaje z siebie westchnienie i podnosi wreszcie wzrok, aby się przekonać, co ma do powiedzenia ten lekarz.

Tony Samotnik

TONY ODWRACA SIĘ NA ODGŁOS WYSTRZAŁÓW, myśląc, że to może do niego strzelają. Widzi, jak za plecami Charlesa pada postrzelony jakiś dzieciak w stroju tancerza. Tony unosi rewolwer i rusza z powrotem ku nim, nie mając pewności, kogo właściwie ma wziąć na cel. Patrzy, jak Carlos pakuje kilka kul w plecy Octavia i jak nagle na głowę Carlosa spada jakiś dron. Pistolet Tony'ego działa dostatecznie długo, aby mógł dwa lub trzy razy trafić Carlosa, co wystarcza, aby ten przestał się ruszać. Tony zdaje sobie sprawę, że Charles już do niego strzela, ale jak na razie nie poczuł jeszcze żadnego trafienia. Problem tylko w tym, że zaciął mu się spust. Pistolet zresztą już tak mu się rozgrzał, że nie sposób dłużej utrzymać go w ręku, więc Tony upuszcza go na ziemię i właśnie wtedy trafia go pierwsza kula. Wydaje mu się, że pocisk, który utkwił mu w nodze, jest rozgrzany i szybki, choć przecież wie, że kula nie może się już poruszać. Charles nadal do niego strzela, ale wciąż pudłuje. Tony zdaje sobie sprawę, że to znaczy, że może trafiać innych ludzi znajdujących się za jego plecami, i twarz rozpala mu się z gniewu. Całe jego ciało nagle jakby twardnieje. Tony dobrze zna to uczucie. Na obrzeżach jego pola widzenia pojawiają się czarne obwódki. Jakaś jego część usiłuje stąd odejść, schronić się w czarnej chmurze, z której zawsze wyłaniał się dopiero po wszystkim. A jednak Tony bardzo chce pozostać tutaj, i tym razem mu się to udaje. Obraz, jaki ma przed oczyma, stopniowo się rozjaśnia.

Zbiera siły, by poderwać się do biegu. Od Charlesa dzieli go jakieś dziesięć metrów. Tony czuje, jak wszystkie frędzle i tasiemki jego stroju tancerza trzepoczą mu na plecach. Wie, co go czeka, gdy biegnie tak bez broni w stronę uzbrojonego przeciwnika, ale czuje się mocniejszy i twardszy od wszystkiego, co mogłoby weń uderzyć, bez względu na to, czy będzie to pęd rozgrzanego metalu, dystans czy nawet czas.

Kiedy druga kula trafia go w nogę, potyka się z lekka, ale nie traci prędkości. Jeszcze sześć metrów, potem trzy. Znowu dostaje, tym razem w ramię. Później kolejne dwa trafienia w brzuch. Czuje je wszystkie, lecz zarazem jakby wcale ich nie czuł. Tony rzuca się na Charlesa, pochylając przy tym nieco głowę. Rozpalony ołów i pęd pocisków ze wszystkich sił starają się go odepchnąć i cisnąć nim o ziemię, ale on nie pozwoli im się zatrzymać, z pewnością nie tym razem.

Gdy od Charlesa dzieli go mniej więcej metr, Tony spostrzega w swym wnętrzu tak wielki spokój i ciszę, że ma poczucie, iż spokój ten emanuje z niego na cały świat, sprawiając, że wszystko wokół uspokaja się i zastyga w nicość – w płynną ciszę. Tony zamierza jednak przedrzeć się przez wszystko, co tylko stanie mu na drodze. Wydaje z siebie przy tym jakiś dziwny dźwięk. Dźwięk ten dobywa się z jego brzucha, po czym wychodzi zeń nosem i ustami. To bulgoczący charkot fontanny krwi. Na ułamek sekundy przed tym, jak ma już dosięgnąć Charlesa, Tony opada nieco niżej na nogach i wpada na niego z całym impetem.

Resztkami sił zwala się ciężko na Charlesa, który usiłuje chwycić go za gardło. Udaje mu się to i Tony widzi, jak na obrzeża jego pola widzenia zakradają się znów czarne plamy. Napiera dłonią na twarz napastnika, wkłada mu kciuk do oka i pcha z całych sił. Jednocześnie spostrzega pistolet Charlesa, leżący na ziemi obok jego głowy. Używając w tym celu całej energii, jaka mu jeszcze pozostała, Tony przenosi ciężar ciała na jedną stronę i upada na bok, po czym chwyta pistolet. Nim Charles jest w stanie przejrzeć na oczy lub chwycić go znów za gardło, Tony pakuje mu kulę prosto w skroń, a potem patrzy, jak jego głowa opada gwałtownie, po czym bezwładne już ciało miękko osuwa się na ziemię.

Tony przetacza się na plecy i od razu zaczyna tonąć, wolno, niczym w ruchomych piaskach. Niebo ciemnieje, a może to jemu robi się ciemno przed oczami albo po prostu zapada się coraz głębiej i głębiej, zmierzając ku jądru ziemi, gdzie będzie mógł zespolić się z magmą, wodą lub metalem albo czymkolwiek innym, co tam się znajduje i zdoła go pochwycić, zatrzymać i zachować w sobie już na zawsze.

Jednak nagle Tony przestaje tonąć. Nie widzi już nic. Słyszy natomiast coś jakby szum fal, a później głos Maxine, dochodzący gdzieś z oddali. Głos ten rozbrzmiewa takim echem, jak to bywało wtedy, kiedy ona krzątała się po kuchni, a on znajdował się gdzieś w pobliżu, na przykład pod stołem albo koło lodówki, na której zamaszystym ruchem przyczepiał magnesy. Tony zastanawia się, czy czasem nie jest już martwy i czy to właśnie kuchnia Maxine będzie tym miejscem, do którego ma trafić po wszystkim. Ale przecież Maxine wciąż żyje. A to jest ewidentnie jej głos. Babka śpiewa starą pieśń Czejenów, którą zwykła śpiewać przy myciu naczyń.

Tony uświadamia sobie, że może znów otworzyć oczy, ale tego nie robi. Wie, że jego ciało jest podziurawione jak rzeszoto. Czuje też, jak każda z tkwiących w nim kul usiłuje przygwoździć go do ziemi. A jednak nagle widzi, że zaczyna się podnosić, że wychodzi ze swego ciała, a później patrzy na siebie z góry, spogląda na swoje ciało i wtedy właśnie przypomina sobie, że ono tak naprawdę nigdy nie było nim. Nigdy nie był Tonym, tak jak nigdy nie był zespołem. Były to tylko dwie różne maski.

Tony znów słyszy, jak Maxine śpiewa w kuchni, i nagle sam tam trafia. Jest tam, w kuchni, i ma cztery lata, w tamte wakacje przed pójściem do przedszkola. Znajduje się zatem w kuchni razem z Maxine. I nie jest wcale dwudziestojednoletnim Tonym, który rozmyśla o sobie w wieku czterech lat czy też przypomina sobie siebie z tamtego okresu. Po prostu naprawdę znowu tam jest, powrócił do bycia czteroletnim Tonym. Stoi na krześle i pomaga babce myć naczynia. Raz za razem zanurza rękę w zlewie wypełnionym wodą z płynem, a potem dmucha w nią bąbelkami, jakie robią mu się na dłoni. Babce wcale nie wydaje się to zabawne, ale go nie powstrzymuje. Ciągle tylko ściera te bąbelki, które lądują mu na czubku głowy. On zaś ciągle ją pyta: „Czym my jesteśmy, babciu? Czym jesteśmy?". Babka jednak nie odpowiada.

Tony z powrotem wkłada rękę do zlewu pełnego piany i naczyń i znów dmucha w stronę babki bąbelkami. Kilka osiada jej nieco z boku na policzku, a ona wcale ich nie ściera, tylko zachowuje pełną powagę i nadal spokojnie myje naczynia. Tony uważa, że to najśmieszniejsza rzecz, jaką kiedykolwiek widział. W dodatku sam nie wie, czy babka zdaje sobie sprawę z tego, że ma tę pianę na policzku, ani czy to wszystko dzieje się naprawdę. Nic mu jednak nie wiadomo o tym, aby miało go tam nie być, ponieważ w tym właśnie momencie jest dokładnie tam, w kuchni Maxine, i nie może sobie tej chwili przypominać, ponieważ wszystko to dzieje się właśnie teraz. Tony jest więc z babką w kuchni i dmucha w nią bąbelkami piany ze zlewu.

Gdy wreszcie udaje mu się opanować śmiech i zaczerpnąć tchu, Tony mówi:

– Babciu, przecież ty wiesz. Wiesz, że masz je na twarzy.

– O co znowu chodzi? – pyta Maxine, nie przestając zmywać.

– Babciu, przecież ty udajesz! – upiera się Tony.

– Co takiego niby udaję? – pyta znów niewinnym tonem Maxine.

– One tam są, babciu, widzę je na własne oczy.

– Idź się teraz pobawić i daj mi spokojnie dokończyć zmywanie – mówi Maxine, uśmiechając się do niego w taki sposób, że dzieciak od razu wie, że babka doskonale zdaje sobie sprawę z tego, że ma na twarzy te bąbelki piany.

Tony bawi się Transformersami na podłodze swej sypialni. Każe walczyć im ze sobą w zwolnionym tempie. Całkowicie pochłania go fabuła, jaką dla nich przy tym wymyślił. Ta historia zawsze wygląda tak samo. Najpierw jest jakaś bitwa, potem zdrada, a na końcu ofiara. Dobrzy ostatecznie zwyciężają, ale jeden z nich umiera, tak jak musiał umrzeć Optimus Prime w filmie *Transformers*, który Maxine pozwoliła mu obejrzeć na tym starym odtwarzaczu wideo, mimo iż powtarzała przy tym, że, jej zdaniem, jest na to jeszcze za mały. Kiedy więc oglądali go razem, to w tamtym momencie, kiedy zdali sobie sprawę, że Optimus zginął, oboje zerknęli na siebie i ujrzeli, że oboje płaczą, co z kolei sprawiło, że przez kilka sekund oboje się śmiali. Przez ten jedyny w swoim rodzaju moment śmiali się oboje w ciemnościach sypialni Maxine; śmiali się i zarazem płakali w tej samej dokładnie chwili.

Kiedy Tony każe swym Transformersom odejść z pola bitwy, jego roboty rozmawiają o tym, jak bardzo żałują, że jeden z nich musiał zginąć; o tym, jak bardzo chciałyby, żeby wszystkim udało się przeżyć. Tony każe wówczas Optimusowi Prime'owi powiedzieć: „Jesteśmy zrobieni z metalu, solidnie wykonani i twardzi, i jesteśmy w stanie wszystko znieść. Zostaliśmy stworzeni do tego, by się przeobrażać. Zatem jeśli jeden z nas może umrzeć, aby ocalić kogoś innego, to zawsze ponosi tę ofiarę. Właśnie po to Autoboty zostały wysłane na ten świat".

Tony jest z powrotem na boisku. Każda dziura po pocisku pali go niemiłosiernie i ciągnie ku ziemi. Teraz ma takie uczucie, jakby nie miał już się unieść, tylko raczej wpaść do środka czegoś, co znajduje się u podstaw jego jestestwa. Mieści się tam jakaś ostoja, coś, do czego przez cały ten czas był zakotwiczony, jakby w każdej ranie tkwił hak przytwierdzony do liny ciągnącej go w dół. Wiatr znad Zatoki omiata stadion i przechodzi także przez niego. Tony słyszy śpiew ptaka, dochodzący jednak nie z zewnątrz, tylko z tego miejsca, w którym jest zakotwiczony: z samego dna i samego sedna swej własnej istoty. Z samego środka tego, co stanowi jej centrum. W każdej z jego ran jest taki śpiewający ptak. Śpiew ich wszystkich nie daje mu zasnąć i nie pozwala mu stąd odejść. Tony przypomina sobie coś, co powiedziała mu jego babcia, kiedy uczyła go tańczyć: „Musisz tańczyć tak, jak ptaki śpiewają o poranku" – rzekła wtedy i pokazała mu, jak lekko sama potrafi trzymać się na nogach. Zaczęła podskakiwać, obciągając palce stóp jak należy w dół, jakby tańczyła w pointach. Oto stopy i lekkość godne prawdziwego tancerza. Tony też musi być teraz lekki. Niechaj wiatr świszcze w dziurach po kulach w jego ciele, a on niech słucha śpiewu ptaków. Tony nie zamierza nigdzie stąd odejść. A gdzieś w środku, gdzieś w nim, tam, gdzie on rzeczywiście jest i gdzie zawsze już będzie, teraz właśnie jest ranek i ptaki śpiewają, śpiewają jak zawsze.

Podziękowania

Dla mojej żony, Kateri, mej pierwszej i najlepszej czytelniczki i słuchaczki, która od samego początku wierzyła we mnie oraz w tę książkę. Dla mojego syna, Felixa, za to, że na tak wiele sposobów pomaga mi i inspiruje mnie do tego, abym stawał się lepszym człowiekiem i lepszym pisarzem. Dla nich obojga, dla których nie pożałowałbym mojej serdecznej krwi. Bez nich nie ukończyłbym tej książki. Ponadto wielu ludzi i wiele organizacji dopomogło powieści tej ujrzeć światło dzienne. Z głębi serca chciałbym podziękować zatem następującym osobom czy instytucjom: The MacDowell Colony, za wspieranie mej pracy jeszcze na długo przed tym, nim stała się tym, czym jest dzisiaj; Denise Pate z Oakland Cultural Arts Fund za sfinansowanie pewnego projektu storytellingowego, który doczekał się realizacji jedynie w literaturze (to znaczy w jednym z rozdziałów niniejszej powieści); Pam Houston, za wszystko, czego mnie nauczyła, i za to, żeby była pierwszą osobą, która dostatecznie mocno uwierzyła w tę książkę, by wysłać ją dalej; Jonowi Davisowi, za to, że na wiele sposobów wspierał mnie i program studiów magisterskich z dziedziny sztuk pięknych w Instytucie Sztuk Indian Amerykańskich (IAIA), który ukończyłem w 2016 roku; za wszelką jego redaktorską pomoc i wiarę we mnie od samego początku; Shermanowi Alexie, za to, że dopomógł niniejszej książce stać się lepszą powieścią, i za całe niewiarygodne wręcz wsparcie, jakiego mi udzielał, odkąd książka została zakupiona przez wydawcę; Terese Mailhot, za wszystko to, co zrobiła, aby nasze pisarskie żywoty mogły wzajemnie się odzwierciedlać, i za wszystkie wyrazy wsparcia i zachęty, jakich nigdy mi nie szczędziła, a także za to, jak niesamowitą sama jest pisarką; The Yaddo Corporation, za czas i przestrzeń na to, by dokończyć tę książkę, zanim jeszcze można było rozesłać jej rękopis; organizacji Writing By Writers, za stypendium przyznane mi w 2016 roku; Claire Vaye Watkins, za to, że wysłuchała czytanych przeze mnie fragmentów powieści i dostatecznie uwierzyła w jej sukces, aby wysłać ją do swojego agenta; Derekowi Palacio, za pomoc w ukierunkowaniu rękopisu i za wszystkie rady oraz wsparcie, jakiego udzielał mi po ukończeniu studiów; wszystkim, jakże licznym, pisarzom i wykładowcom z Instytutu Sztuk Indian Amerykańskich, którzy tak wiele mnie nauczyli; mojemu bratu, Mario, i jego żonie, Jenny, za to, że pozwalali mi spać na swojej kanapie za każdym razem, kiedy przyjeżdżałem do miasta, a także za ich miłość i wsparcie; mojej mamie i ojcu, za to, że zawsze we mnie wierzyli, bez względu na to, co akurat usiłowałem robić; Carrie

i Ladonnie oraz Christinie za wszystko to, co razem przeszliśmy i za to, jak przez cały czas wzajemnie sobie pomagaliśmy;
Mamie i Lou, Teresie, Belli i Sequoi, za to, że przyczyniają się
do tego, że nasza rodzina jest taka, jaka jest; za to, że pomogły
rodzinie dać mi ten czas, którego potrzebowałem na pisanie;
za to, że były takie miłe, opiekuńcze i troskliwe dla mojego
syna podczas moich nieobecności w domu związanych z pi-
saniem niniejszej książki. Mojemu wujkowi Tomowi i cioci
Barb, za to, jak pomagają i okazują miłość wszystkim w naszej
rodzinie; Soobowi i Caseyowi; mojemu wujkowi Jonathanowi;
Marthie, Geri i Jeffreyowi, za to, że byli blisko wówczas, kiedy ja i moja rodzina najbardziej ich potrzebowaliśmy. Mojej
redaktorce Jordan, za jej troskę i wiarę w tę książkę, i za to,
że pomogła mi sprawić, aby była jak najlepsza; mojej agentce
Nicole Aragi, za to, że pewnej nocy przeczytała rękopis zbyt
późno – lub zbyt wcześnie pewnego ranka, kiedy wydawało
się, że cały świat zaczyna się rozpadać, oraz za wszystko, co
od tego czasu zrobiła dla mnie i dla tej książki. Całemu per-
sonelowi Wydawnictwa Knopf za jego ogromne i niesłabnące
wsparcie; wspólnocie Indian Amerykańskich z Oakland; moim
żyjącym krewnym z plemienia Czejenów oraz moim przodkom,
którzy przetrwali niewyobrażalne przeciwności losu i modlili
się żarliwie za nas, żyjących dziś tu i teraz, którzy ze wszystkich sił staramy się modlić i ciężko pracować z myślą o tych,
którzy przyjdą po nas.

Spis treści